SCIENCE FICTION

Vom selben Autor erschienen in den
Heyne-Büchern die Science-Fiction Romane

Die Spur des Dschingis-Khan · Band 3271
Himmelskraft · Band 3279
Lebensstrahlen · Band 3287
Der Befehl aus dem Dunkel · Band 3319
Der Brand der Cheopspyramide · Band 3375
Das Erbe der Uraniden · Band 3395
Flug in den Weltraum · Band 3411
Die Macht der Drei · Band 3420
Kautschuk · Band 3429
Atomgewicht 500 · Band 3438
Atlantis · Band 3447
Das stählerne Geheimnis · Band 3456
Ein neues Paradies · Band 3562
Der Wettflug der Nationen · Band 3701
Ein Stern fiel vom Himmel · Band 3702
Land aus Feuer und Wasser · Band 3703

HANS DOMINIK

UNSICHTBARE KRÄFTE

Ein klassischer Science Fiction-Roman

WILHELM HEYNE VERLAG
MÜNCHEN

HEYNE-BUCH 3254
im Wilhelm Heyne Verlag, München

Dieser Roman erschien bereits früher
unter dem Titel
KÖNIG LAURINS MANTEL

9. Auflage

Printed in Germany 1981
Titelbild: Karl Stephan, München
Umschlag: Atelier Heinrichs, München
Gesamtherstellung: Presse-Druck Augsburg

ISBN 3-453-30133-1

Ein häßlicher, feuchtkalter Herbsttag. Auf den Sommersitzen der englischen Gesellschaft rüstete man zur Abreise.

Die altersgrauen Mauern von Roßmore-Castle verschwammen im grauen Dunst des Hochmoornebels.

Lord Roßmore schritt in seinem Arbeitszimmer unruhig auf und ab. Ein alter Diener trat ein.

»Ist mein Sohn William noch nicht zurück?'«

»Jawohl, Euer Lordschaft! Mr. Hogan kehrte eben von der Jagd zurück!«

»Er soll zu mir kommen!«

Ein wenig später trat der Gerufene ein. Die sorgenvollen Züge Lord Roßmores schienen sich zu glätten, als sein Blick über das frische, wettergebräunte Gesicht seines Sohnes, über die schlanke, sportliche Gestalt im Jagddreß glitt. Doch dann wehrte er unwillig den Jagdhund ab, der ihm gefolgt war und tapsig an ihm hochsprang.

William Hogan griff den Hund am Halsband.

»Kusch dich, Hektor! – Nun, Vater?«

Wortlos schritt Lord Roßmore an den Tisch und reichte seinem Sohn einen Brief.

»Oh! . . .« Das gezwungene Lächeln und die leichte Röte, die über das Gesicht des jungen Mannes huschten, verrieten unangenehme Überraschung.

»Mr. Malone ist wieder mal um seine Pfunde besorgt. Es war doch abgemacht, daß er sich mit der Begleichung der Schuld bis zum Winter gedulden wolle!«

»Und dann?« rief der Lord in scharfem Ton. »Wie gedachtest du die tausend Pfund zu zahlen? Du weißt genau, daß dein mütterliches Erbteil längst aufgebraucht ist. Weißt ebenso, daß ich mich geweigert habe, deinem Leichtsinn fernerhin Vorschub zu leisten. Die Einkünfte aus Roßmore genügen gerade, um meine Bedürfnisse und später die deines Bruders Allan zu bestreiten, der als Ältester die Pairie erbt. Du, als zweiter Sohn, bist darauf angewiesen, nach meinem Tode für dich selber zu sorgen. Alle Mahnungen, dir eine gute Ausbildung zu verschaffen, schlugst du in den Wind!«

Der Lord trat vor seinen Sohn. »Bill!« Er legte seine Hand auf Williams Schulter. »Ich war heute morgen in Lacey-Hall. Edward Lacey hat durch seine amerikanische Heirat seine Verhältnisse aufs beste geordnet. Ich weiß von Laceys Gattin, daß es dich nur ein Wort kostet, und Maria Potter, die bei ihr zu Besuch weilt, ist die deine!«

Bei Nennung dieses Namens wollte William brüsk auffahren. Dann, als besänne er sich, sah er den Vater bittend an – und erblaßte unter dessen strengem Blick. Mit müden Schritten ging er zu einem Sessel.

»Vater, du gestattest, daß ich mir eine Erfrischung kommen lasse.« Er drückte auf einen Knopf. Der Diener erschien. »Whisky und Soda, Thomas!«

Der Alte brachte gleich darauf das Gewünschte, ließ die Tür einen Augenblick offen, schlurfte wieder hinaus.

»Zurück, Hektor! Bist du verrückt geworden?«

Unwillkürlich waren Vater und Sohn aufgeschreckt. Der Hund, der in einer Ecke gelegen hatte, stürzte plötzlich erregt zur Tür.

»Kusch, Hektor!« rief William Hogan zornig.

Was hatte der Hund? Mit gesträubtem Fell knurrte er am Zimmereingang, als stünde ein Fremder vor ihm. William erhob sich, um das wütende Tier zu bändigen. Da, als hätte ein Fußtritt ihn getroffen, wich der Hund aufheulend zur Seite, kroch winselnd unter einen Sessel.

»Was hat das zu bedeuten?« fragte Lord Roßmore erstaunt. »Ist Hektor krank?«

William Hogan schüttelte den Kopf, blickte halb verwundert, halb besorgt auf den Hund. »Ich kann es mir nicht erklären. Er verhält sich so, als wenn ein Fremder ins Zimmer tritt. Doch wir sind allein.«

»Er scheint sich jetzt beruhigt zu haben. Er liegt still, doch seine Augen glühen, als wittre er Verdächtiges.«

»Ruhig, Hektor! Ruhig!« William Hogan warf sich sinnend in seinen Sessel und legte die Hand auf die Augen. »Vivian!« flüsterte er. »Vivian! Dich lassen . . . !«

Seine Augen schlossen sich. Er sah in Gedanken die zarte Gestalt, das liebliche Antlitz. Das heimliche Stelldichein im Park von Doherty-Hall – die Stunden im nächtlichen Hain . . .

Dann, als hätte seine Faust ihn berührt, erstarrte er in Schreck und Abwehr. Das letzte Zusammentreffen . . . Was hatte ihm da Vivian schluchzend zugeraunt?

Wie von einem Hieb getroffen, schnellte er hoch. »Unmöglich, Vater! Ich kann Maria Potter nicht heiraten! Nie!«

Lord Roßmore wandte sich um, sah in tiefer Betroffenheit das todblasse Gesicht seines Sohnes. »Ich weiß, William, woran du denkst. Vivian Doherty – du liebst sie! Mit Freuden würde ich sie als Schwiegertochter begrüßen. Es ist aber unmöglich! Ihre karge Mitgift reicht nicht aus. Ihr seid beide von Jugend auf verwöhnt. Diese Heirat wäre Torheit!« Seine Stimme wurde schärfer. »Von mir hast du nichts zu erwarten – das weißt du! Es gibt nur den einen Ausweg: die Ehe mit Maria Potter.«

William wollte sprechen, doch sein Vater schnitt ihm mit einer Handbewegung das Wort ab. »Nur zwei Möglichkeiten gibt es für dich. Du heiratest Maria Potter oder nimmst Dienst irgendwo in den Kolonien. Roßmore-Castle wird dir für alle Zukunft so oder so verschlossen bleiben. Die Eltern Maria Potters verlangen natürlich, daß ihr einziges Kind in Brasilien bleibt. Du müßtest nach dort übersiedeln.«

Ein langes Schweigen folgte. Schließlich fragte William: »Wie hoch ist die Summe, um die ich mich verkaufen muß, Vater?«

Lord Roßmore zuckte zusammen. »Verkaufen? Warum dieses harte Wort? Miß Maria ist ein liebenswertes Mädchen.« Und leiser fuhr er fort: »Man schätzt das Vermögen des alten Potter auf mindestens zwei Millionen Süd-Dollar.«

»Gib mir Bedenkzeit, Vater!«

»Unmöglich!« Der Lord deutete auf den Brief. »Die Schuld muß bis morgen getilgt sein. Ich kann dir nur beispringen, wenn ich weiß, was du unternimmst.«

William schritt erregt auf und ab, machte dann vor seinem Vater halt. »Also gut!« Und wandte sich mit schmerzlichem Seufzer zur Tür.

Eilends folgte ihm der Hund. Doch in der Nähe der Tür wiederholte sich das seltsame Gebaren des Tieres. An das Knie seines Herrn geschmiegt, den Schwanz eingeklemmt, den Kopf verängstigt zur Seite gedreht, folgte es zögernd.

William achtete nicht darauf. Er öffnete die Tür, ließ aber im selben Augenblick erschrocken die Klinke los. Seine Nasenflügel bebten, als spüre er etwas Fremdes, Ungreifbares. Der Hund neben ihm stieß plötzlich ein klagendes Geheul hervor.

Lord Roßmore kam mit schnellen Schritten. »William, was ist...?«

William Hogan holte tief Atem, strich sich über die Stirn. »Eine Sinnestäuschung, Vater. Auch Hektor... Es war mir, als hätte jemand, der hier gestanden, das Zimmer verlassen.«

Lord Roßmore legte besorgt den Arm um die Schultern des Sohnes. »Deine Nerven sind überreizt. Ich weiß ja, wie schwer der Entschluß dir fällt! Glaube mir, William, es ist das einzig Richtige! Gehe nun in dein Zimmer, schlafe dich aus! Morgen früh werden wir Fräulein Potter unsere Aufwartung machen.«

Eine knappe Wegstunde von Roßmore-Castle entfernt, nahe am Ufer des Weyman-River, liegt auf einem nach drei Seiten steil abfallenden Felsenplateau Doherty-Hall. Auf den Grundmauern eines alten Normannenschlosses hatte der Vater des jetzigen Besitzers, Sir Roger Doherty, einen stattlichen Landsitz errichten lassen. Regelmäßig verbrachte die Familie hier den Sommer.

Den breiten Fahrweg, der zum Hause führte, kam ein junger Mann mit einem Knaben entlang. In der Nähe einer großen Buche, deren Laub schon in allen Farben schimmerte, lief der Knabe von seinem Begleiter fort zu einer Bank, die unter den tief hängenden Zweigen verborgen war.

»Da sind wir wieder, Vivian!« Der Knabe schlang die Arme um die Gestalt eines jungen Mädchens. »Dr. Arvelin und ich haben einen weiten Weg hinter uns. Wir waren auf der anderen Flußseite, in den Wäldern von Roßmore-Castle. Dort trafen wir William Hogan. Er war auf der Jagd, hatte einen starken Hirsch erlegt. Das prächtige Geweih zeigte er mir. So groß!« Er breitete mit drolligem Ernst beide Arme aus.

Das Mädchen hob ihn auf den Schoß, streichelte seine Stirn. »Nun wirst du müde sein und Hunger haben, Phil.«

Der Bruder nickte eifrig. »Ja, ja, Vivian, gewiß bin ich hungrig. Aber erst mußt du noch hören, was da passiert ist! Als wir bei William Hogan standen, kam der alte Hektor aus den Büschen geflitzt und auf uns zugelaufen, und wie er bei uns war, wollte er Dr. Arvelin beißen! Oh, Hektor war sehr böse! Er hat geknurrt und gebellt. Aber da hat William Hogan ihn mit der Peitsche geschlagen und ist mit ihm fortgegangen.«

»Und hat er weiter nichts zu dir gesagt, Phil?« flüsterte Vivian leise dem Bruder ins Ohr.

»O ja, Vivian! Ich soll Grüße an dich bestellen!«

Errötend drückte das Mädchen einen zärtlichen Kuß auf die Lippen des Bruders und übergab ihn seinem Erzieher, der jetzt näher trat. Die beiden schritten davon, während Vivian ihnen nachblickte, bis sie an einer Wegbiegung verschwunden waren. –

Schon über drei Jahre war Dr. Arvelin im Hause Sir Dohertys. Von einer Reise hatte ihn dessen Gattin Mary als Hauslehrer für Phil mitgebracht. Der Knabe, bis dahin ein schwächliches, nervöses Kind, wurde unter Arvelins Leitung von Grund auf verändert. Geistig und körperlich blühte er auf, und das Verhältnis des Doktors zur Familie gestaltete sich im Laufe der Zeit immer inniger. Nichts im Hause geschah, ohne daß man ihn zur Teilnahme aufforderte, obwohl sein schüchternes, linkisches Wesen zu dem rauschenden Gesellschaftstrubel schlecht paßte.

Als sich herausstellte, daß Dr. Arvelin sich aus Liebhaberei mit physikalischen Studien beschäftigte, richtete ihm Sir Doherty im turmartigen Giebel des Hauses ein Laboratorium ein. Hier verbrachte der Doktor fast alle freien Stunden.

Das Personal des Schlosses hatte einen heiligen Respekt vor dem Gelehrten. Unter den Dienstboten lief allerlei Gemunkel um über sein geheimnisvolles Treiben; nur scheu betraten sie den Turm.

Der Tochter des Hauses, Vivian, begegnete Dr. Arvelin stets mit rührender Ergebenheit. Soweit es seine Stellung erlaubte, suchte er jeden ihrer Wünsche, kaum daß er geäußert worden, mit emsiger Beflissenheit zu erfüllen.

Langsam schlenderte Vivian dem Haus zu, traf in der Halle den kleinen Bruder, der mit Appetit seine Mahlzeit verzehrte.

»So allein, Phil?«

»Ja, Vivian! Dr. Arvelin ist noch einmal zurückgewandert. Er hat unterwegs seinen Stock verloren. Weil er ein wertvolles Andenken ist, will er ihn suchen.«

Fahles Mondlicht lag über dem Park. Aus einem Pförtchen an der Rückseite des Hauses schlüpfte eine weibliche Gestalt. In ein dunkles Tuch gehüllt, eilte sie über den mondbeschienenen Platz und verschwand in den Bosketten. Vorsichtig im Schatten der Sträucher und Baumgruppen bleibend, pirschte sich Vivian über den Rasen zu einem Weg, der zu der Brüstung der großen Plattform führte. Dort senkte sich der Fels weniger steil zur Flußniederung.

Ein sausender Windstoß vom Meere her fuhr durch die breiten Äste der hohen Platanen. Fröstelnd zog Vivian das Tuch enger um die Schultern.

Angestrengt horchte sie nach dem Flusse. Endlich ein schriller Pfiff vom Wasser her. Vivian schrak zusammen, eilte unwillkürlich zur Brüstung, starrte in das Halbdunkel über der Tiefe.

Wird William sein Versprechen gehalten und mit seinem Vater gesprochen haben? Was sollte aus ihr werden, wenn Lord Roßmore seine Einwilligung verweigerte? Die Eltern – der strenge Vater, was würde er mit ihr tun?

Ihr Herz pochte wild. Ein zweiter, leiser Pfiff vom Fuß der Felsen. Hastig richtete sie sich auf, blickte voll banger Erwartung in die Tiefe.

War die Entscheidung gefallen? Hatte Lord Roßmore den Bitten seines Lieblingssohnes widerstehen können? Nein! Nein! Es konnte, durfte nicht sein!

Poltergeräusch eines fallendes Steines ließ sie aufmerken. Aus dem Schatten eines Strauchs tauchte die Gestalt eines Mannes, der langsam den steilen Hang heraufkletterte. Vivian winkte mit einem kleinen Tuch dem Ankömmling zu, der jetzt schneller zu steigen begann. Noch ein paar Schritte, und er hatte den Fuß der Mauer erreicht.

»William! ... Bringst du gute Kunde?« kam es flüsternd von den Lippen des Mädchens.

Der Kletterer antwortete nicht, legte die Rechte auf die Brüstung, zog sich empor, um sich herüberzuschwingen.

Beim Anblick seiner bleichen, erregten Züge prallte Vivian zurück, preßte die bebende Hand aufs Herz.

»William!« wollte sie rufen, doch ihre Stimme versagte.

Hogan, die Augen auf Vivian gerichtet, wollte sich eben mit letzter Anstrengung über die Mauer werfen, da ... ein heiserer Laut der Überraschung, des Schreckens: Seine weit aufgerissenen Augen starrten auf die Gestalt Arvelins, die plötzlich, wie aus dem Boden gezaubert, hinter Vivian stand und ihm drohend die Faust entgegenreckte.

Gelähmt von dem spukhaften Bild, versagten Williams Kräfte. Seine Finger glitten von den Steinen ab; vergeblich suchten die Füße Halt. In schwerem Sturz fiel der Körper zurück, rollte, sich überschlagend, den Hang hinab.

Ein Schrei des Entsetzens kam aus Vivians Mund. Angstbetäubt taumelte sie zur Mauerbrüstung und sank dann ohnmächtig zu Boden.

Wie lange sie gelegen, wußte sie nicht. Als sie die Lider hob, drang die Stimme Arvelins an ihr Ohr. Seine Hand strich beruhigend über ihre angstvoll starrenden Augen.

»Keine Sorge, Vivian! William Hogan lebt! Eine ungefährliche Fußverletzung – er wird bald wiederhergestellt sein!«

Eine leichte Röte huschte über Vivians blasse Züge. »Sie lügen nicht, Dr. Arvelin? Es ist Wahrheit?«

Arvelin nickte. »Es ist Wahrheit! Ich selbst sah, wie Hogans Diener seinen Herrn ins Boot brachte und ihn über den Fluß setzte.«

Unter dem Bann ihrer zweifelnden Augen sprach er weiter: »Ich war zu später Stunde noch in den Garten gegangen, allerhand Gedanken nachhängend. Kam hierher, hörte Ihren Schrei, sah, wie Sie fielen. Nachher eilte ich den Hang hinab und stellte fest, was ich Ihnen vorhin erzählte!«

Er schob den Arm unter Vivians Achsel und richtete das Mädchen auf. »Sie müssen ins Haus zurück, dürfen nicht länger hierbleiben. Es könnte jemand kommen. Raffen Sie Ihre Kraft zusammen!«

Mit dankbarem Lächeln stützte sich Vivian auf Arvelins Arm. Doch ihre Glieder versagten. Halb bewußtlos strauchelte sie aufs neue. Hilfsbereit hatte Arvelin die Sinkende aufgefangen und trug sie nun in eiligem Lauf ins Schloß.

Wochen waren vergangen. Eine Reihe schöner, warmer Herbsttage hatte Sir Doherty veranlaßt, die Abreise nach London zu verschieben. Unter der glasbedeckten Halle saß die Familie beim Lunch. Phil hüpfte dem Diener entgegen, der die Post brachte.

»Oh! Etwas aus Brasilien?« Fröhlich schwenkte er einen Brief durch die Luft.

Alle sahen neugierig Doherty zu, der den Umschlag öffnete. Dr. Arvelin streifte mit einem schnellen Seitenblick Vivian, auf deren Antlitz Blässe und Röte wechselten. Jetzt hatte Doherty das Schreiben entfaltet.

»Oh – eine große Neuigkeit! William Hogan zeigt seine Verlobung mit Fräulein Potter in Rio de Janeiro an.«

Noch ehe die anderen den Sinn der Worte erfaßt hatten, flogen aller Augen zu Dr. Arvelin, der aufgesprungen war und die ohnmächtige Vivian in den Armen hielt.

Die weiteren Ereignisse des Tages überstürzten sich in rascher Folge. Vivian, von ihrer Mutter zu Bett gebracht, hatte in wirren Fieberträumen verraten, wie es um sie stand. Die Eltern, niedergeschmettert von dem Furchtbaren, konnten es nicht begreifen. Die einzige, die eine Erkärung abgeben konnte, Vivian selbst, schien mit dem Tode zu ringen.

Unmöglich, jetzt an die Abreise zu denken. Die schottischen Wälder lagen im ersten Schnee, und noch immer war man in Doherty-Hall.

Finstere, sternenlose Nacht. Wieder öffnet sich die Hintertür des Landsitzes. Eine Gestalt schreitet wie im Schlafwandel der Plattform zu, schwingt sich über die Mauer. Vorsichtig, Fuß vor Fuß setzend, klettert sie den steilen Hang hinab. Beschleunigt unten ihre Schritte, eilt dem Flusse zu.

Jetzt hält sie jäh an, wendet den Kopf zurück. Ihre Augen durchdringen das Dunkel ... Nichts zu sehen. Und doch! Hatte ihr Ohr nicht den Ruf »Vivian« vernommen?

Sie wendet sich, schreitet weiter. Da! Hört sie nicht plötzlich das Keuchen eines Menschen, der hinter ihr her eilt? Sie beginnt zu laufen. Nichts zu sehen – und doch wieder der heisere Ruf: »Vivian!«

Unaufhaltsam eilt sie ihrem Ziele, dem Flusse, zu. Springt auf eine Steinplatte, die weit über das Ufer hinausragt. Stürzt sich in jähem Schwung in die dunkle Flut.

Wieder standen die schottischen Wälder in herbstlichem Farbenspiel. Aber Doherty-Hall blieb unbewohnt. Nach den furchtbaren Ereignissen des vergangenen Jahres hatten die Dohertys es gemieden. In ihrem Londoner Haus standen die Koffer gepackt. Sir Doherty war im Begriff, mit seinen Angehörigen nach Kalkutta zu fahren, wo er eine hohe Stellung bekleiden sollte.

Noch einmal drückte Dr. Arvelin den kleinen Phil an sein Herz, sprach liebevoll auf den weinenden Knaben ein. Noch ein herzlicher Händedruck an die Eltern. Dr. Arvelin wandte sich, um seine Rührung zu verbergen, um und schritt schnell aus der Halle.

An jenem Stein, der zuletzt Vivians Fuß getragen, ehe sie den Tod in den Fluten suchte, stand Dr. Arvelin. Das Mondlicht, das durch die Uferbäume brach, weckte ihn aus seinem Sinnen. Fröstelnd zog er den Mantel enger um die Schultern, ging langsam flußabwärts.

Eine kleine Viertelstunde mochte er gegangen sein. Wieder wandte er sich dem Ufer zu. Ein Weidenbaum neigte seine Zweige bis auf den Wasserspiegel. Hier war's, wo er mit Aufbietung seiner letzten Kräfte, die Gerettete im Arm, aus dem Wasser kam.

Er kehrte jetzt dem Fluß den Rücken. Vor ihm führte ein schmaler Pfad zu einer Hütte, die, halb versteckt, sich ins Schilf duckte. Dorthin war er damals mit Vivian geeilt. Eine alte Fischerwitwe wohnte in dem Häuschen. Sie kannte Vivian von Kindheit an.

Jene Schreckensnacht verging. Im Morgengrauen hörte das alte Fischerweib den letzten Seufzer Vivians...

Die Erinnerung an diese Nacht stand lebendig vor Arvelins geistigem Auge. Das heilige Versprechen, das Vivian mit ihrem letzten Atemzug ihm abgenommen, nichts von allem den Eltern zu verraten, ihnen die Schande zu ersparen – er hatte es gehalten.

Arvelin stieß die Tür zu der Hütte auf. Im Lichtschein des Herdfeuers sah er das alte Fischerweib an einer Wiege sitzen, in der ein kräftiger Knabe lag. Er beugte sich über das Kind, schaute ihm lange ins Gesicht. Suchte fast ängstlich die Züge Vivians wiederzuerkennen, suchte lange – frohlockte innerlich, als die Alte rief: »Genauso sah die Mutter aus, als sie in diesem Alter war!«

Die Frau kramte in dem halbdunklen Hintergrund der Hütte allerhand zusammen, machte ein Bündel daraus und übergab es Arvelin. Der drückte ein paar Banknoten in die runzlige Hand, wandte sich zur Wiege, hüllte ein Tuch um das Kind. Die leichte Last auf dem Arm, verließ er die Hütte.

An der Ostseeküste unweit der Grenze auf einer Anhöhe stand das Schloß der Freiherrn von Winterloo. Ein Stück landeinwärts der große Wirtschaftshof, an den sich die ausgedehnten Fluren schließen. Im oberen Turmgemach nach der Seeseite zu zwei Männer im Gespräch.

»Ich weiß nicht, lieber Arvelin, weshalb du dir meinen Vorschlag noch lange überlegen willst.« Freiherr von Winterloo deutete durch die offene Tür auf einen Saal, der wie ein Laboratorium eingerichtet war. »Hier findest du alles Notwendige für deine Arbeiten! Du sagst ja selbst, daß du durch die kleine Erbschaft, die dir kürzlich zufiel, ziemlich unabhängig bist. Die Jagd nach einer beamteten Stelle hast du doch nicht mehr nötig.« Er streckte Arvelin die Rechte entgegen. »Schlage ein, lieber Freund! Eine größere Freude könntest du mir nicht machen, als wenn du dauernd hier bei mir bliebest!«

Der andere zögerte noch immer. Der laute Ruf einer Knabenstimme vom Garten her ließ ihn aufhorchen. Der Freiherr runzelte die Stirn.

»Wieder dieses Kindergeschrei! Habe ich nicht der alten Droste streng befohlen, alle Störungen von diesem Teil des Gartens unter meinen Fenstern fernzuhalten?«

Arvelin hatte Winterloos Hand ergriffen, drückte sie und rief: »Ich bleibe!«

Der Freiherr umarmte seinen Freund. »Mir ist's, als wäre ich um zehn Jahre jünger geworden!«

Arvelin wollte sprechen, da scholl wieder von unten die Knabenstimme. Der Freiherr hastete ärgerlich zur Tür.

»Die Alte ist zur Stadt gefahren. Und der Bengel benutzt nun die Stunden der Freiheit, um sich im Garten auszutoben – das heißt, uns zu stören!« erklärte er.

»Nein, Winterloo – mich stört er nicht! Ich freue mich darüber. Ein hübscher, frischer Junge! Ich sah ihn gestern, als ich die alte Droste, deine Haushälterin, begrüßte. Es ist ihr Sohn – oder ihr Enkel?«

Der Freiherr schüttelte den Kopf. »Nein. Doch wenn du so viel Interesse daran nimmst, will ich dir sein sonderbares Schicksal erzählen. Von der Alten selbst würdest du nichts erfahren. Sie behandelt ihn wie ihr eigenes Kind, hat ihm ja auch ihren Namen gegeben.«

»Du machst mich neugierig, Winterloo! Erzähle bitte! Laß mich mehr über den Jungen hören!«

Die beiden setzten sich. Der Freiherr begann: »Es mögen jetzt an die sieben bis acht Jahre her sein, daß der Knabe in mein Haus kam. An einem stürmischen Herbstmorgen. Schon seit Tagen wagte sich kein Fischer aufs Meer. Ich war wohl eben aufgestanden, da hörte ich vom Ufer her lautes Geschrei. Ich lief hinaus, schrak zusammen: Ein Frachtschiff, weit draußen in der See, stand in Flammen! Kurz darauf traf uns der Schall einer furchtbaren Explosion. Und ein paar Minuten später waren die brennenden Reste des Schiffes im Meer versunken.

Lange standen wir, starrten über die gischtenden Wogen nach der Unglücksstätte. Da plötzlich ein Schrei vom Turm her, wo der alte Droste dem Schauspiel zugesehen: ›Ein Boot kommt an!‹

Die hohen Wellen versperrten uns jede Aussicht. Ich eilte selbst in das Turmzimmer, nahm das große Stativrohr zu Hilfe, schaute in die Richtung, in der Droste das Boot erblickt hatte. Und fand es bald. Es trieb dem Strande zu. Und immer wenn es in ein Wellental hinabschoß, glaubte ich am Boden ein Bündel zu sehen.

So kam's heran. Kurz bevor es den Strand erreichte, eilte ich hinab.

›Bark Anne Mary‹ rief ein Fischer mir zu. ›Anscheinend ein englisches Schiff, das da unterging!‹

Ich wollte mich zum Hause wenden. Da plötzlich ein vielstimmiger Schrei aus der Menge. Droste hatte das Bündel aus dem Boot genommen und zu aller Überraschung entdeckt, daß es ein kleines Kind barg. Es lebte und streckte seine Händchen den fremden Menschen entgegen.

›Ein Wunder!‹ rief alles durcheinander.

Auch mich überlief's wie ein frommer Schauer. Das Kind der einzige Überlebende von dem Unglücksschiff!

Im Lauf der Zeit wurde durch die Seeämter festgestellt, daß tatsächlich die Bark ›Anne Mary‹ auf der Fahrt von Leith nach Memel verschollen sei: Von der übrigen Besatzung hat niemals jemand wieder etwas gehört. Eine Passagierliste fand man nicht. Des Kindes Eltern sind sicherlich bei dem Unglück ums Leben gekommen. Droste nahm es in seine Wohnung. Seine fromme Alte hielt es für ein Geschenk des Himmels an sie. Und seit nun vor Jahresfrist ihr Mann gestorben ist, hängt sie mit all ihrer Liebe an dem Knaben und hält ihn ganz wie ihr eigen.«

»Und du?« fragte Arvelin.

Der Freiherr lächelte in harmloser Abwehr. »Kindergeschrei ist nicht nach meinem Geschmack! Vielleicht, wenn der Junge größer wird ... Doch nein! – warum soll ich mich um ihn kümmern? Eine bessere Pflegemutter als die alte Droste könnte er nirgends finden!«

Jahre ... viele Jahre waren seit dieser Unterredung vergangen. Alt und grau waren die beiden Freunde geworden. Und in ihren Gemeinschaftsbund wuchs ein dritter hinein: Medardus Droste.

Nicht lange, nachdem Arvelin Wohnung in Schloß Winterloo genommen, hatte er den Knaben aus seiner Verborgenheit gezogen, war ihm Spielgefährte und Lehrer geworden. Auch der Freiherr hatte, je weiter das Kind zum Jüngling wurde, immer größeres Interesse für ihn bewiesen. Fast schien es, als ob sich die beiden Alten eifersüchtig um die Zuneigung des jungen Medardus stritten.

Da kam der große Streit zwischen der neuen Großmacht Brasilien und Venezuela. Auf die Kunde von den neuen Ölfunden hatte in Venezuela eine heftige Bewegung eingesetzt für ein Gesetz, das die Ausbeutung von Ölvorkommen durch ausländische Gesellschaften verbieten sollte. Die bis dahin bekannten Ölquellen waren fast erschöpft. Die sich mehr und mehr ausdehnende Industrie Venezuelas war Hauptrufer in diesem Streit. Hatte man doch schon mit Bangen dem Augenblick entgegengesehen, da die Quellen versiegten und man genötigt sein würde, synthetischen Betriebsstoff zu beziehen.

Das Gesetz wurde im venezolanischen Parlament mit großer Stimmenmehrheit angenommen. Es traf in erster Linie brasilianische Interessen, in geringem Maße auch englische. Die Ölinteressenten der brasilianischen Union unter Führung des Leiters der Centralen Oil Gesellschaft, William Hogan, hatten vergeblich gegen das Zustandekommen dieses Beschlusses gearbeitet. Durch geschickte Agitation verstanden sie es dann, die Stimmung in Brasilien derart zu beeinflussen, daß die Regierung eine diplomatische Aktion einleitete. Als sie fruchtlos zu verlaufen drohte, gaben ein paar Zwischenfälle, bei denen brasilianische Bürger ums Leben kamen, Anlaß zum Appell an die Waffen.

Doch in einem hatten sich die Brasilianer verrechnet. Aus dem geträumten Spaziergang nach Caracas wurde nichts. Der Krieg, auf beiden Seiten mit großer Erbitterung geführt, zog sich immer länger hin und verschlang Riesensummen. –

Es war ein schwarzer Tag in Winterloo, als von Medardus die Nachricht kam, er wolle die günstige Gelegenheit nutzen, seine Flugkenntnisse zu vervollkommnen, und habe die Führung eines Luftriesen übernommen, den die Firma Truxton & Co. gechartert hatte, um Konterbande für Venezuela über den Ozean zu schaffen. Vergeblich alle Versuche der beiden Alten, Droste von diesem gefahrvollen Vorhaben abzubringen.

Die Wellen der Weltereignisse, die bis dahin das Gestade Winterloos kaum beunruhigt hatten, begannen nun stärker und stärker zu branden. Mit unverhohlener Sorge verfolgten die Freunde die Kriegsgeschehnisse, gespannt auf alle Nachrichten, die von den Fahrten ihres Medardus zu ihnen drangen.

Arvelin saß in seinem Schlafgemach. Vor ihm lag eine englische Zeitung, die das Bild des kühnen Flugkapitäns Medardus Droste brachte. Lange vertiefte sich der Alte in die frischen, energischen Züge.

»Das Bild ist gut getroffen!« murmelte er vor sich hin. »Medardus, wie er leibt und lebt!«

Er beschattete sinnend die Augen, schritt dann zu einer kleinen Kassette, nahm ein Päckchen heraus und ging wieder zum Tisch.

Die Hülle des Päckchens fiel. Eine verblichene Photographie kam zum Vorschein. Das Bild einer jungen Dame. Arvelin legte es neben das Zeitungsblatt. Seine Augen wanderten von einem Bild zum anderen. Ein wehmütiges Lächeln glitt über sein faltiges Gesicht.

»Dieselben Züge, dieselben Augen! Keine Spur aber, gottlob, von William Hogan, diesem Verfluchten!«

Über dem Gasadorado ein alter, aus der Mitte des 19. Jahrhunderts stammender Steinbau. Er stand noch im Weichbild der Befestigungsanlagen von São Salvador. Schon längst zum Abbruch bestimmt, hatte ihm der Krieg zwischen Brasilien und Venezuela neue Frist geschenkt.

Zwölf Schläge der alten Turmuhr. Edna Wildrake, die Insassin der Zelle 17, schob das Buch, in dem sie gelesen, zurück, ging ein paarmal wie in Erwartung auf und ab. Vom Ende des langen Ganges klang das Rasseln von Schlüsseln – die tägliche Revision des Fortkommandanten. Noch zehn Minuten – Edna hatte die Zeit wohl berechnet –, dann würde auch ihr Zimmer geöffnet werden. Hauptmann Winterloo würde, wie an jedem Tage, die üblichen vorgeschriebenen Fragen stellen und dann... blieb sie wieder für vierundzwanzig Stunden allein.

Wenige Worte nur pflegte er an sie zu richten – und doch, welches Gewicht erhielten sie in seinem Munde! Ihr durch die lange Haft geschärftes Empfinden spürte unverkennbare Teilnahme an ihrem Schicksal heraus. Wie vorteilhaft unterschied sich überhaupt sein Benehmen von dem seines Vorgängers, des Majors Tejo. Der hatte nie anders als in brüskem, verächtlichem Ton mit ihr gesprochen.

Aus dem kurzen Gespräch mit der alten Mulattenwärterin, die täglich zu ihr kam, hatte sie einiges aus dem Leben der beiden Offiziere erfahren. Die furchtbare Katastrophe, die halb Bahia in Asche legte und Tausende von Menschenleben vernichtete, hatte auch in das Leben dieser Männer eingegriffen. Unter den Opfern befanden sich die Eltern Tejos und dessen Schwester Viktoria, die Verlobte des Hauptmanns Winterloo. Diese Katastrophe aber war das Werk des Kapitäns Wildrake, ihres Bruders! Sein stärkstes Heldenstück in den Augen des venezolanischen Vaterlandes und der neutralen Welt – ein fluchwürdiges Verbrechen in den Augen der Brasilianer. Verbrechen? Immer wieder fragte sie sich, wie die brasilianische Union sie und ihre Familie für das Geschehene mitverantwortlich machen konnte.

Sie trat ans Fenster. Von der Höhe, auf der das Gefängnis lag, bot sich ein weiter Rundblick über den nördlichen Teil der Stadt. Wohin ihr Auge schaute – nichts als Trümmer und verkohlte Ruinen.

»Damit Sie die Schandtat Ihres Bruders nicht vergessen, Fräulein Wildrake, habe ich Ihnen das Zimmer mit dieser schönen Aussicht anweisen lassen. Eigentlich kein angemessener Kerkerraum für Leute Ihrer Art!« hatte Major Tejo gesagt, als sie hier hereingebracht wurde.

Der neue Kommandant Winterloo aber hatte sich schon beim ersten Besuch wie beiläufig erkundigt, ob sie nicht einen anderen Raum haben wolle. Sie hatte abgelehnt. Nur ihre Augen hatten gedankt für das verborgene Entgegenkommen, das in seiner Frage lag. Doch war es ihr seitdem, als webe unsichtbar ein Verbundensein zwischen ihr und diesem Manne – dem Manne, dem die Tat ihres Bruders die Braut geraubt.

Die Erinnerung wurde immer wieder aufgefrischt, die Erinnerung an das Heldentum ihres Bruders, an den Schlag, der den Koloß für Augenblicke zum Erzittern brachte. –

Dunkle Herbstnacht. Ein rasender Nordoststurm peitscht die Wasser der Bai zu haushohen Wellen. Mit Mühe halten sich Tausende von großen und kleinen Fahrzeugen vor Anker. Die Kriegsschiffe draußen auf der Reede machen Dampf auf, um sich nötigenfalls auf die hohe See zu flüchten. Auch auf den beiden Riesenschlachtschiffen, die vor São Salvador festgemacht haben, ein wirres Hin und Her. Die »Columbus« und »Pizarro«, der Stolz der brasilianischen Marine, Wunder der Schiffsbautechnik, kurz vor Beginn des Krieges fertig geworden. Keine Marine der Welt hatte ähnliche Schiffseinheiten aufzuweisen.

Da – der Ausguck auf der »Columbus« wollte schreien: »Periskop Backbord voraus in Sicht!« Doch der Ruf erstarb in einer Detonation an Backbord der »Columbus«, der fast gleichzeitig eine zweite an Steuerbord der »Pizarro« folgte.

Ein furchtbares Dröhnen in den beiden Riesenleibern, dann legen sich die gigantischen Panzer auf die Seite... Ein paar Minuten später, da, wo sie gelegen, nur noch ein Gewirr von Trümmern und von Menschen, die um ihr Leben ringen.

Am Kai ankern die zwölf Öltankschiffe des Konvois, den die beiden Panzerschiffe hierher in den Hafen geleitet. Ihre kostbare Fracht ist zum Teil schon in die Ufertanks übergeleitet. Jetzt – ein kurzes Aufblitzen am Rumpf des ersten Schiffes... des fünften, des achten! Laute Schreie der Besatzungen. Am Ufer wird man aufmerksam, Lichter blitzen auf. Riesige brennende Ölmassen ergießen sich aus den getroffenen Schiffsleibern. Die lange Front des Seawall ist im Nu ein Flammenmeer, das sich mit Blitzesschnelle über die ganze Südfront der Bay ausbreitet.

Schon brennen die Docks! Die verängstigten Einwohner, aus dem Schlaf gescheucht, stürzen auf die Straße. Da plötzlich ein donnerähnliches Getöse. Die riesigen Muntionsmengen, die an den Kais lagern, explodieren.

Feuerwehr und Militär jagen zur Unglücksstätte. Noch weiß man nicht, was geschehen, übersieht kaum die Größe der Gefahr, da stehen schon die langen Uferstraßen mit den langen Lagerhäusern und hinter ihnen die stolzen Geschäftspaläste in lodernden Flammen.

Vergeblich alle Versuche, sie mit menschlichen Mitteln zu bekämpfen. Die Glut greift auf die innere Stadt über, überspringt ganze Viertel. Tausende, die sich noch retten wollten, sind plötzlich abgeschnitten, auf allen Seiten von brennenden Häuserblocks umgeben.

Erst in der Morgendämmerung legte sich die Gewalt des Orkans. Die Strahlen der aufgehenden Sonne beleuchteten ein grausiges Bild. Der Verlust so ungeheurer Werte jetzt mitten im Kriege war doppelt schwer zu ertragen. Bildete doch Bahia das Hauptsammellager für die technische Kriegführung. Auf den Kriegsschauplätzen machte sich der Ausfall empfindlich bemerkbar.

Wie war das Unglück entstanden? Man wollte nicht glauben, daß etwa ein Feind durch die hundertfach gesicherte Minensperre gebrochen sei. Die Berichte aus Bahia selbst waren so unklar, daß man sich kein sicheres Urteil bilden konnte. Da brachte am Abend des folgenden Tages der amtliche Heeresbericht aus Caracas folgende Nachricht: »Gestern nacht gelang es unserem U-Boot 48, in den Hafen von São Salvador einzudringen und die beiden Schlachtschiffe ›Columbus‹ und ›Pizarro‹ sowie zwölf Tankschiffe zu versenken.«

Die Welt verhielt den Atem.

Wer war es?

Ein paar Stunden später: Der Name Robert Wildrake im Munde jedes Brasilianers. Er der Täter! Der Verbrecher! Millionen Flüche und Verwünschungen wurden auf sein Haupt geschleudert. Schon mehr als einmal hatten venezolanische Heeresberichte kühne Taten des Kapitäns Wildrake erwähnt. Man wußte Bescheid über ihn. Wußte, daß sein Großvater James Wildrake aus Schottland nach Venezuela eingewandert war und dort umfangreiche Ländereien erworben hatte. Dessen Sohn hatte eine Tochter des Generals Alvarado geheiratet und die venezolanische Staatsangehörigkeit angenommen. In Wildrake-Hall, am Nordufer des Rio del Caroni, war Robert Wildrake geboren.

Wildrake-Hall! Ednas Gedanken flogen dorthin. Wie mochte es da aussehen? Die Brasilianer würden mit dem Besitztum ihres Feindes wohl ebensowenig glimpflich umgehen, wie sie ... Ihre Gedanken stockten. Ein harter, bitterer Zug grub sich um ihren Mund. Wie konnte man so unmenschlich, so grausam handeln? Wer hätte je annehmen können, daß der Feind ungeschützte Frauen, den kranken Vater aus dem Hause reißen, in Gefangenschaft fortschleppen würde? Gewiß, sie waren gewarnt. Lag doch Wildrake-Hall in der Gefahrenzone. Aber niemand hätte für möglich gehalten, daß das geschah, was in jener Schreckensnacht vor sich ging, als ein Geschwader landete und Wildrake-Hall umstellte.

Die Eltern – Maria, Roberts Braut – sie, Edna, selbst – gefangen fortgeführt unter dem Vorgeben, sie hätten gegen die Sicherheit der Besatzungstruppen konspiriert. Der kranke Vater dahingesiecht – vor zwei Wochen hatten sie ihn begraben. Maria, die Ärmste – wieviel mußte sie gelitten haben, bis die Tränen ihr Augenlicht verdunkelten und man sie endlich mit der sterbenden Mutter heimsandte . . .

Ein Schaudern überlief Edna bei dem Gedanken an ihre eigene harte Behandlung in der ersten Zeit der Haft. Das erste freundliche Wort, das sie in der Gefangenschaft gehört, kam aus dem Munde Winterloos. Doch wie lange würde er noch bleiben? Täglich konnte er abgelöst werden.

Wie in Gedanken öffnete sie den Fensterflügel bis zur Wand, trat vor die blanke Scheibe, schaute hinein. Mit ein paar kurzen Bewegungen ordnete sie die Fülle ihres blonden Haares. Lächelte dann über sich selbst. Ein Restchen Eitelkeit also selbst jetzt noch – trotz bitterer Gefangenschaft!

Kanonendonner von der Seeseite her ließ sie zusammenfahren. Edna starrte durch das Gitter auf die Straße, die plötzlich von einem Gewimmel freudig erregter Menschen erfüllt war.

Ein großer Sieg der Union? Oder gar Friede? Und Freiheit für sie, der man doch nichts anderes vorwerfen konnte, als daß sie Robert Wildrakes Schwester war?

In ihrem Sinnen überhörte sie, daß sich die Tür ihrer Zelle öffnete. Ihr Auge begegnete in stummer Frage dem Blick des Offiziers. Der nickte.

»Waffenstillstand, gnädiges Fräulein! Gebe Gott, daß der Krieg endgültig vorüber ist! Vielleicht wird Ihre Haft nun bald ein Ende haben!«

Ein kurzer Händedruck. Schon war sie wieder allein.

Waffenstillstandsverhandlungen im Lager des brasilianischen Höchstkommandierenden. Immer wieder nur der eine Punkt, an dem alles zu scheitern drohte: das Schicksal von vier venezolanischen Offizieren, deren Auslieferung zur Aburteilung durch ein brasilianisches Kriegsgericht gefordert wurde.

»Unmöglich, Señores!« Der greise Oberst Guerrero nahm auf seiten Venezuelas das Wort. »Unmöglich! Niemals werde ich in die Auslieferung dieser Tapferen, die Sie Verbrecher nennen, einwilligen.«

Doch eine halbe Stunde später waren die Waffenstillstandsbedingungen schriftlich festgelegt. Die Vertreter der beiden Staaten unterschrieben das offizielle Protokoll und unterschrieben ein zweites Schriftstück.

Im Golf von Maracaibo die idyllische Insel Aruba. Noch vor wenigen Jahren eine nur den Fischern bekannte Insel. Inzwischen zum Treffpunkt für millionenschwere Sportsleute ganz Südamerikas geworden.

Der Krieg jedoch hatte aller Herrlichkeit ein Ende bereitet. Verlassen jetzt die Hotelbauten, verödet der paradiesische Strand.

Ein kleines Motorboot, die Flagge Venezuelas am Heck, näherte sich von Westen her der Anlegestelle, machte dort fest. Ein Marineoffizier sprang heraus, verabschiedete sich von dem Führer des Bootes und ging quer über den Strand. Er näherte sich einer zwischen Palmen versteckten Villa.

Als er den Garten erreichte, sprangen drei Offiziere in weißen Tropenuniformen aus ihren Hängematten, die dort an den Bäumen befestigt waren.

»Hallo, Kapitän Wildrake! Ist's möglich?«

Eine kleine, fast jungenhafte Gestalt eilte ihm entgegen. »Sie sind's wirklich, Wildrake? Ich begrüße Sie herzlich in unserer Mitte! Kommt her, Barradas und Calleja! Kapitän, Sie kennen die Herren noch nicht? Herr Leutnant Antonio Barradas und Juan Calleja.«

Der Angeredete drückte jedem die Hand und blickte dann in die Runde.

»Man hat uns ja eine ganz nette Erholungsstätte angewiesen, meine Herren. Nun, das Vaterland weiß, was es uns schuldig ist. Freier Aufenthalt in Aruba, dem Milliardärbad – nicht übel! Wäre nur nicht dort drüben die unliebsame Nachbarschaft!« Er deutete auf ein paar Rauchwolken. »Das brasilianische Kreuzgeschwader, das da hinten vor Anker liegt, dürfte besser fehlen. Unsere Ruhe könnte von denen da drüben leicht gestört werden. Und wär's auch nur, daß sie uns ein paar Granaten aufs Hausdach setzten.«

»Ah, gut! Seht ihr? Sagte ich nicht dasselbe?« Leutnant Calleja war aufgesprungen. »Wußte gleich, daß der Brief, der mich hierherbeorderte, ein Uriasbrief war.«

»Ich will und kann es nicht glauben!« unterbrach ihn Barradas. »Solch schnöder Undank des eigenen Vaterlandes, für das wir huntertmal unser Leben aufs Spiel gesetzt ...« Der Offizier starrte drohend nach dem Festland hin. Dann ...!« Er hatte die Faust geballt, die Worte zischten aus seinem Munde.

»Dann wäre mir jeder Schuß leid, mit dem ich die hundert brasilianischen Flieger herunterholte. Die Stunde wird kommen!« erwiderte Calleja. »Verlaß dich darauf, Barradas! Bald wirst du erkennen, wie Venezuela seinen besten Luftkämpen dankt. Der Brand von Pernambuco – vergiß ihn nicht! Er steht im brasilianischen Schuldbuch auf deinem Konto, Barradas! Wie konntest du auch so unvorsichtig sein und eine Bombe auf die Munitionsdepots werfen, die die lieben Brasilios unmittelbar neben der Stadt errichtet hatten! Pernambuco ist eine offene Stadt, mein Lieber! Da muß man vorsichtig sein! – Wenn ich übrigens einen leisen Zweifel hatte, so hat die Ankunft unseres verehrten Kapitäns Wildrake ihn behoben. Man versäumte es, dem alten, braven Guerrero rechtzeitig den Mund zu stopfen. Durch einen Verwandten im Ministerium kam mir einiges von den Verhandlungen im brasilianischen Hauptquartier zu Ohren. Das eine weiß ich: Hier spielt man ein böses Spiel!«

»Eine Falle! Nichts anderes!« fiel Alvarez ein. »Wie denken Sie darüber, Kapitän? Daß Sie nicht der Meinung unseres ehrlichen Barradas sind, sehe ich schon längst.«

Wildrake nickte stumm.

»Aber was sollen wir tun?« rief Barradas. »Wir haben Befehl, uns bis auf weiteres hier aufzuhalten. Wäre es wirklich wahr, was Sie, Herr Kapitän Wildrake, denken, keine Minute länger würde ich bleiben. Einer Regierung, die solch schändlichem Plan zugestimmt, den Gehorsam zu verweigern, würde mir ein Vergnügen sein. Ich begreife nicht, Kapitän, wie Sie hierherkommen konnten, wenn Sie die Überzeugung haben, daß ...«

»Befehl ist Befehl, Leutnant Barradas! Solange ich nicht den greifbaren Beweis habe, daß meine Vermutungen richtig sind, gehorche ich dem Befehl, bleibe hier.«

»Beweis, Kapitän Wildrake?« hohnlachte Alvarez. »Der Beweis dürfte erst erbracht sein, wenn uns die Brasilianer hier ausgehoben und nach den Südstaaten verschleppt haben. Es gibt genug Möglichkeiten, die Insel zu umstellen. Bleiben wir also hier, dann sind wir einem überraschenden Überfall der Brasilianer wehrlos preisgegeben. Denn ist's eine Falle, in der wir stekken, so ist ein Entkommen unmöglich.«

»Falle, mein lieber Alvarez? Gewiß, in eine Falle geht, wer keinen Ausweg sieht.«

»Ah, Kapitän Wildrake!« rief Calleja. »Sie wüßten, wie gegebenenfalls . . .?«

Wildrake nickte.

»Und wie wäre das?« Gleichzeitig kam die Frage aus dem Munde der drei.

»Ich habe«, fuhr Wildrake fort, »für den Fall, daß gewisse Ereignisse hier eintreten, mir die Flucht unter Wasser gesichert.«

»Was haben Sie – ein U-Boot? Es liegt schon da? Es wird kommen?«

Wildrake sprach weiter. »Es wird da sein, wenn das Ereignis eintritt. Doch ich will Sie nicht länger im unklaren lassen. Ich kenne die Insel von einem früheren Aufenthalt her genau. An der Nordspitze befindet sich eine Höhle, die die Flut in den Felsen gewaschen hat. Ein rauchendes Feuer, da oben angezündet, wäre weithin sichtbar. Eine Stunde, nachdem das Signal gegeben, wird Kapitän Pedrazza mit seinem Boot unter der Höhle liegen. Eine kleine Schwimmtour von hundert Metern, und wir sind an Bord. Es gilt nun, scharf Ausguck zu halten, daß wir nicht in den Betten von den brasilianischen Fliegern überrascht werden. Machen wir uns jedenfalls sofort an die Arbeit, das Signal für alle Fälle vorzubereiten!«

Als Oswald Winterloo in sein Zimmer kam, trat ihm Major Tejo entgegen.

»Ah, guten Tag, Alfonso! Beglückwünschen wir uns! Waffenstillstand! Endlich der Krieg vorüber!«

Tejo machte ein finsteres Gesicht. »Leider!«

»Alfonso! Wünschst du wirklich, daß der Krieg noch weiterginge?«

»Wer möchte das? Aber sonst ist es halbe Arbeit, nichts anderes! Man will Venezuela zwingen, alles Gebiet bis zum fünften Breitengrad abzutreten. Wie lange wird's dauern? Ein, zwei Jahrzehnte – ein neuer Krieg dann, um auch den Rest der Union einzuverleiben. Die Opfer werden da noch größer werden.«

»Alfonso! Ich verstehe dich nicht.«

Tejo wandte sich um, trat zum Fenster, deutete auf die Stadt. »São Salvador, Pernambuco, Manaois in Schutt und Asche! Auch ich verstehe dich nicht mehr! Hättest du Victoria wirklich geliebt, müßtest du denken wie ich.«

»Alfonso, wohin treibt dich der Haß? Du weißt, wie teuer mir Victoria war. Aber wird ihr Andenken mir dadurch kostbarer, daß noch weitere Hekatomben von Opfern verbluten?«

»Du bist ein Deutscher! Obgleich ihr schon seit Generationen hier im Lande wohnt. Ein Deutscher – schwach im Hassen, schwach im Lieben.«

»Sieh hinaus auf die Straßen! Der Jubel der Bevölkerung beweist zur Genüge, daß andere ebenso denken wie ich.«

Tejo machte eine wegwerfende Handbewegung. »Vergleichst du dich mit diesen?«

Winterloo unterdrückte die heftige Antwort, die ihm auf der Zunge lag. »Ich für meine Person werde jedenfalls mit Freuden das Ende dieses Kampfes begrüßen. Vor allem bin ich froh, dieses Postens hier so oder so bald ledig zu sein.«

»Meinst du, daß die politischen Gefangenen hier so bald entlassen werden?«

»Gewiß! Zweifellos sind doch darunter sehr viele, die auf einen bloßen Verdacht hin verhaftet wurden. Man wird sie ohne Prozeß freigeben müssen.«

»Ha!« Tejo lachte ein häßliches Lachen. »Du denkst wohl besonders an diese Edna Wildrake?«

Winterloo biß sich auf die Lippen. »An sie nicht mehr als an die anderen . . .«

Winterloo wandte sich achselzuckend zur Seite. »Ich kann nur wiederholen, was ich sage, Alfonso. Ich verstehe diesen Haß nicht.«

»Fehlt nur noch, daß du als ihr Ritter in der Gerichtsverhandlung auftrittst! Dann wäre ja das Schauspiel fertig. Du, der Mann, dem dieser Verbrecher die Braut geraubt, nun der Verteidiger seiner Schwester! Daß die Angehörigen dieses Wildrake hinter unserem Rücken konspiriert haben, steht fest. Der Prozeß wird es an den Tag bringen, verlaß dich darauf! Dann wirst du vielleicht anders denken. Für heute lebe wohl, Oswald!«

»Lebe wohl, Alfonso!«

Sie schieden ohne Händedruck.

»Die Brasilianer werden Gesichter machen, wenn sie das Nest leer finden!« sprach Alvarez leise lachend. Ein Griff Wildrakes riß ihn zurück. Auch die beiden anderen, die ihnen folgten, blieben stehen. Aus dem Schatten einer langen Badebaracke hervorgetreten, hatte Wildrake auf der freien Rasenfläche zur Linken plötzlich vier Flugzeuge entdeckt.

»Wir müssen einen Umweg machen, um zu unserem Scheiterhaufen zu kommen. Möglich, daß ein Teil der Besatzung in den Flugzeugen geblieben ist. Jedenfalls ist größte Vorsicht geboten.«

Jede Deckung benutzend, umschlichen die vier Schicksalsgenossen die brasilianischen Flugzeuge. Am Fuß der Nordhöhle hielt Wildrake an.

»Was ist das? Man müßte doch in dem hellen Mondlicht den Scheiterhaufen sehen. Er ist weggeräumt! Verrat! Ein Spion! Keinen Schritt weiter!«

»Verrat? Spione?« stieß Barradas zwischen den Zähnen hervor.

Die beiden anderen starrten wie hilfesuchend auf Wildrake. Der lächelte.

»Ich halte uns noch nicht für verloren. Sehr rasch freilich muß gehandelt werden! Auf Sekunden kommt's an! Dort hinten die vier brasilianischen Flugschiffe – wir müssen sie kapern, auf ihnen entfliehen. Jeder von uns kann ein Flugzeug führen.«

»Aber die Besatzung?«

Statt einer Antwort zog Wildrake den Revolver aus der Tasche. »Wir müssen sie überraschend angreifen und unschädlich machen. Kein anderer Weg! Auf jeden Fall müssen wir versuchen, uns aller vier Flugzeuge zu bemächtigen, sonst hätten wir die Verfolger sofort auf den Fersen. Doch zunächst zurück zu der Badebaracke!«

In schnellem Lauf bewegten sich die vier den Weg zurück. Im Schatten der Baracke angelangt, deutete Wildrake auf die vier Schiffe, die in einer Front vor ihnen lagen, stellte die drei Gefährten nebeneinander auf.

»Alvarez das erste! Calleja das zweite! Barradas das dritte, ich das vierte. Wir werden uns langsam auf die Maschinen zu bewegen, bis wir angerufen werden. Vielleicht, daß man uns erst spät bemerkt. Dann in schnellem Lauf drauf zu! Und jeder an sein Geschäft! Unser Ziel: die britischen Antillen. Alles Weitere wird sich finden.«

Kaum hundert Schritt mochten sie zurückgelegt haben, als aus dem dritten Flugschiff ein Anruf erscholl. Gleichzeitig wurde die Tür der Kabine geöffnet. Ein Matrose trat heraus, machte seine Waffe fertig.

»Drauf!« schrie Barradas und eilte mit Riesensprüngen auf die Maschine zu.

Ein dumpfer Schlag! Der Matrose lag am Boden. Dröhnendes Brummen des Motors, den Barradas angelassen hatte. Auch die drei anderen waren eiligen Laufes auf ihr Ziel losgestürmt und erreichten fast gleichzeitig ihre Flugzeuge.

Sie verließen die Insel und flogen der aufgehenden Sonne entgegen.

»Vielleicht war's unsere letzte Fahrt, Kapitän Droste!« Der Erste Offizier sprach es zu dem Führer des Luftriesen DK 920.

»Wahrscheinlich, Johnson!« antwortete er. »Es ist gut, daß das Morden da drüben jetzt aufhört. Bedaure nur, daß unsere Flüge von England nach Venezuela nun auch ein Ende nehmen werden. War doch alles in allem eine herrliche Zeit, wenn's auch manchmal hart am Tode vorbeiging.«

»Nicht zu vergessen: auch ein schönes Geschäft, Kapitän! Ob der brave Kahn wohl wieder nach Bremen zurückgeht? Oder werden Truxton & Co. ihn fest übernehmen?«

Droste zuckte die Achseln. »Ich werde jedenfalls das Kommando niederlegen, sobald wir in England sind.«

Kapitän Droste wollte eben die Kabine verlassen, da schrillte das Telefon.

»Flugzeuge Backbord in Sicht!«

Er trat in den Laufgang, sah durch die Fenster nach Backbord. »Was ist das, Johnson?« rief er dem nachkommenden Offizier zu. »Ein Kampf zwischen brasilianischen und venezolanischen Fliegern? Es ist doch Waffenstillstand!«

»Nein! Kein venezolanischer Flieger dabei!« Johnson spähte durchs Fernglas. »Die Abzeichen sind ungefähr zu erkennen. Scheinen alles Brasilianer zu sein.«

»Unmöglich, Johnson! Da – sehen Sie doch! Der Hinterste schießt doch auf den vor ihr Fliegenden. Der stürzt ab. Jetzt — die beiden anderen Verfolger gegen das dritte Flugzeug! Das schlägt eine Volte! — Der vorderste Verfolger abgeschossen! Aber jetzt sackt der Verfolger selber ab!«

»Was ist das? Wie soll man das verstehen?« rief Johnson. »Brasilianer gegen Brasilianer? Ich denke, wir drehen ab und fahren mit halber Kraft. Das Ende dieser sonderbaren Affäre möchte ich doch gern mit ansehen. Der Teufel soll daraus klug werden. — Jetzt auch das zweite Flugzeug erledigt? Es will landen . . .«

»Auch den Verfolgern scheint der Atem auszugehen. Nur noch zwei sind hinter dem letzten her. Ah — der Kerl ist mutig! Er wendet, will den Kampf aufnehmen. — Ruder hart Steuerbord!« schrie Droste ins Sprachrohr. »Drücken wir uns etwas zur Seite!« fuhr er, zu Johnson gewendet, fort. »Der Kampf kommt uns allmählich in bedenkliche Nähe.«

»Ha, ha!« schrie Johnson. »Das ging ja schnell. Die beiden Verfolger gehen 'runter! Der eine fängt an zu brennen. Abgeschossen! Aber was macht der wieder? Sein Schiff schwankt verdächtig. Und da hinten? Neue Verfolger! Sehen Sie sie über die Kimme kommen? Gemeinheit! Jetzt sind sie alle verloren. Was meinen Sie, wenn wir näher herangingen, Kapitän?«

Droste schnitt eine Grimasse. »Brenzlige Geschichte, mein lieber Johnson! Sie wissen: britische Neutralität . . .«

»Wohlwollend, Kapitän!«

»Ja, ja, wohlwollend! Aber striktester Befehl von Truxton & Co., uns unter keinen Umständen in die Kämpfe einzumischen.«

»Zwischen die Kämpfenden uns einmischen, Kapitän? Ich habe nicht gehört, daß der Krieg wieder ausgebrochen sei. Weiß nur vom Waffenstillstand. Können ja Lufträuber sein. Offen gesagt, Kapitän, ich brächte es nicht übers Herz, den armen Kerl da unten versaufen oder in die Hände der Verfolger kommen zu lassen. Möchte auch zu gern wissen, was das für eine verwickelte Geschichte gewesen ist.«

»Haben recht, Johnson! Will's auf meine Kappe nehmen!«

Ein paar Kommandos in das Mikrophon. Der Riesenleib des tausendtonnigen Luftriesen drehte und schoß nach unten.

»War wohl höchste Zeit, mein Lieber?« rief Johnson dem einzelnen Manne zu, der, an eine Holzplanke geklammert, auf dem Wasser schwamm, als er ihn an einer zugeworfenen Leine in die Kabine zog.

»Thanks, Gentlemen.«

»Thanks, Gentlemen? . . . Señor? Hidalgo?« meinte Johnson lachend, als er die venezolanische Uniform erkannte. »Woher kommt Ihr?«

Ein Dutzend Fragen prasselten auf den Geretteten nieder, dann schob Droste Johnson zur Seite und reichte dem Venezolaner ein Glas Wein. »Hier, Señor! Es wird Ihnen guttun.«

Er trank in hastigen Zügen, strich sich das nasse Haar aus der Stirn.

»Ah!« Droste trat einen Schritt zurück, ließ fast das Glas fallen. »Sie? Sie sind's, Kapitän Wildrake?«

»Wildrake?« Johnson sah Droste fragend an.

Der sprach weiter. »Gewiß, Johnson! Ich sah sein Bild so oft, daß ich ihn unter Tausenden herausgefunden hätte.«

Er reichte dem Geretteten die Hand, führte ihn zu einem Stuhl. »Setzen Sie sich, Señor!«

Ein Offizier trat ein. »Die anderen Flugschiffe scheinen uns den Weg verlegen zu wollen. Machen Anstalten, uns ...«

»Was?« brüllte Johnson. »Uns den Weg verlegen? Die Beute abjagen?« Er wandte sich leidenschaftlich Droste zu.

Der Kapitän kniff die Augen zusammen, sprach leise vor sich hin. »... auf offener See? Waffenstillstand? – Johnson, lassen Sie die Kielgeschütze klarmachen! Dem ersten, der uns in den Weg tritt, eine volle Ladung!«

»Bravo, Kamerad!« rief Johnson, alle Disziplin vergessend. »Wird sofort besorgt!«

»Meine Herren!« Der Gerettete hob die Hand. »Meinethalben nicht!«

»Johnson, tun Sie, wie Ihnen befohlen! Doch für alle Fälle zuerst einen Warnschuß!«

Ein paar Minuten vergingen.

»Sie drehen ab, die Burschen! Scheinen keine Lust zu haben, mit uns anzubinden. Schade!« kam Johnsons Meldung von unten.

»Ist auch besser so!« sagte Droste lachend zu Wildrake. »Doch kommen Sie! Gehen wir in meine Kabine! Wir haben ungefähr die gleiche Statur. Sie müssen sich umziehen. Und dann, mein Lieber, müssen Sie erzählen!«

Doktor Arvelin und der Freiherr von Winterloo saßen im Turmzimmer an einem Tisch, auf dem eine Menge Zeitungen ausgebreitet lagen.

»Gott sei Dank, Arvelin, daß der Krieg vorbei ist! Jetzt werden die gefährlichen Flüge des Jungen ein Ende haben. Möglich, daß diese letzte Affäre, die sonderbarerweise nach dem Waffenstillstand passierte, doch nicht ganz so harmlos war, wie die Zeitungen es darstellen.« Er deutete auf eins der Blätter vor ihm.

»Nun, Winterloo, dann können wir Medardus hier bald erwarten. Nach dem Datum dieses Berichts zu urteilen, müßte er ja schon auf englischem Boden gelandet sein. Ich bin neugierig, ob die brasilianische Regierung Schritte unternehmen wird, um die Auslieferung des Kapitäns Wildrake zu erreichen.«

»Ich glaube, da werden die Brasilianer keine Gegenliebe finden, Arvelin. Wildrake ist von großväterlicher Seite englischen Blutes. Du weißt ja aus den Zeitungen, wie man in England seine Taten im Kriege feierte, als wäre er selbst Engländer. Auch Medardus wird in England gute Aufnahme finden.«

Eine Uhr, die im Nebenzimmer bisher laut getickt hatte, setzte plötzlich aus. Der Freiherr sprang hastig auf, eilte hinüber. Auf langen Tischen, an den Wänden überall blitzende Apparate aus Glas und Metall; ein paar Maschinen im Hintergrund; das Ganze das wohleingerichtete Laboratorium eines Privatgelehrten.

Der Freiherr schritt zu einem Gerüst, auf dem ein schwerer eiserner Behälter befestigt war, und beugte sich über die Skalenscheibe eines elektrischen Meßgerätes. Die kurzsichtigen Augen dicht an die Skala gedrückt, las er mit unverhohlener Befriedigung das Ergebnis ab.

»Komm bitte schnell, Arvelin!«

Der Gerufene trat lächelnd neben den Freund. »Zwanzigtausend Kilowattstunden! Und noch immer nicht genug?« Er schlug dem anderen leicht auf die Schulter. »Noch länger soll deine wunderbare Leistung hier im Laboratorium im Verborgenen ruhen? Ach, wenn ich denke, ich stünde wieder vor meinen Studenten und könnte ihnen sagen: Meine Herren! Der Freiherr Karl von Winterloo ist im Besitz einer Erfindung, die die Verkehrswirtschaft, die Betriebswirtschaft der Industrie – kurz, einen großen Teil der allgemeinen Wirtschaft vollständig auf neue Füße stellt ... Er hat auf physikalischem Wege einen Betriebsstoff hergestellt, der in Form eines chemischen Akkumulators das zwanzigfache Arbeitsvermögen unserer heutigen besten Betriebsstoffe aufzuspeichern erlaubt. Wie eine Bombe würde meine Mitteilung im Zuhörerraum wirken! Und wenn ich gar verriete, daß die Erfindung schon vor vielen, vielen Monaten gemacht ist, daß aber der Erfinder weder früher noch jetzt daran denkt, sie der Öffentlichkeit zu übergeben – weil er in unbegreiflichem Starrsinn seine Entdeckung für noch nicht vollkommen hält – weil sein Ziel die hundertfache Speicherung ist, ja, dann würde man wohl sagen: Der Doktor Arvelin ist plötzlich toll geworden!«

Ein fast kindliches Lächeln glitt über die faltigen Züge des Freiherrn. »Ich – und Geschäfte machen mit dem, was ich in jahrelanger, angestrengter Arbeit geschaffen, nur im Interesse der Wissenschaft geleistet habe? Ich mit raffinierten Geschäftsleuten in Verbindung treten, Aktiengesellschaften gründen, Organisationen aufziehen – vielleicht gar als zwanzigfacher Aufsichtsrats-Ehrenvorsitzender? O Gott, wenn ich dächte, so etwas sollte mir blühen, dann wäre mir die Arbeit und alles, was ich erreicht, verhaßt!«

»Brauchst du mir nicht zu sagen, Winterloo! Du bist eben der echte Idealist.«

»Mag sein, Arvelin! Doch du bist nicht anders! Gabst du nicht auch deine Universitätslaufbahn auf, um hier in der Stille deiner Forschung besser dienen zu können?«

Über seine Apparate gebeugt, sah Winterloo nicht, wie ein Schatten über Arvelins Züge glitt, als er sich abwandte und zu den Maschinen im Hintergrund schritt. Mit kundiger Hand prüfte er flüchtig die Schaltung einiger elektrischer Schwingungskreise, ging dann wieder in das Nebengemach und warf sich in einen Lehnstuhl im Schatten des großen Kachelofens.

»Zwanzig Jahre«, murmelte er vor sich hin, »und zehn Jahre dort drüben – ein Menschenalter zusammen! Und doch habe ich die letzte, die richtige Lösung noch nicht gefunden. Mein chemischer Panzer – er schützt wohl mich vor der todbringenden Wirkung. Würde auch anderes Leben schützen, wenn ... Oft mag's genügen. Und doch! Vollendet gelöst erst wäre das Problem, wenn ich das Gift der Schwingungen auf anderem Wege binden, auf weite Flächen das menschliche Auge täuschen könnte. Nur so wär's vollbracht. Doch hier scheitert all mein Können ... Gibt's einen Weg dazu? Werde ich ihn in der Zeit, die mir noch geschenkt ist, finden?«

Der Freiherr kam herein. Sein Äußeres verriet, daß er über Wichtiges nachgegrübelt. »Arvelin, wie denkst du? Dürfte ich es wagen, Medardus von dem neuen Erfolg meiner Arbeiten zu berichten?« Als nicht gleich Antwort kam, fuhr er fort: »Ich möchte es eigentlich nicht, denn ich fürchte, dann wird er mich noch mehr bestürmen. Er wird meine Gründe, die Entdeckung noch weiter geheimzuhalten, nicht verstehen, wird mich mit Bitten drängen. Und ich weiß nicht, ob ich seinem Ungestüm trotzen könnte. Lebt er doch nur in der Idee, eines Tages in seinem Flugtaucher zu fahren. Ja, hätte ich die hundertfache Verbesserung, dann würde ich keinen Augenblick zögern, ihm meine Erfindung zu schenken.«

Erst nach geraumer Weile klang die Stimme Arvelins aus dem Dunkel. »Ich glaube, Winterloo, daß sich in nächster Zeit Ereignisse vollziehen – sie betreffen Droste und irgendeinen anderen Fremden –, die dir die Entscheidung aus der Hand nehmen. Warten wir, bis er kommt!«

»Es würde dem Faß tatsächlich den Boden ausschlagen, Lord Truxton, wenn Ihre Vermutung Wahrheit würde und die Brasilianer die Auslieferung Roberts verlangten. Ausgerechnet von England, sozusagen seinem zweiten Mutterlande! Wenn ich hier dieses Blatt sehe ...« Er knitterte es wütend zusammen, warf es zu Boden. »Ein Steckbrief hinter Robert Wildrake wie hinter einem gemeinen Verbrecher! Unerhört! Unglaublich!«

»Sie vergessen«, warf Lord Truxton beschwichtigend ein, »daß dieser Steckbrief ja nur für brasilianisches Gebiet gilt.«

»Einerlei!« brauste James Wildrake auf. »Der alte, ehrliche Name Wildrake auf die Verbrecherliste gesetzt!«

Mit einem Ruck drehte er sich um. Sein wütendes Gesicht verzog sich zu einer freundlichen Grimasse. »Mr. Droste, ewige Dankbarkeit!« Er schüttelte ihm die Hand. »Wer weiß, wären Sie nicht dazwischengekommen, die Brasilianer hätten ihn sicherlich zum Tode verurteilt.«

Droste wehrte ab. »Wenn Sie wüßten, wie sehr ich Ihren Neffen stets bewundert habe, würden Sie verstehen, daß es mir wie ein unerhörtes Glück vorkommt, wenn es mir gelang, ihn im letzten Augenblick seinen Verfolgern zu entführen.«

»Gut, gut, Mr. Droste! Doch ich ruhe nicht! Es muß etwas geschehen. In irgendeiner Weise muß der Name Wildrake wieder zu vollen Ehren gebracht werden. Doch wie? Was sollen wir tun, Truxton?«

»Ich dächte, wir überließen das unserem Freund Bob!«

Der Genannte saß am Kamin. »Du weißt, Onkel James, daß ein Wildrake nie einen Schlag empfing, ohne ihn zurückzugeben. Ich könnte es vielleicht, wenn ...«

»Wie? Du könntest es und tust es nicht?« unterbrach ihn James Wildrake. »Was soll das heißen?«

»Ich möchte es lieber heute als morgen. Vorausgesetzt, daß Herr James Wildrake bereit wäre, hunderttausend Pfund in ein Geschäft zu stecken, ohne auf Profit zu rechnen und ...«

»Hunderttausend Pfund?« James Wildrake griff in die Tasche, holte ein Scheckbuch hervor. »Ist der Plan vernünftig, dann ist der Scheck geschrieben!«

»Du hast mich nicht ausreden lassen, Onkel James. Ich wollte fortfahren: ... und unser Freund Droste noch bereit ist, das zu tun, wovon wir auf der Fahrt sprachen.«

Der Kapitän hatte sich erhoben, schritt zu den anderen am Tisch.

Lord Truxton und James Wildrake, weit über den Tisch gebeugt, neigten ihre Köpfe Robert zu, der jetzt fast im Flüsterton sprach. Dann gingen ihre Augen zu Droste. Der lag in seinen Stuhl zurückgelehnt. Nur immer wieder ein Nicken, wenn die beiden Alten ihn fragend ansahen. Endlich hatte Kapitän Wildrake geendet.

Ein paar Augenblicke Totenstille im Raum. Lord Truxton brach als erster das Schweigen. »Ist das so, wie Kapitän Wildrake gesprochen hat, Mr. Droste?«

Droste richtete sich auf. »Ja!«

»Oh!« Lord Truxton lehnte sich zurück, schlug die Beine übereinander. »Oh, Mr. James Wildrake, dann glaube ich, daß das Geschäft mit gutem Profit enden könnte.«

Der Angeredete beugte sich, statt einer Antwort, über das Scheckbuch, malte mit großen Buchstaben die Worte »hunderttausend Pfund Sterling« auf das Formular und unterschrieb.

»Lord Truxton, wenn Sie das Geschäft mitmachen wollen?«

Ein Federzug auch von dem. »Truxton & Co. machen das Geschäft!«

»So dürfte ich also mit einer baldigen Enthebung von meinem Posten rechnen, Herr Oberst?«

»Aber gewiß, Hauptmann Winterloo! Ohne Zweifel wird dem Waffenstillstand bald der Friede folgen, dann werden ja wohl die meisten Gefangenen sowieso entlassen. Die verschiedenen Prozesse, soweit sie in Gang sind, werden voraussichtlich niedergeschlagen werden.«

»Das wäre wirklich zu begrüßen, Herr Oberst. Jedenfalls dürfte dann wohl auch die Schwester des Kapitäns Wildrake entlassen werden?«

Oberst Rodriguez machte ein zweifelndes Gesicht. »Das möchte ich nicht ohne weiteres annehmen, Winterloo. Ich will mich darüber nicht weiter äußern. Jedenfalls habe ich für diese Gefangene wenig Hoffnung. – Sie müssen immerhin damit rechnen, Herr Hauptmann, daß Sie eventuell noch den Dienst bis morgen versehen müssen, bis Ihre Ablösung, Major Tejo, kommt. Haben Sie bestimmte Urlaubspläne?«

Der Oberst wandte sich schon zum Gehen, achtete kaum darauf, daß Winterloo eine Antwort vermied. –

Das letztemal heute? In Gedanken versunken, schritt Oswald Winterloo durch die langen Gefängnisgänge. Die letzte Revision heute ...

Das Rasseln des gewaltigen Schlüsselbundes, mit dem der Wärter aus seiner Stube trat, schreckte ihn auf. Stumm schritt er hinter ihm drein.

Dann klirrte das Schloß der Zelle Nr. 17. Die Gefangene stand da, als hätte sie schon auf Winterloos Kommen gewartet.

Edna Wildrake reichte dem Hauptmann die Hand. »Vielen Dank, Mr. Winterloo! Das Zeitungsblatt, das Sie gestern ...«

Eine abwehrende Geste. »Nicht darüber sprechen! Sie kennen doch die Instruktionen!«

»Oh, wenn Sie wüßten, wie glücklich ich seit gestern bin! Der Waffenstillstand – die Rettung meines Bruders! Und«, setzte sie mit leiser Stimme hinzu, »immer werde ich des Mannes gedenken, der mir diesen Trost zukommen ließ.«

»Fast möchte ich's bedauern, Fräulein Wildrake ...«

»Mein Bruder Robert? Was ist? Betrifft's ihn, Mr. Winterloo?« Sie trat in jähem Erschrecken einen Schritt zurück.

»Nein! Nein – ihn nicht! Er ist schon in Sicherheit. Es betrifft Sie selbst! Ich weiß nicht – noch gebe ich selbst alle Hoffnung auf – aber ich fürchte, daß Ihre Freilassung, selbst wenn der Friede geschlossen wird, wahrscheinlich noch in weiter Ferne steht. Der Prozeß ...«

Edna richtete sich hoch auf. »Der Prozeß? Man soll ihn mir machen! Ich bin schuldlos. Ich möchte den Ankläger sehen, der mir auch nur die Spur eines Vergehens nachweisen könnte. Die teuflische Rachsucht eines Elenden hat mich hierhergebracht!«

»Ich will nicht fragen, gnädiges Fräulein, auf wen Ihre Worte gemünzt sind. Doch ich bin leider genötigt, Ihnen eine Mitteilung zu machen, die ich Ihnen gern erspart hätte.« Seine Stimme dämpfte sich zu leisem Flüstern. »Ich bin von morgen ab meines Postens enthoben. Und mein Nachfolger ...«

»Sie gehen fort? Morgen schon? Für immer, Hauptmann Winterloo?« Edna war auf ihn zugetreten. Dann, wie über sich selbst erschrocken, wandte sie sich zur Seite.

In Winterloos Augen blitzte es auf. Dann hatte er sich wieder in der Gewalt. Mehrmals setzte er zum Sprechen an.

Die nahenden Schritte des Wärters zwangen ihn zum Handeln. Er legte Edna leise die Hand auf die Schulter. »Mein Nachfolger wird Major Tejo sein, Fräulein Wildrake!«

Bei der Nennung des Namens zuckte das Mädchen zusammen. Dann reichte sie ihm die Hand. »Der Schließer kommt – Sie müssen gehen!«

»Leben Sie wohl, Fräulein Wildrake!«

Eine leichte Schneedecke lag über der norddeutschen Tiefebene. Ein Schlitten, von der polnischen Grenze kommend, näherte sich dem Grenzübergang, hielt vor dem geschlossenen Schlagbaum. Ein Offizier trat aus dem Grenzhaus. Als er die beiden Insassen des Schlittens erkannte, kam er rasch herbei.

»Ah, die Herrschaften aus Dobra. Ich begrüße Sie, gnädiges Fräulein, und Sie Herr Harrach. Eine Schlittenpartie zum Erbonkel in Winterloo?«

»Eine Schlittenpartie? Ja! Nach Winterloo auch! Erbonkel – fraglich!« gab Adeline Harrach dem Offizier mit vertraulichem Lächeln zurück. »Hoffentlich macht man uns heute abend keine Schwierigkeiten! Oder sind Sie selbst da, Herr Oberleutnant? Wir werden voraussichtlich erst spät zurückkommen.«

»Mein Dienst dauert bis morgen, Gnädigste! Und – Schwierigkeiten unseren Freunden? Nein!«

Er winkte den Fortfahrenden, die eben den deutschen Schlagbaum passierten, einen Gruß nach.

»Wenn ich sehe, Adeline, wie bequem und leicht uns von beiden Seiten der Grenzübergang gemacht ist – die deutschen Grenzbeamten nehmen auf uns Rücksicht, weil wir einen deutschen Namen tragen und der Freiherr von Winterloo unser Onkel ist – die Polen halten uns für ihre besten Freunde und behandeln uns als solche –, kommt mir der Vorschlag dieses Warschauer Individuums gar nicht so uneben vor. Wir sind gezwungen, stets Wagen und Schlitten zu benutzen und könnten in der Tat mit Leichtigkeit allerhand kostbare Schmuggelware über die Grenze bringen. Der Kerl versprach ja hohe Gewinne. Und wenn ich mir klarmache, welche Mühe ich gestern wieder hatte, mit ein paar verlängerten Wechseln die Danziger Gläubiger zu befriedigen, möchte ich wahrhaftig den Gedanken nicht so unbedingt von der Hand weisen. Der Jahresschluß – die Hypothekenzinsen –! Adeline, wahrhaftig: Wenn Onkel Winterloo nicht bald stirbt, wird mir nichts anderes übrigbleiben!«

»Beruhige dich, Franz! Ich glaube nicht, daß der Onkel noch lange lebt. Morawski kam doch extra gestern abend von Winterloo 'rüber nach Dobra. Dem Onkel geht's plötzlich schlecht. Glaubst du etwa, ich machte die stundenlange Fahrt heute nur zum Vergnügen?«

»Du hoffst zu stark auf die Winterloosche Erbschaft, Adeline! Ich teile deine Zuversicht nicht. Daß der Onkel nicht unser Freund ist, weißt du selbst. Ich glaube auch, er hat uns längst durchschaut – und wenn nicht er, so dieser Dr. Arvelin. Wenn ihm dieser Alte auch noch eingeredet hat, ein Testament zu machen, dann adieu, Erbschaft!«

»Du bist ein Pessimist, Franz! Das eine weiß ich bestimmt: Weder bei seinem Notar noch auf dem Gericht ist ein Testament von ihm deponiert. Hat er etwa eins im Hause, in seinem Schreibtisch – nun, du kennst ja den Schreibtisch genau, hast auch den Schlüssel dazu!«

»Du hast recht, Adeline! Dein kühler Kopf ist nie um einen Ausweg verlegen. Immerhin wäre es wünschenswert gewesen, wenn diesen Droste bei einer seiner Fahrten der Teufel geholt hätte. Du kannst sicher sein, daß er nicht leer ausgehen wird, wenn der Onkel die Augen zugetan hat.«

»Gewiß! Doch warten wir ab!«

Der Schlitten hielt vorm Portal von Schloß Winterloo. Der alte Diener des Freiherrn war den beiden beim Aussteigen behilflich, wollte sie nach oben geleiten.

»Bleibe nur, Friedrich! Wir finden den Weg allein!«

Das Turmgemach war leer. Franz Harrach wollte auf die Tür des Laboratoriums zuschreiten, da hielt ihn seine Schwester am Arm zurück. Durch die schlecht geschlossene Tür hörte man die Stimmen der beiden Freunde. Die Ankömmlinge lauschten gespannt. Was sprachen die da drinnen?

»Die Nachrichten aus Brasilien klingen bei näherer Betrachtung doch ganz tröstlich, Arvelin! Es steht fest, daß der Winterloosche Zweig unserer Familie da drüben noch existiert. Weniger angenehm ist die Tatsache, daß diese Winterloos vor einigen Jahren ihren Wohnsitz nach Venezuela verlegten. Unter den unerfreulichen Kriegsverhältnissen dort unten dürfte es ihnen unter Umständen sehr schlecht gegangen sein. In den Internierungslagern sind ja viele Gefangene aus Mangel an Pflege gestorben. Jedenfalls werde ich mich morgen sofort an die Gesandtschaft von Venezuela in Berlin wenden. Vielleicht, daß man mit ihrer Hilfe Näheres erfährt. Augenscheinlich hat das einzige noch lebende männliche Mitglied dieser Familie, Oswald Winterloo, auf brasilianischer Seite am Krieg teilgenommen. Über sein Schicksal war sonderbarerweise nichts Bestimmtes zu ermitteln. Ich würde ruhiger sterben, wenn ich wüßte, daß ein Winterloo unseren Namen hier auf dem Schloß weiterführen wird. Ich fühle mich seit gestern abend wieder so elend, daß ich lieber heute als morgen mein Testament machen möchte.«

Arvelins Antwort war so leise, daß die Geschwister nichts verstanden.

Dann begann der Freiherr wieder zu sprechen. »Um so mehr freue ich mich, daß Medardus heute kommen wird. Über sein Erbe besteht ja kein Zweifel. Ihm mache ich meine Erfindung jetzt zum Geschenk. Mag er damit tun, was er will! Wahrscheinlich wird er nun darangehen, seine eigene Erfindung in die Wirklichkeit umzusetzen.«

»Möglich«, sagte Arvelin. »Die Mittel ständen ja zu seiner Verfügung. Wenn er das Geschenk zu Geld macht, könnte er in Millionen wühlen. Doch ich bin mir nicht ganz sicher, ob Medardus das tut.«

Bei den Worten »Geschenk« und »Millionen« sahen sich die Geschwister erblaßt an. Was war das für ein Geschenk, das Millionen wert sein sollte? Und wozu das Recherchieren in Brasilien nach irgendwelchen Verwandten?

»Es ist Zeit, uns zum Empfang bereitzumachen«, klang jetzt die Stimme Arvelins. »Der Schlitten, der die beiden vom Zuge abholt, wird schnell hier sein.«

Das nahende Geräusch von Schritten brachte den Geschwistern das Bedenkliche ihrer Lage zum Bewußtsein. Franz Harrach war mit ein paar leisen Sprüngen an der Tür, machte sie mit starkem Geräusch auf, als kämen sie erst von unten herauf. Gleichzeitig rief Adeline laut: »Es ist niemand hier, Franz. Suchen wir die Herren im Laboratorium!«

In diesem Augenblick ging die Tür auf. Der Freiherr und Arvelin traten heraus. Nur schlecht vermochte Winterloo seinen Unmut zu verbergen, als er die beiden vor sich sah.

»Ihr müßt mich entschuldigen«, erklärte der Freiherr kühl. »Ich erwarte Gäste, werde gleich hinunter in die Halle kommen.«

»Da sehen Sie schon die Türme von Winterloo, Mr. Wildrake! Gleich werden Sie das Vergnügen haben, die beiden alten Herren kennenzulernen. Hoffentlich geht es dem Freiherrn gut! Denn unsere ganze Hoffnung beruht ja darauf, daß er uns für unseren Zweck seine Erfindung überläßt.«

Und dann lag Droste in den Armen der beiden Alten. Die Freude des Wiedersehens ließ den Freiherrn alle Schwäche vergessen.

»Gehen wir jetzt nach oben! Du, Medardus, wirst ebenso wie Kapitän Wildrake nach der langen Reise dringend einer Erfrischung bedürfen.«

Sie schritten durch die Halle. Dort erhoben sich die Geschwister von ihren Sitzen. Der Freiherr machte ein unwilliges Gesicht. Wohl oder übel mußte er die Gäste einander vorstellen. Ging dann, ohne auf Franz und Adeline Rücksicht zu nehmen, den anderen voraus nach oben. —

»Das war ja eine interessante Begegnung, Adeline«, sagte Franz, als sie in ihrem Schlitten den Schloßhof hinter sich gelassen hatten. »Zweifellos ist dieser Kapitän Wildrake jener venezolanische Offizier, hinter dem die Brasilianer her sind.«

Adeline gab keine Antwort. Sie starrte wie überlegend über die weite Schneelandschaft.

»Wenn ich denke«, fuhr Franz fort, »daß dieser Medardus Droste jetzt vielleicht schon im Besitz dieses rätselhaften Geschenks ist, dann möchte ich aus dem Schlitten springen, zurückrennen, ihn mit den Händen erwürgen. Wie kommt dieser hergelaufene Mensch dazu, uns den besten Teil der Erbschaft wegzuschnappen? Und nun auch noch diese brasilianischen Winterloos! Kein Zweifel – die sollen den alten Familienbesitz erben! Adeline! Ich glaube, ich behalte doch recht. Werde mich morgen mit dem Warschauer in Verbindung setzen. Die einzige Möglichkeit, unser verschuldetes Gut noch eine Zeitlang zu halten . . .«

Sie näherten sich Dobra, als Adeline plötzlich zu sprechen begann.

»Die letzten Warschauer Zeitungen sind wohl noch da, Franz?« Ihr Bruder zuckte die Achseln.

»Es wäre mir ganz angenehm zu wissen, ob der Gast in Winterloo tatsächlich mit diesem Wildrake identisch ist. In einem der letzten Blätter war doch der Steckbrief abgedruckt, den die Brasilianer hinter dem venezolanischen Kapitän erlassen haben.«

»Wozu das, Adeline? Weshalb legst du dem solche Wichtigkeit bei?«

»Nun, Franz, da stand noch ein interessanter Nachsatz: Die brasilianische Regierung setzt einen Preis von 100 000 Süddollar auf die Ergreifung dieses Robert Wildrake aus.«

Er hielt inne, ließ die Zügel sinken. »Ah! Der Kopfpreis! Adeline, du sinnst über irgend etwas nach, ich sehe es dir an! Sollen wir ihn verdienen?

Der Schlitten fuhr in den verwahrlosten Hof von Dobra. »Später, Franz! Die Idee ist es wert, genau überlegt zu werden!«

Währenddessen saßen oben im Turmgemach in Schloß Winterloo die alten Freunde mit den beiden jungen Gästen zusammen.

Medardus streckte Winterloo die Hand entgegen. »Oh, wie bin ich froh, daß du mir das Geheimnis deines Treibstoffs anvertrauen willst! Wie ein Alp lag es mir stets auf der Seele, daß unsere schönen Pläne an deiner Weigerung scheitern könnten.«

Arvelin vermochte nicht länger an sich zu halten. »Winterloo, Freund! Kannst du das fertigbringen, Medardus deine letzten Errungenschaften noch länger zu verschweigen?«

Der Angerufene machte ein ärgerliches Gesicht. »Du verdirbst mir die Überraschung, Arvelin! Nun, so komm schnell, Medardus!«

Er zog den jungen Mann in das Laboratorium, ließ ein paar Hebel spielen. Medardus starrte auf den ihm so wohlbekannten Skalenzeiger. Der schritt weiter . . . immer weiter . . . Jetzt hielt der Zeiger zitternd inne.

»Zwanzigtausend, Onkel Winterloo?« Medardus fiel dem Alten um den Hals. »Jetzt nehmen wir es mit einer Welt von Feinden auf!«

Er zog Wildrake näher herzu, zeigte, erklärte ihm die über alles Erwarten hohe Wirkung des Treibstoffs. Wildrake stieß einen Ruf der Überraschung aus, konnte seine Freude nicht verbergen, ging dann zu Winterloo, reichte ihm die Hand.

»Tausend Dank! Morgen früh geht's nach Finnland, den Kiel unseres Schiffes zu legen! Von Truxton & Co. ist das Nötigste schon telefonisch vorbereitet.«

Ein dumpfer Druck lastete auf Venezuela. Sofort nach Bekanntgabe des Waffenstillstandes hatte die Regierung den Belagerungszustand über das Land verhängt. Schon die Bedingungen des Waffenstillstandes waren geeignet, in den südlichen Teilen des Landes, die bisher unter dem Krieg weniger gelitten, schwere Unruhen hervorzurufen.

Auch über den Gang der Friedensverhandlungen, die inzwischen in Manaos begonnen hatten, drangen vom Ausland her höchst beunruhigende Berichte in das Volk. Die beabsichtigte Errichtung eines autonomen Staates zwischen der bisherigen brasilianisch-venezolanischen Grenze im Süden und dem Ventuarifluß im Norden konnte nur als kümmerliche Verschleierung des wahren Tatbestandes, nämlich als eine versteckte Annexion dieses Landes durch die brasilianische Union, gedeutet werden.

Über den Ausgang der Friedensverhandlungen blieb kaum ein Zweifel möglich. Trotzdem wäre es einer energischen Führung möglich gewesen, den Kampf mit einer Aussicht auf bessere Friedensbedingungen noch eine Zeitlang fortzusetzen. Aber in der Regierung der Nation fehlten zielbewußte, tatkräftige Köpfe. Dem inneren und äußeren Zwang folgend, glaubte die schwache Regierung, Frieden schließen zu müssen. Um allen Eventualitäten vorzubeugen, hatte sie den Belagerungszustand verhängt; und das war wohl berechtigt, denn ein Sturm der Entrüstung drohte die derzeitigen Machthaber hinwegzufegen, als Näheres über die brasilianischen Ansprüche bekannt wurde.

Als Hauptmann Winterloo von seiner letzten Dienststunde nach Hause kam, fand er zwei inhaltsschwere Schreiben vor.

Das eine, das ihm die Ablösung von seinem Posten bekanntgab und gleichzeitig seine Verabschiedung mitteilte. So würde er jetzt die Uniform mit der Robe vertauschen, seinen Platz als Juniorpartner in der alten Anwaltsfirma Lourenco & Morales in Rio de Janeiro wieder einnehmen.

Der zweite Brief war ein Schreiben seiner Mutter aus Venezuela. Nach dem Tode ihres Gatten war sie vor vier Jahren in ihr Vaterland Venezuela zurückgekehrt.

Die Mutter teilte ihm mit, daß sie den langjährigen Bewerbungen des Nachbars Lerdo de Tejada nachgegeben habe und ihn demnächst heiraten würde.

Unbegreiflich! Diesen Mann wollte die Mutter heiraten! Ein hochmütiger Hidalgo – so verschuldet, daß er sicher nur daran dachte, durch diese Ehe seine zerrütteten Finanzen aufzubessern.

Grübelnd schritt er im Zimmer hin und her. Der Brief war, nach dem Datum zu urteilen, schon vor mehreren Wochen geschrieben. Infolge der schwierigen Verkehrsverhältnisse hatte er so lange Zeit gebraucht, um seinen Bestimmungsort zu erreichen.

Vielleicht war die Heirat doch noch nicht geschlossen? Wenn er nur rechtzeitig hinkäme! Er kannte seine Mutter zur Genüge. Sie war schwach, leicht zu beeinflussen. Wahrscheinlich würde es ihm gelingen, sie von dem unverantwortlichen Schritt zurückzuhalten.

Er griff zur Zeitung. Am nächsten Abend fuhr ein Dampfer von São Salvador nach Jamaica. Der lief sicher Georgetown an. Von dort mit einem gecharterten Flugzeug über Caracas und Bolivar nach Esmeraldo in Venezuela. In spätestens vier Tagen konnte er in Cuautla sein.

Kurz entschlossen kleidete er sich um und fuhr zum Hafen. Mit Mühe gelang es ihm, noch einen Platz zu belegen.

Als er den Uferkai entlangschlenderte, geriet er in eine Schar von Hafenarbeitern, die nach Beendigung ihrer Schicht zur Stadt zurückströmten. Er trat auf den Fahrdamm, um besser ausweichen zu können. Da sah er, wie zwei Leute, der Kleidung nach auch Hafenarbeiter, vom Bürgersteig heruntertraten.

Der eine von ihnen trug anscheinend ein schweres Bündel auf der Schulter. Er blieb stehen, steckte seine Pfeife in den Mund und ließ sich von dem anderen Feuer geben. Der hielt das brennende Streichholz an die Pfeife, während der erste kräftig am Mundstück sog. Bei dem hellen Schein des aufflackernden Zündholzes sah Winterloo im Vorbeigehen in ein Gesicht, dessen Züge ihm irgendwie bekannt schienen. Während er noch darüber nachsann, hörte er aus dem Munde des Mannes die spanischen Worte: »Muchas gracias, amigo«, mit denen er sich bedankte.

Unwillkürlich verhielt Winterloo den Schritt. Spanische Worte in Brasilien waren gewiß keine Seltenheit. Doch hier erleuchteten sie blitzschnell das Dunkel seiner Erinnerung. Waren das nicht dieselben Züge, die er täglich im Gefängnis sah? Die Züge des Mannes, dessen Bild in der ganzen Union als das eines Verbrechers verbreitet war?

Mechanisch drehte er sich um. Da tauchten die beiden drüben gerade in der vorbeiflutenden Menge unter. Unwillkürlich ging sein Auge in die Runde. Polizei? Kein Wachmann zu sehen!

Aber er brauchte ja nur hinterherzulaufen oder Alarm zu schreien. Der Name »Wildrake« würde wie eine Bombe zwischen die Arbeitermassen fallen. Da tauchte vor ihm das Bild der Gefangenen von Nr. 17 auf. Ein warmes Gefühl wurde in ihm wach, doch schnell unterdrückte er es. Der Richtung zur Stadt folgend, schritt er mechanisch neben dem Arbeiterstrom her, ließ seine Augen suchend über die Reihen gleiten.

Winterloo blieb plötzlich stehen. Edna, die Schwester Wildrakes, im Gefängnis! Wollte der Bruder sie etwa befreien?

Er schüttelte den Kopf. Unmöglich! Der Plan wäre Wahnwitz. Einen Augenblick erwog er den Gedanken, mit Tejo, seinem Nachfolger, zu sprechen. Doch ebenso schnell verwarf er ihn wieder. Seine Beziehungen zu Alfonso waren schon längst nicht mehr die alten. Nichts verband ihn innerlich mit dem Manne, dem er nur nähergetreten, weil er der Bruder Victorias war. Die Verlobung mit Victoria Tejo – ihr Tod bei dem großen Brand...

Er wunderte sich über sich selbst, wie er fast gleichgültig daran dachte. Und doch war ihm Victoria einst teuer gewesen.

An der Ecke der rua Principal angekommen, wo sich der Weg nach dem Fort und zu seiner Stadtwohnung hin teilte, schritt er ohne Zögern die rua larga entlang, seiner Behausung zu. Und in seinem Zimmer trat ihm Alfonso Tejo entgegen.

Kaum, daß sie sich begrüßt hatten, begann der: »Du bist aus dem Heeresdienst entlassen? Ich sah das Schriftstück offen auf dem Schreibtisch liegen.«

Winterloo nickte.

Ein argwöhnischer Zug auf Tejos Gesicht. »Du hast selbst den Antrag gestellt?«

Winterloo verneinte. »Ich hatte nur Urlaub erbeten. Offen gesagt, ist mir aber die Entlassung nicht unwillkommen. Etwa noch länger Fortkommandant sein zu müssen – mich schaudert bei dem Gedanken!«

»Nun, du fandest doch anscheinend in dem Verkehr mit den Insassen des Gefängnisses ganz angenehme Abwechslung!« unterbrach ihn Tejo. »Besonders der Gefangenen von Nr. 17 schien ja dein Interesse zu gelten.«

Winterloo trat mit unwilligem Gesicht auf Tejo zu.

»Ich weiß nicht, was du mit deinen wiederholten Anspielungen meinst, Alfonso! Daß ich mit einer Person, die nach meiner Ansicht völlig unschuldig gefangengehalten wird, Mitleid habe, kann mir niemand verbieten. Auch du nicht!«

»Über die Unschuld dieser Madonna wird das Gericht, das übermorgen zusammentritt, urteilen, lieber Freund! Bis dahin gilt sie für jeden als eine gefährliche Intrigantin.«

»Alfonso, ich bitte dich, ein anderes Gesprächsthema zu wählen! Wie ich über die Schuld Edna Wildrakes denke, ist meine Angelegenheit.«

»Ich weiß, daß du dich des Andenkens meiner toten Schwester, deiner Braut, in keiner Weise würdig zeigst.«

Winterloo schritt ein paarmal tief atmend in dem Raum auf und ab. Nur mit äußerster Willensanstrengung gelang es ihm, sich zu beherrschen. »Nur die Erinnerung an deine teuren Angehörigen, an unser bisheriges freundschaftliches Verhältnis hält mich ab, dir so zu antworten, wie es sich geziemte. Ich bitte dich, für heute unsere Unterredung als beendet anzusehen!«

»Ha! Du weisest mich hinaus? Gut! Ich gehe. Doch das eine noch sei dir gesagt: Ich werde nicht ruhen und rasten, bis ich dieses Weib und ihren Bruder dahin gebracht habe, wohin sie gehören. Hüte dich, daß sich unsere Wege in Zukunft dabei kreuzen!«

»Das ist jedenfalls keine angenehme Nachricht, Mr. Droste, daß dieser Tejo wieder Fortkommandant ist und den Befehl über das Gefängnis hat. Der Kerl ist gefährlich. Die Bewachung wird schärfer sein.«

Der Hafenarbeiter, der vor kurzem die Aufmerksamkeit Winterloos erregt hatte, sprach diese Worte. Droste nickte. »Um so mehr freue ich mich, diesem Kerl einen Schabernack spielen zu können, Mr. Wildrake. Ich habe trotzdem keinen Zweifel, daß unser Plan gelingt. Doch was sagen Sie zu der merkwürdigen Entdeckung, daß der Vorgänger Tejos ein Hauptmann Winterloo war? Sie erinnern sich doch, wie der Onkel davon sprach, daß er Auftrag gegeben habe, in Venezuela und Brasilien nach dem Verbleib der Familie Winterloo zu forschen? Welch ein sonderbares Spiel des Zufalls! Es wäre nicht ausgeschlossen, daß dieser Hauptmann der Gesuchte ist.«

In diesem Augenblick trat ein junger indianischer Arbeiter in die Kneipe, der am Bartisch hastig ein Glas Bier trank. Im Wiederhinausgehen warf er den beiden einen bedeutungsvollen Blick zu. Gleich darauf erhoben sie sich und folgten ihm unauffällig.

»Sie können sich auf diesen José wirklich verlassen, Wildrake? Eine Falle könnte uns den Kopf kosten.«

»Unbedingt, Droste! Hat er doch schon auf Marias Bitten gewagt, unter Gefahr seines Lebens hierherzukommen. Der gute Junge hatte wahrscheinlich angenommen, die Unionsgefängnisse seien ähnlich denen da unten in Coro, wo die Kerkermauern aus einer Lehmwand bestehen, die man mit einem kräftigen Fußtritt einstoßen kann. Daß ich ihm begegnete, wie er mit naiver Beharrlichkeit um das Gefängnis herumschlich, halte ich für einen glücklichen Schicksalswink.«

In einer geräumigen Kasematte des Nordforts, die zu einem Kasino ausgebaut war, saßen die Offiziere der beiden Forts auf der Insel Degoito. Das Eiland lag zehn Kilometer vom Festland entfernt und gehörte zu dem Kranz der befestigten Inseln, die den Hafen von Bahia schützten. Das Nachtmahl war längst beendet, doch hielt ein kleines Fest des Kommandanten die Offiziere fast vollzählig beisammen.

Da plötzlich erschütterte die Explosion einer Bombe, die am Eingang der Kasematte detonierte, die riesenstarken Betonmauern bis in ihre Grundfesten. Gleichzeitig erloschen sämtliche Lichter. Ein unbeschreibliches Durcheinander entstand. In der Dunkelheit suchte man den Ausgang – fand ihn verschüttet – fahndete vergeblich nach den Schlüsseln zu den Luken, die durch die Decke nach oben führten. Bis endlich die allen bekannte Stimme des Kommandanten Ruhe schuf.

Jetzt hörte man von draußen lautes Schreien heraneilender Hilfsmannschaften. Durch den verschütteten Eingang gewahrten die Eingeschlossenen den Lichtschein von Fackeln.

Auch aus dem südlichen Fort war auf die Explosion hin der Hauptteil der Besatzung nach dem Nordfort geeilt. Nur die eigentlichen Wachmannschaften blieben zurück. Sie hatten sich wie auf Kommando auf den Donner der Explosion hin im Wachlokal bei ihrem Korporal versammelt. Der wollte sie eben wieder hinausschicken, als die schwere Eichentür mit Gewalt ins Schloß fiel. Bevor die Eingesperrten sich von ihrer Überraschung erholt hatten, hörten sie, wie ein eiserner Keil in den unteren Spalt der Tür getrieben wurde. Vergeblich warfen sie sich dagegen.

»Was war das, Barradas? Hörten Sie nicht auch den dumpfen Knall?« fragte Alvarez.

»Eine losgebrochene Seemine!« warf Calleja ein.

»Wahrscheinlich.« Barradas folgte dem Beispiel der anderen, warf sich schlaftrunken auf die Pritsche zurück.

»Nein, nein, Señores!« rief ein vierter. »Keine Seemine! Sie schliefen wohl alle? Ich war wach. Spürte deutlich das Wanken des Bodens. Die Explosion muß auf der Insel selbst stattgefunden haben.«

»Sie haben geträumt, Señor Santana!« Barradas hielt inne, lauschte. »Ah, was ist das?« Er war aufgesprungen, fuhr in die Kleider, eilte zur Tür, legte das Ohr daran.

Die anderen starrten auf das Gesicht ihres Kameraden. Leise drängten sie näher an ihn heran.

»Man versucht, die äußere Tür zu öffnen? Ein Schneidbrenner! Ich höre das sprühende Zischen der Sauerstoffflamme.«

In der Totenstille der Kasematte vernahmen sie einen kurzen Schlag: Das herausgebrannte Schloß fiel zu Boden. Ein Krachen, ein Splittern – die Tür brach auf!

Das Gesicht Wildrakes tauchte vor ihnen auf. Sie stürmten auf ihn zu, wollten ihn umarmen. Er wich zurück. »Folgt so schnell wie möglich!«

Mit dem Indianer voraneilend, lief Wildrake zu der Bastion, wo die Mauer steil in die Tiefe fiel. Ein paar Minuten tödlicher Unsicherheit. Mußte doch einer nach dem anderen die schwankende Strickleiter, die über dem Abgrund hing, hinuntersteigen. Vierzig Meter vom Ufer entfernt schaukelte auf den Wellen eine große Flugjacht.

»Adelante, Señores! Wir müssen schwimmen!«

»Ich kann nicht!« schrie Santana.

Die anderen standen einen Augenblick zaudernd. Der Indianer, der schon ein Stück vorausgeschwommen war, drehte sich um, winkte.

»Schnell! Schnell!«

Alvarez und Calleja sprangen gleichzeitig ins Wasser.

»Nein, nein, Señor Santana! Sie sind zu schade, diesen Schurken wieder in die Hände zu fallen. Kommen Sie her! Ich bringe Sie sicher hinüber«, rief der Hüne Barradas, nahm die leichte Gestalt Santanas wie eine Puppe unter den Arm, sprang in die Flut.

Den bewußtlosen Indio im Arm, erreichte Barradas das rettende Flugschiff.

»Vollgas, Droste! Gleich werden sie schießen!« schrie Wildrake.

In das Knattern der Motoren mischte sich der Knall der ersten Schüsse von der Bastion. Den Schnabel nach Süden gewandt, hob sich die Jacht in die Luft. Ein Hagel von Geschossen rauschte um das Flugschiff. Ein paar krachende Aufschläge zeigten, daß Rumpf und Flügel mehrfach getroffen wurden.

»Wir sind zu schwer!« rief Wildrake. »Wer ist der vierte, Alvarez?«

»Ein Indio. Leidensgefährte.« Alvarez deutete auf Barradas, der, am Boden kniend, sich um den Halbertrunkenen bemühte.

Lautes Krachen vom Nordfort. Eine Granate fuhr heulend über die Köpfe dahin.

Ein zweiter Kanonenschuß im selben Augenblick, als Droste das Steuer herumwarf, um eine Volte zu schlagen.

Erst nach geraumer Weile gelang es der Fortbesatzung, die Scheinwerfer in Gang zu setzen. Doch vergeblich suchten sie den Horizont ab. Die Verfolgten waren hinter einer dunklen Wolkenwand im Westen entschwunden.

»Wir dürfen den Umweg nach Westen nicht scheuen«, rief Droste Wildrake zu. »Es wird nicht lange dauern, dann ist ein Heer von Geschwadern hinter uns her.«

»Gut!« erwiderte Wildrake. »Zur Mittagszeit sind wir dann sicher in Tobago, wo wir bei Mr. Gorman, dem Kommissionär des Hauses Truxton & Co., Aufnahme finden.«

Major Tejo hatte sich eben zur Ruhe begeben, da ließ die Explosion auf Degoito ihn emporschrecken. Er fuhr in die Kleider, eilte hinaus. Fand die Besatzung schon auf den Beinen.

Im hellen Licht der Scheinwerfer sammelten die Unterführer ihre Leute. Alles stand wartend, auch Tejo.

Da kam der Offizier aus der Kasematte zurückgestürzt, lief auf Tejo zu. »Die gefangenen venezolanischen Offiziere auf Degoito gewaltsam befreit! Die Flugzeuggeschwader sind bereits alarmiert!«

Das letzte hörte Tejo kaum. Bei den Worten: »Gewaltsam befreit!« hatte er sich umgedreht, war in Richtung des Gefängnisses fortgestürmt. Hastig öffnete er das Tor der Außenmauer. Der Korporal der Wachmannschaft trat aus der Stube und meldete: »Alles in Ordnung!«

Einen Augenblick blieb Tejo aufatmend stehen. »Wo ist der Posten?«

Der Korporal deutete zu dem Hinterhof des Gefängnisses und schritt voran. Plötzlich stolperte er, fiel zu Boden. In dem Augenblick blitzte Tejos Taschenlampe auf. Kaum vermochte er einen Schrei zu unterdrücken, als er den Posten gefesselt, mit einem Knebel im Mund, daliegen sah.

»Mir nach! Alarmieren Sie die Fortbesatzung!«

Er eilte, von ein paar Soldaten begleitet, zum Gefängnis im Hinterhof.

In wenigen Sekunden hatte Tejo die Tür untersucht. Das neue, feste Schloß hatte dem Einbruch widerstanden. Dagegen waren die stark verrosteten eisernen Mauerkrampen anscheinend leicht herauszubrechen gewesen. Er eilte die Treppe hinauf, zu den Zellen der politischen Gefangenen.

Jetzt stand er vor der Zelle Nummer siebzehn. Er drückte kräftig gegen die Tür. Sie gab dem Druck nach, flog zurück. Mit vorgehaltener Lampe starrte Tejo in das Halbdunkel der Zelle.

»Leer! Entflogen!«

Mit wütendem Fluch drehte er sich um, hastete die Wendeltreppe hinab, öffnete die Wärterwohnung. Leises Röcheln aus dem Hintergrunde. Da lag der Wärter, gefesselt und geknebelt wie der Posten!

Kaum eine Viertelstunde später lief die Meldung von der gewaltsamen Befreiung Edna Wildrakes und der auf Degoito gefangenen venezolanischen Offiziere nach allen Teilen Brasiliens.

»Was ist dir, Arvelin?« Der Freiherr richtete sich von seinem Apparat auf und drehte sich nach einem der Tische um, wo Arvelin im Halbdunkel verborgen arbeitete. Ab und zu schossen kurze Strahlenbündel aus einer Kathode hervor, die ein silbernes, geisterhaftes Licht verbreiteten. Strahlen, die aus einem Eisblock zu kommen schienen. Eine feindliche, harte Kälte entströmte dem fahlen Lichtschein.

Arvelin gab keine Antwort. Er spritzte ein Pulver auf eine Glasplatte. Ein paar Augenblicke stand er starr, wie leblos. Dann stellte er mit einer müden Bewegung den Energiestrom ab, drehte sich um und verließ den Raum.

Kopfschüttelnd sah ihm der Freiherr nach. Sonderbar, wie das Wesen des Freundes sich in diesen letzten Tagen verändert hatte!

Unterdes irrte dieser durch die Gänge des parkartigen Gartens. Vergeblich das große Wagnis! Nichts konnte das tödliche Gift bannen, das in diesen Schwingungen wirkte. Verspielt!

Arvelin war auf eine kleine Anhöhe gekommen, von der aus man eine weite Sicht über das Meer genoß. Des Doktors Augen starrten in die graue Weite, wo hinten am Horizont sich dunkle Wolkenmassen zu himmelhohen Bergen türmten.

Ein Sturm brach los, kam heulend heran, traf die schmächtige Gestalt auf der Düne, als wollte er sie hinunterfegen.

Schneeflocken stoben wirbelnd in die Höhe. Arvelin beachtete nicht, wie die scharfen Schneekristalle sein Gesicht peitschten.

»Allgewalt der Natur! Ähnliche Waffen, Schwingungen von noch größerer Kraft, müssen es sein, die wie eine hörnerne Haut den Leib schützen! Zu schwach die Kraft der chemischen Mittel. – Möchte es mir gelingen, den gefundenen Pfad zu Ende zu schreiten! Wär's auch nur, um den Triumph zu erleben... Welch Triumph des menschlichen Geistes, dem Schicksal zu begegnen! Doch für mich wär's zu spät! Kein Heilmittel, das tödliche Gift in mir zu bannen. Doch sterbe ich triumphierend, soll der Tod mir leicht sein!«

Mit raschen, fast jugendlichen Schritten eilte er den Hang hinunter. Wollte quer über die Rasenfläche dem Schloß zu gehen, da stutzte er plötzlich. Im Schnee Fußspuren... Spuren eines Mannes, die aus dem Walde herkamen und zu der Tür des Mausoleums führten, eines uralten, steinernen Baues. Schon seit vielen Geschlechtern barg er die sterblichen Reste der Freiherrn von Winterloo.

Verwundert betrachtete Arvelin die Spuren.

Jetzt erst fiel ihm auf, daß die Spuren nicht wieder zurückkehrten. Der da gekommen war, mußte noch in der Gruft sein!

Unhörbar trat Arvelin in dem weichen Schnee auf die Tür zu. Sie war nur angelehnt. Ein schmaler Spalt gestattete ihm, einen großen Teil des Innern zu überblicken. Gespannt verfolgte er das Tun des Fremden da drinnen. War das möglich?

Ein sekundenlanges Besinnen. Dann griff er in die Kleider, bewegte, während seine Lippen unverständliche Worte murmelten, die Hebel eines kleinen Apparates, der an seiner Brust verborgen war. –

In der Mauer am Kopfende der Krypta eingehauen eine hohe, schmale Nische. Ein Glasfenster davor, von starkem Drahtgitter geschützt. In der Nische stand auf einem alten, wurmstichigen Holzklotz eine Monstranz. Ein uraltes Prachtstück künstlerischer Goldschmiedearbeit. Schon mehrfach waren

Kunstliebhaber in Winterloo gewesen und hatten hohe Summen dafür geboten.

Der Fremde hatte die kleine Laterne in einen der hohen Kandelaber gehängt, trat jetzt, ein stählernes Werkzeug in der Hand, auf die Nische zu. »Wirst ja doch eines Tages mein Eigentum werden! Lange macht's der Alte nicht mehr! Ob du heute oder morgen den Weg nach Warschau wanderst, ist einerlei. Übermorgen reist der millionenschwere Amerikaner ab. Schwimmst du erst mal auf dem Großen Wasser, mag der Teufel dich suchen!«

Unter dem Druck der stählernen Zange wich das Gitter. Ein Stoß schlug die Glasscheibe in Trümmer. Der Fremde warf die Zange weg, griff mit der Rechten in die Nische. Seine Hand berührte das kalte Metall.

Da ... er fühlte, wie eine fremde Hand sich um sein Handgelenk spannte. Gleichzeitig rief eine Stimme nahe bei ihm: »Hinweg, du Grabschänder! Sei dreimal verflucht, Franz Harrach!«

Ein wahnwitziger Schrei entfuhr dessen Mund. Seine Hand zuckte zurück.

»Wer bist du? Wer wagt es ...?« Wie wahnsinnig starrte er umher. Niemand zu sehen. Er ergriff die Laterne, leuchtete rundum.

Eine Sinnestäuschung?

Da krampfte er in tödlichem Entsetzen die Schultern zusammen – war ihm doch, als berühre der warme Atem eines Menschen sein Ohr.

Wieder diese Stimme, die sprach: »Fort von hier! Du Unwürdiger!«

Der Schrei des Entsetzens, der aus seiner Brust brechen wollte, erstarb. Die Laterne fiel klirrend zu Boden. Mit ein paar rasenden Sprüngen war der Dieb an der Tür, warf sich dagegen. Stürmte dem Walde zu, als sei die Hölle hinter ihm.

Mr. Gorman, der Leiter der Niederlassung von Truxton & Co. in Tabago, trat aus seinem Privatkontor in den Raum, wo ein Dutzend Angestellte in Hemdsärmeln bei seinem Erscheinen eifrig die Federn eintauchten.

»Machen Sie sich bereit, Smith, zum Flugplatz zu fahren! In einer halben Stunde wird unser Flugzeug Nummer einhundertsiebenunddreißig ankommen, wie uns das gestrige Radiotelegramm meldete. Sorgen Sie für die Unterbringung des Flugzeuges, und bringen Sie die Gäste hierher!«

Der Angeredete warf den Bleistift hin und beeilte sich, den Büroraum zu verlassen.

Eine halbe Stunde später saß Mr. Gorman seinen Gästen in dem kühlen Repräsentationssaal im oberen Stock des Hauses gegenüber. Die herabgelassenen Jalousien hinderten ihn, ihre Gesichter genau zu erkennen. Was er sah, genügte aber, um sein Vertrauen in das neue Unternehmen zu festigen.

Das war also dieser gefürchtete Kapitän Wildrake!

Der neben ihm, Medardus Droste – eine gewisse Enttäuschung. So ganz anders hatte er sich den Mann vorgestellt, der mehr zum Privatvergnügen die gefährlichen Konterbandefahrten des Luftriesen geführt hatte. Dieser ruhige, bescheidene Mensch mit dem so gar nicht heldenmäßigen Auftreten erinnerte ihn eher an seinen guten Housemaster in Eton.

Wie änderte er seine Meinung aber jetzt, als Wildrake schwieg und Droste das Wort ergriff! Mit aller Gewalt mußte sich Mr. Gorman zusammenreißen, um die in bestimmtem Ton gestellten Fragen präzis zu beantworten.

»Leider erlauben es mir meine Päne nicht, Mr. Gorman, meiner Schwester hier eine längere Erholung zu gönnen«, schaltete sich Wildrake wieder ein. »Ich muß schon in zwei Stunden mit ihr weiterfliegen. Ich hoffe doch, daß die von England gekommene Flugjacht startbereit ist?«

»Selbstverständlich, Kapitän Wildrake!« versicherte Gorman. »Ein hervorragendes Schiff! Nur verstehe ich nicht, weshalb diese überstarken Motoren eingebaut sind. Man erzielt damit eine außerordentliche Geschwindigkeit, doch ist der Verbrauch von Treibstoff derart hoch, daß der Aktionsradius der Jacht nur sehr klein sein dürfte.«

Wildrake wandte sich zur Seite, verbarg ein Lächeln. –

»Hoffentlich verläuft Ihre Expedition ohne Störung, Mr. Droste«, sagte Wildrake zu Medardus, der ihn und Edna zum Flughafen geleitete. »Hält das Schiff, was Gorman versprach, hoffe ich, in sechs Stunden mit Edna in San Fernando zu sein. Wie gut war's, daß Sie von dem ›Elixier‹ Ihres Onkels Winterloo genügend mitnahmen! Ich denke, den Flug nach Europa glatt hinter mich zu bringen. Habe ich Edna und Maria in Schottland, dann bin ich aller Sorgen ledig – und der Tanz kann lieber heute als morgen beginnen! Wenn nur da drüben alles so klappt und ungestört verläuft, wie wir's hoffen! Versäumen Sie nicht unnötige Zeit auf der Insel, Droste! Besser als alle Mahnungen von Truxton & Co. wird Ihre Gegenwart in Europa sein. Der Bau in Finnland liegt mir schwer auf dem Herzen.«

Droste legte ihm beruhigend die Hand auf den Arm. »Ich habe zu dem finnischen Reeder volles Vertrauen, Wildrake, und muß nur immer wieder sagen, Truxton & Co. hatten recht, wenn sie von dem Bau unseres Schiffes auf englischem Boden abrieten. – Hoffentlich werden Sie in Venezuela keine Schwierigkeiten haben?«

Wildrake machte eine wegwerfende Handbewegung. »Was schere ich mich um die Verordnung dieser jämmerlichen Regierung! Möchte die venezolanischen Offiziere sehen, die es wagten, Kapitän Wildrake zu verhaften!«

Ein Schimmer von Röte flog über Ednas Gesicht, als sie Medardus die Hand zum Abschied reichte. »Der Himmel gebe es, daß wir uns wiedersehen, Mr. Droste!«

Droste nahm ihre Rechte mit festem Druck. »Wir werden uns wiedersehen, Miß Edna! Ich werde Ihren Bruder nicht verlassen!«

»In Ordnung, Mr. Gorman!« sagte Droste und stieg hinter jenem die Treppe aus der Luke empor auf das Deck der »Susanna«. »Alles an Bord! Nichts fehlt! Für das übrige, was Mr. James Wildrake privatim dazugetan hat, sagen Sie ihm unseren verbindlichsten Dank! Das wird unsere Bequemlichkeit auf der Insel angenehm erhöhen.«

Und dann stand Droste neben Barradas auf der Kommandobrücke. Die »Susanna« war ein Motorschiff, mit den neuesten automatischen Einrichtungen versehen.

Noch ein Gruß an das Boot des an Land zurückkehrenden Gorman. Ein paar Bewegungen an den Hebeln auf der Brücke. Die Schrauben begannen zu arbeiten, die »Susanna« strebte der offenen See zu. –

In Venezuela hatte man das neueste, tollkühne Stück des »Captain«, wie Wildrake kurz genannt wurde, mit lauten Freudenausbrüchen begrüßt. In England aber nahm man wieder einmal Wildrake ganz als Engländer in Beschlag und überbot fast noch die Begeisterung Venezuelas. Auch sonst in der Welt konnte man eine gewisse Genugtuung darüber nicht unterdrücken, daß das üble Spiel, das die venezolanische Regierung mit der Union abgekartet hatte, doch zuletzt mißlungen war.

Der Ton der brasilianischen Friedensunterhändler nahm an Schärfe zu. Die Situation spitzte sich so zu, daß beinahe mit einem Abbruch der Verhandlungen zu rechnen war. Doch gelang es den venezolanischen Vertretern, nachzuweisen, daß Kapitän Wildrake sein Unternehmen von England aus vorbereitet habe. Die wutschäumende Presse Brasiliens brachte spaltenlange Gutachten von Rechtsgelehrten, wonach Wildrakes Tat als gemeines Verbrechen hingestellt wurde, woraus man wiederum einen Auslieferungsanspruch an alle Weltstaaten herleitete.

Während die Weltpresse darüber lachend zur Tagesordnung überging, blieb es in dem venezolanischen Blätterwald stumm. Die Zensur unterdrückte jede Äußerung. Hatten doch die venezolanischen Unterhändler die Auslieferung Wildrakes für den Fall, daß er sich in Venezuela zeigen würde, zugestanden.

Westlich von San Fernando am Ufer des Rio Orinoco lag die Hazienda La Venta.

Als Brasilianer die Mutter Wildrakes und seine Braut Maria Anunziata aus der Gefangenschaft entließen, brachte Robert Wildrake sie hierher. Doch nur kurze Zeit konnte die Mutter sich der wiedererlangten Freiheit freuen. Sie starb.

Maria Anunziata war jetzt allein auf der Besitzung.

Sie war schon in zartester Jugend in die Familie Wildrake gekommen. Ihre Eltern, mit Wildrakes Gattin weitläufig verwandt, waren früh gestorben. Jahre vergingen. Maria Anunziata erwuchs allmählich zur blühenden Jungfrau. Viele bewarben sich um ihre Hand, doch keiner erhielt das ersehnte Jawort. Das hatte schon lange ihr Jugendgespiele, Robert Wildrake, der Sohn des Hauses.

Da kam jene Schreckensnacht, in der die Bewohner von Wildrake-Hall ausgehoben und nach Brasilien in Gefangenschaft geführt wurden.

Getrennt von den Ihrigen, in banger Sorge um das Schicksal ihres Verlobten, verbrachte Maria Anunziata die Tage ihrer Kerkerhaft in marterndem Gram. Eines Tages machte ihr ein herzloser Schließer die Mitteilung, Kapitän Wildrake sei gefangen und standrechtlich erschossen worden. Diese erlogene Nachricht stürzte sie in trostlosen Jammer. Sie verfiel in ein schweres Nervenfieber. Als sie die Krise überstanden, war ihr schon durch so viele Tränen geschwächtes Augenlicht geschwunden. Die Kunde davon drang trotz aller Vorsicht in die Presse. Die Brasilianer suchten das Geschehene einigermaßen wiedergutzumachen, indem sie das blinde Opfer mit der kranken Mutter in die Heimat entließen. –

Maria wollte sich eben zur Siesta niederlegen, da hörte sie aus dem Lautsprecher Berichte über den Stand der Friedenskonferenz. Was war das? Verhandlungen betreffs Kapitän Wildrake? Mit angestrengtester Aufmerksamkeit lauschte sie. Röte und Blässe jagten über ihre Züge.

Die venezolanische Regierung gab den Forderungen Brasiliens nach und erklärte Robert Wildrake wegen seiner letzten Taten als Brecher des Waffenstillstandes, verpflichtete die Behörden, ihn dem Gesetz zu überliefern, falls er venezolanischen Boden beträte.

Der Bericht war zu Ende. Ihr Herz krampfte sich zusammen. So furchtbar aus allem Hoffen und Träumen gerissen – der Geliebte weltflüchtig! Wo mochte er jetzt sein?

Franz und Adeline Harrach standen im Spielsaal des Kasinos von Zoppot. Mit glühenden Augen folgten die Geschwister den Bewegungen der Geldmassen auf dem grünen Tisch. Wenn sie doch auch so in Geldhaufen wühlen könnten! In Dobra war die Katastrophe kaum noch aufzuhalten, wenn nicht ein Wunder geschah.

Da war gestern ein Brief aus Warschau gekommen. Franz hatte einen Freudenschrei ausgestoßen, als er ihn las. Man ging anscheinend auf seine Pläne ein. Zwar war der Brief nicht aus der brasilianischen Gesandtschaft selbst, doch gab sein Inhalt Gewißheit, daß sein Schreiber in engen Beziehungen zu dieser stand. Heute abend um zehn Uhr sollten sie in ihrem Hotelzimmer einen Herrn empfangen, der in dem Schreiben als Señor Remedio bezeichnet war.

»Komm! Gehen wir!« sagte endlich Adeline. »Ich muß mich noch umkleiden. Pünktlichkeit ist in solchen Fällen erste Bedingung.« –

Mitternacht war schon vergangen, als Señor Remedio das Zimmer der Geschwister verließ.

»Ein schlauer Bursche, dieser Remedio! Die Anzahlung –« Franz deutete auf einen Scheck – »ist äußerst mager. Doch einerlei! Er ist zweifellos ein ausgesucht gewandter Mensch. Meine Bedenken, die ich immer noch hatte – unser Plan ist doch reichlich gewagt –, sind jedenfalls zerstreut. Ich habe die feste Überzeugung, daß, wenn Wildrake und Droste nochmals nach Winterloo kommen – und damit ist unbedingt zu rechnen –, der Streich gelingen wird. Und dann . . .!«

Als gegen zehn Uhr morgens der Schlitten Franz Harrachs in den Schloßhof von Winterloo einbog, achtete kaum jemand darauf, daß statt des alten Stephan ein junger Kutscher auf dem Bock saß, die Pferde ausspannte, in den Stall stellte, sich dann, wie um die Zeit zu verbringen, in dem Schloßhof, dem anstoßenden Garten und Park herumtrieb. –

Am Nachmittag fuhr ein Kraftwagen auf den Hof von Schloß Winterloo, an dessen Kühler ein Wimpel in den Farben der brasilianischen Flagge flatterte. Keinem fiel es auf, daß einer der aussteigenden Herren, der als Señor Tejo angeredet wurde, eine gewisse Ähnlichkeit mit dem jungen Kutscher hatte, der Franz am Morgen hierhergefahren.

Der Besuch blieb nicht lange im Schloß. Mit größter Liebenswürdigkeit begleitete der Freiherr die Herren zu ihrem Auto, verabschiedete sich herzlich von ihnen. Er war gerührt durch die weitgehende Gefälligkeit, mit der die brasilianische Botschaft in Berlin sich seiner Sache angenommen hatte.

Die Papiere, die die Herren der Botschaft mitgebracht, gaben ihm den klaren Beweis, daß drüben in Brasilien die gesuchten Winterloos lebten, die künftigen Erben des alten Stammschlosses.

»Ich finde es, offen gestanden, recht auffällig, Señor Remedio – Pardon, Major Tejo, daß Ihr... Freund, Hauptmann Winterloo, Ihnen mit keinem Wort etwas von seiner Reise nach Venezuela gesagt hat.«

Der junge Sekretär drehte sich zu seinem Nachbar, der durch das Fenster des Kraftwagens auf die im Mondlicht glitzernde Schneefläche starrte. Als der Angeredete nicht antwortete, fuhr der andere fort: »Zum mindesten ist es für einen brasilianischen Offizier überaus gewagt, sich, wenn auch Waffenstillstand besteht, in das feindliche Land zu begeben. Er setzt sich dabei von beiden Seiten Deutungen aus, die nicht ungefährlich sind.«

»Wie meinen Sie das?« Der mit Tejo Angeredete sah den anderen scharf an.

Der zuckte die Schultern. »Nun, ich kann mich natürlich nicht deutlich aussprechen. Doch wenn ich das wiedergeben würde, was gerüchtweise in die Botschaft drang...«

»Was? Sprechen Sie offen!« unterbrach ihn Tejo barsch.

»Nun«, begann der Sekretär zögernd, »die auffälligen Zusammenhänge bei der Befreiung dieser Edna Wildrake: die Aussage des Schließers, er habe den Hauptmann mehrere Tage vor der Flucht darauf aufmerksam gemacht, daß das Türschloß zum Seitengang nicht in Ordnung sei – Winterloos Abreise nach Venezuela, wo doch wahrscheinlich diese Edna Wildrake jetzt weilt –, das alles sind Dinge, die zu Gerüchten wohl Anlaß geben können.«

Tejo antwortete nicht. Er starrte vor sich hin. An ein verräterisches Handeln des Freundes konnte, wollte er nicht glauben. Zu lange kannte er Winterloo, um nicht zu wissen, daß offener Verrat ihm fernlag.

Und doch – noch am Tage vor seiner Abreise war er bei Winterloo gewesen. Weshalb hatte ihm der nicht den Plan seiner Reise mitgeteilt? Er nahm sich vor, bei seiner Rückkehr nach Brasilien alles zu tun, um sich Gewißheit zu verschaffen, wo die Wahrheit lag.

Jetzt sprach er nur das aus, womit er sich selbst immer beruhigt hatte. »In Venezuela wohnt die Mutter des Hauptmanns, Herr Sekretär!« Seine Stimme nahm einen gewollt scharfen Ton an. »Die Reise Winterloos findet in dieser Tatsache vorläufig eine genügende Erklärung. Alles andere sind leere Kombinationen!«

Im Schloß saßen derweil die beiden Freunde am Kamin im Turmzimmer.

»Ich glaube kaum, Arvelin, daß wir noch weitere Auskünfte von der Botschaft erwarten dürfen. Ich muß sagen, ihr außerordentliches Entgegenkommen hat mich sehr überrascht. Daß man nun drüben auch noch Nachforschungen nach dem augenblicklich unbekannten Aufenthalt dieses Oswald Winterloo anstellt, wäre zuviel verlangt. Sicherlich ist er nicht verschwunden, er wird eines Tages wiederkommen. Wie gern möchte ich ihm, der sich als tapferer Offizier in der brasilianischen Armee ausgezeichnet hat, persönlich noch kennenlernen, ihn als Herrn seines Erbes hier begrüßen.«

Arvelin streifte mit kurzem Seitenblick die Gestalt des Freiherrn. »Und wie wäre es, wenn ich selbst übers Meer ginge? Den Erben suchte – ihn hierherbrächte?«

»Arvelin! Das wolltest du tun? Keinen besseren Freundschaftsdienst könntest du mir erweisen!«

Der andere wehrte ab. »Du bist damit einverstanden? Das genügt mir. Sobald mein Paß in Ordnung ist, fahre ich!«

Juan Avilla, der alte Administrator von La Venta, war mit dem Abschluß seiner Bücher fertig und wollte sich eben zur Ruhe begeben, als er leises Klopfen am Fenster hörte. Er schaute hinaus, prallte plötzlich zurück.

»Don Roberto!« wollte er rufen, da schloß ihm eine Hand den Mund.

»Still, Señor Avilla! Treten Sie beiseite! Ich nehme den Weg durchs Fenster.«

»Dahin ist's gekommen, Don Roberto, daß der Herr es nicht wagen kann, über die Schwelle seines Hauses zu treten! Oh, Don Roberto! Was ist aus unserem schönen Vaterland geworden!«

»Still jetzt, Juan! Jede Minute ist kostbar. Ich kam hierher, um Maria Anunziata zu sprechen. Gehen Sie zu Ihrer Frau! Sie soll sie wecken! Schnell!«

Avilla eilte zur Tür. Da öffnete diese sich von selbst. Er taumelte erschrokken einen Schritt zurück. »Doña Maria! Allmächtiger Gott!«

»Robert, du bist hier?« Die Blinde schritt mit ausgebreiteten Armen auf Wildrake zu.

Dann lagen sie sich in den Armen. Der Schlag der Mitternachtsstunde riß die Liebenden aus ihrer Versunkenheit.

»Ich muß fort, Maria! Der Morgen soll mich schon bei Edna sehen.«

»Unmöglich, Robert! Ich lasse dich nicht! Du darfst jetzt nicht von mir gehen! Noch nicht! Du fürchtest Verrat? Glaube mir, kein Mensch würde das tun!«

Ein bitteres Lachen Wildrakes. »Du täuschst dich, Maria. Vielleicht sogar, daß unter unseren eigenen Leuten der Verräter wäre, der morgen zum Tribunal eilen würde.«

»So nimm mich mit, Robert! Wie schön, wenn ich dich begleiten und Edna überraschen könnte! Oh, wie werden wir glücklich sein, wenn wir uns wiedersehen!«

»Maria! Ein Ritt bei Nacht? Unmöglich für dich. Der Weg ist weit, führt durch den wüsten Urwald.«

»Ich bleibe bei dir. Ich reite hier fast täglich mit Avilla in die Pampas. Er hat mir ein frommes Tier ausgesucht, das mich mit unfehlbarer Sicherheit über alle Hindernisse hinwegbringt.«

Robert fühlte, daß er nicht länger widerstehen konnte.

»So mag's denn sein, Maria! Avilla soll dich, wenn ich mit Pablo, dem Indianerjungen, weggeritten bin, auf dem Pferde zur großen Agave bringen!«

Eine Viertelstunde später ritten sie hinter dem Indianer her durch die Pampas. Wildrake erzählte und wurde von Fragen Marias unterbrochen.

»Ja, gewiß! Das war klug, Robert, Edna zu den Indianern zu bringen. Das Gute, was du an dem Häuptling Cihuaca und seinen Leuten tatest, trägt jetzt Früchte.«

»Um so mehr«, warf Wildrake ein, »als sicherlich Cihuaca schweres Unrecht geschah – damals, als er und seine Leute von der Regierung gewaltsam in das unwirtliche Höhenklima von Wildrake-Hall deportiert wurden.«

Maria unterbrach ihn. »Daß du es während des Krieges dahin gebracht, daß sie nach zwanzigjähriger Abwesenheit wieder in die Heimat zurückkehren durften, werden die dankbaren Rothäute dir nie vergessen. Meine alte Dienerin gehört zu ihrem Stamm. Sie erzählt immer wieder, wie der Name Wildrake bei den Indios verehrt wird.«

Der Morgen graute, als sie in das Indianerdorf einritten.

Lange lagen sich Edna und Maria in den Armen.

Seit vier Tagen und vier Nächten durchfurchte der schnittige Rumpf der »Susanna« die Fluten des Karibischen Meeres. Noch drei Stunden, dann würde ihr Ziel erreicht sein.

Da wies Calleja mit einem Ausruf des Erstaunens nach Nordwesten, wo sich eben ein Flugzeug von einer Insel erhob und Kurs auf sie zu nahm. Auch Barradas und Alvarez eilten herbei. Verwundert erwarteten sie den rätselhaften Besucher. Der ging jetzt etwas tiefer. Ließ seine Hubschraube angehen, hing hundert Meter über der »Susanna« in der Luft.

»Sofort stoppen!« rief eine Stimme, und wie um dem Befehl größeren Nachdruck zu geben, prasselten Maschinengewehrkugeln vor dem Bug der »Susanna« ins Wasser. Noch ehe deren Insassen sich von ihrer Überraschung erholt hatten, warf das Flugzeug eine Mitteilungsboje aus und schraubte sich dann mit seiner Hubschraube auf etwa fünfhundert Meter empor.

Droste stellte mechanisch den Krafthebel ab und ging zu den anderen.

Calleja hatte der Boje ein Stück Papier entnommen, las, lachte. »Der Herr«, er deutete nach oben, »seines Zeichens ein Pirat, beabsichtigt, uns die Ehre seines Besuches zu gönnen. Gleich wird sein Schiff erscheinen.«

Alle richteten die Blicke zur Inselgruppe. Neben dem Eiland, von dem das Piratenflugzeug aufgestiegen, wurde jetzt ein großer Motorschoner sichtbar.

»Teufel noch eins!« fluchte Alvarez, »das hätte uns noch gefehlt – kurz vorm Ziel ausgeplündert zu werden! Doch diesmal haben sie die Rechnung ohne den Wirt gemacht. Jetzt bietet sich uns eine famose Gelegenheit, die englischen Geschütze zu probieren. Es heißt nur, ein paar davon schußbereit zu machen, ohne daß der Bursche da oben etwas merkt.«

»Nun, das wird nicht schwerhalten«, warf Barradas ein. »Wir brennen ein bißchen Nebelpulver ab. Nicht zuviel, damit er nicht mißtrauisch wird.« Der Plan war schnell ausgeführt.

»Ich habe ihn im Visier!« rief Barradas kurz darauf unter dem Geschütz hervor.

»Dann los!« schrie Droste.

Im selben Augenblick krachte der Schuß.

Das gut gezielte Geschoß hatte einen Flügel des Flugschiffs getroffen. Dieses geriet ins Trudeln, stürzte ins Meer.

Doch gleichzeitig krachte es auch auf dem Schoner. Ein paar Granaten flogen über ihre Köpfe weg.

»Vorwärts, Alvarez und Calleja! Die nächsten Schüsse könnten gefährlich werden ...«

Die weiteren Worte erstarben in der Detonation der beiden Geschütze, die auf den Schoner gerichtet waren.

»Sie sitzen!« rief Droste, der durchs Glas sah. »Ah! Jetzt dreht er bei. Schnell noch ein paar hinter ihm her!«

»Hätten wir es nicht so eilig«, fiel Barradas ein, »wäre es ein Vergnügen, sie zu jagen.«

»Ich fürchte«, erwiderte Alvarez, »der Bursche ist schneller als wir.«

»Seht doch den Fallschirm!« unterbrach ihn Barradas. »Einer von den Flugzeuginsassen scheint den Sturz lebend überstanden zu haben.«

Mit dem Glas konnte man deutlich erkennen, wie der Schiffbrüchige die nächste der Inseln schwimmend zu erreichen versuchte.

»Den müssen wir haben!« rief Droste.

Die »Susanna« drehte nach Nordwest, hielt auf den Schwimmenden zu. Man warf dem Mann eine Leine hin. Er ergriff sie, ließ sich an Bord ziehen.

Kaum hatte Barradas ihn erblickt, rief er laut: »Ist's möglich? Jean Renard? Sie sind's?«

Der Angeredete wischte das Wasser aus den Augen. »Ah! Das nenn' ich ein Wiedersehen, Leutnant Barradas!«

»Die Umstände, mein guter Renard, sind nur reichlich merkwürdig. Ich glaube, wir haben hier den ›Schrecken der Meere‹ erwischt.«

Renard lachte laut auf. Barradas wandte sich unwillig von ihm ab, zu seinen Kameraden; schritt mit denen zum Hinterdeck.

»Eine unangenehme Situation, Freunde! Hatte mich schon gefreut, den frechen Piraten hier an die Rah zu hängen. Jetzt ist das, soweit es mich angeht, ausgeschlossen. Ihr kennt den Burschen dem Namen nach ja alle zur Genüge. Ich hatte das Vergnügen, mit ihm während des Krieges persönliche Bekanntschaft zu machen, und zwar bei einer Gelegenheit, die für mich recht bedenklich war.

Ihnen, Mr. Droste, ist vielleicht weniger über den Mann bekannt. Ich will Ihnen kurz einiges über ihn sagen. Renard ist geborener Franzose. Fuhr als Kapitän eines Trampdampfers vorzugsweise zwischen den französischen Kolonien Hinterindiens und den Philippinen. Seine Geschäfte bestanden in der Hauptsache in Schmuggelfahrten. Eines schönen Tages wurde er von einem brasilianischen Flugzeuggeschwader gejagt und gefangengenommen. Um dem Feind keinen Beweis seiner Tätigkeit zu geben, versenkte er das Schiff, noch ehe die Brasilianer an Bord kommen konnten. Daß dabei ein großer Teil seiner Mannschaft zugrunde ging, genierte ihn weniger als der Umstand, daß auch seine Schätze in die Tiefe gingen.

Obgleich die Indizien gegen ihn nur schwach waren, wurde er zum Tode verurteilt. Am Tage vor der Hinrichtung gelang es ihm, aus dem Gefängnis zu entkommen. Beim Beginn unseres Krieges gegen Brasilien tauchte er plötzlich bei uns auf. Er war im Besitz eines hervorragenden Flugzeuges, nahm als freiwilliger Flieger an den Kämpfen teil. Seine Erfolge waren nicht gering. Doch dauerte es nicht lange, so kam man dahinter, daß er bei alledem bestrebt war, das Nützliche mit dem Angenehmen zu verbinden. Er trieb Kriegsgeschäfte auf eigene Rechnung. Das Ende vom Lied war, daß ihm die Heeresleitung deutlich zu verstehen gab, daß man auf seine Dienste verzichte. Seit der Zeit betreibt er sein Geschäft offen als Pirat, wobei er jedoch nach Möglichkeit venezolanische Schiffe schont.

Mittels seines Flugzeuges und seines Motorschoners hat er hier in der Südsee schon manches Frachtschiff seiner kostbaren Ladung entledigt. Mit uns hatte er zweifellos dasselbe vor. Was nun tun?«

»Du vergaßest zu erzählen, Barradas, bei welcher Gelegenheit du ihn einmal persönlich kennenlerntest.«

»Richtig, Alvarez! Ich war in einen Luftkampf verwickelt gegen starke Übermacht der Brasilianer — da kam mir Jean Renard zu Hilfe. Ich persönlich bin ihm also zu Dank verpflichtet. Was ihr mit ihm tun wollt, tut's ohne mich!«

Die anderen schwiegen.

Nach einer Weile ergriff Droste das Wort. »Mir scheint, wir überlassen die Entscheidung über Renards Schicksal am besten Kapitän Wildrake.«

»Aber wir können ihn doch nicht mitnehmen zu unserer Insel?« warnte Alvarez.

Droste schüttelte den Kopf. »Nein. Wir können überhaupt nicht weiterfahren, Señores, ohne uns vorher mit Wildrake ins Einvernehmen gesetzt zu haben. Die Insel, die wir suchen, ist nur knappe drei Fahrtstunden von hier entfernt. Gesetzt den Fall, wir lassen Renard laufen, so ist nicht ausgeschlossen, daß er in einiger Zeit wieder nach dieser Inselgruppe zurückkehrt, wo er augenscheinlich seinen Schlupfwinkel hat. Die Situation ist für ihn nicht unähnlich wie für uns. Aber, davon abgesehen, man wird sicherlich bald gegen dieses Luftpiratenwesen mit aller Macht einschreiten. Bei der Gelegenheit könnte Renard uns ungewollt die Verfolger auf den Hals ziehen. Ich halte es für ganz ausgeschlossen, daß wir unseren Stützpunkt auf einer Insel wählen, die von dem Piraten im Flugschiff in kürzester Zeit erreicht und beobachtet werden kann.«

»Sie haben recht, Mr. Droste. Kapitän Wildrake muß hierher! Er mag dann also bestimmen, was mit Renard geschehen soll.«

»Wir werden«, sagte Droste, »solange an der Insel Renards festlegen.«

In der Nähe Baranas am Rio Apure lag das kleine Gut, auf das sich Oberst Guerrero zurückgezogen hatte. Als am letzten Tage der Waffenstillstandsberatungen im brasilianischen Hauptquartier alles an jener Forderung der Brasilianer, Wildrake und seine Gefährten auszuliefern, zu scheitern drohte, hatte der Führer der venezolanischen Delegation sich telegrafisch an das Kabinett in Caracas gewandt. Das empfahl unbedingtes Nachgeben. Da hatte Guerrero in offener Empörung sein Amt niedergelegt, war grollend in die Heimat zurückgekehrt.

Doch nicht lange sollte er die erzwungene Muße genießen. In der venezolanischen Armee wurde die Zahl der Unzufriedenen immer größer. Es dauerte nicht lange, so wurde Guerreros Besitztum der Sammelpunkt all der mißvergnügten Elemente, die von hier aus offen oder versteckt die Regierung wegen ihrer Schwäche aufs heftigste angriffen.

Guerrero, der stillschweigend anerkannte Führer dieser Unzufriedenen, wahrte als einziger einen kühlen Kopf. Er erstrebte nichts für seine Person, hatte nur das Beste seines Vaterlandes im Auge. –

Der Abend war hereingebrochen. Die letzten seiner Gäste hatten das Haus verlassen. Guerrero schritt in seinem Arbeitszimmer nachdenklich auf und ab. Die neuesten Nachrichten von Manaos, wo die Friedensverhandlungen geführt wurden, lauteten beunruhigend. Die Forderungen der Brasilianer wurden immer maßloser.

Ein Diener trat ein, überreichte dem Oberst einen verschlossenen Brief. Der riß ihn auf, las. Ein kurzes Erschrecken. »Wildrake?« flüsterte er halblaut vor sich hin. »Sollte er es gewagt haben?« Und laut: »Führe den Herrn hierher, Juan!«

Ein paar Augenblicke später schloß sich die Tür hinter der Gestalt Wildrakes.

»Sie sind's wirklich, Don Roberto?« Der Oberst trat auf den Kapitän zu, umarmte ihn. »Sie wagen viel.«

»Ich fürchte nur, Ihnen, Herr Oberst, Unannehmlichkeiten zu machen. Für meine Person habe ich keine Sorge.«

Eine Stunde wohl mochten die beiden verhandelt haben. Die tiefen Falten auf Guerreros Stirn hatten sich geglättet. Seine Augen blitzten. Er ergriff Wildrakes Hand.

»Das allerdings«, sagte er, »wäre der höchste Beweis von Vaterlandsliebe. Wenn es Ihnen gelänge, auch nur einen Teil dessen auszuführen, was Sie sich da vorgenommen haben ...« –

»Für mich, Herr Oberst, handelt es sich nur darum, daß die Verhandlungen sich noch weiter hinziehen. Daß nicht ein vorzeitiger Friede all meine Bemühungen zunichte macht.«

»Dafür lassen Sie mich sorgen, Kapitän!«

Wildrakes Flugzeug näherte sich dem Indianerdorf. Nur ein kurzer Aufenthalt, dann würde er mit Edna und Maria weiter nach Europa fliegen.

Der Morseticker zu seiner Rechten begann zu schreiben. Es waren die mit Droste verabredeten Codezeichen. Seine Züge verfinsterten sich. Kaum das Unternehmen begonnen – und schon solch unangenehmer Zwischenfall! Die Angelegenheiten in Europa verlangten dringend seine Anwesenheit. Jetzt nun dies! Die Reise nach England einstweilen unmöglich. Er mußte sofort zu den Kameraden.

Der Bericht Drostes hatte geendet. Wildrake schaltete seinen Apparat auf Senden um: »Komme sofort.« –

Auch die Freude des Wiedersehens mit Maria und Edna konnte die Wolken von seiner Stirn nicht verscheuchen. Dem Drängen der beiden Mädchen nachgebend, erzählte er ihnen von den Ereignissen mit Renard.

»Ich muß gleich weiter. Unsere Reise nach England erleidet dadurch einen Aufschub von ein paar Tagen. Der Indiojunge, Pablo, wird mich begleiten. Er ist ein anstelliger Bursche.«

Während Wildrake einen kurzen Imbiß nahm, bemühten sich die beiden Mädchen, Lebensmittel und Decken in die Flugjacht zu schaffen. Pablo hatte einen Freudensprung gemacht, als er hörte, daß er mitfliegen dürfe.

»Alles fertig! Lebt wohl, Maria, Edna! Bald bin ich wieder bei euch.«

Er umarmte rasch Braut und Schwester, trat in die Kabine, schaute sich nach dem Indianerjungen um. »Hallo, Pablo! Wo steckst du?«

»Er wird gleich da sein. Ich will ihm entgegengehen.« Maria verschwand hinter den Hütten. Ein paar Augenblicke, dann kam Pablo, ein paar große Decken über der Schulter, auf das Flugschiff zu, öffnete die Hintertür der Kabine, kletterte hinein.

»Alles fertig, Don Roberto!«

Vier Stunden bereits raste die Maschine nach Südosten. Wildrake hatte Pablo die einfachsten Hebelgriffe im Führerstand erläutert. Jetzt stellte er die automatische Steuerung an.

Er befahl Pablo, ihn nach zwei Stunden zu wecken, wollte sich eben niederlegen, da begann es sich unter den Decken zu regen. Das Lachen des Indianerjungen machte ihn aufmerksam.

»Was ist, Pablo?« fuhr Wildrake ihn barsch an.

Da wurde die Decke zurückgeworfen. Maria Anunziata stand vor Wildrake, der erschrocken zurückprallte.

»Maria! Bist du von Sinnen? Bist du krank, daß du solch wahnwitzige Gedanken . . .«

»Ja, Robert!« sprach sie mit tonloser Stimme. »Ich bin krank – wenn du nicht bei mir bist!«

Sanft schloß er das Mädchen in seine Arme.

»Insel voraus!« schrie Pablo vom Führerstand her.

Schnell machte sich Wildrake frei, eilte nach vorn. Ein Blick zur Seite: Das Schiff war etwas nach Osten abgekommen. Schnell warf Wildrake das Steuer herum, stieg in größere Höhen.

Bei der gewaltigen Schnelligkeit, mit der die Maschine dahinschoß, konnte er in einer Stunde bei Droste und seinen Gefährten sein.

Der Flughafen von San Fernando bestand in der Hauptsache aus einem kleinen Reparaturschuppen, an den sich ein paar notdürftig aus Brettern zusammengeschlagene Hangars anschlossen. Davor ein Stück der Pampas, das sich gegenüber der Umgebung nur durch einige Warnungstafeln auszeichnete; sie besagten, daß ein Betreten durch Hirten und Herden verboten sei.

Ein Flugzeug landete. Ihm entstieg ein alter Mann, der die Maschine in einen der Hangars rollen ließ.

»Wie finde ich den Weg zur Hazienda La Cima, Señor?« wandte sich der Ankömmling in gebrochenem Spanisch an den Hafenkapitän. Der gab eine weitschweifige Erklärung.

Arvelin hörte den Erguß mit ruhigem Lächeln an. »Könnten Sie mir nicht einen Führer verschaffen, der mich im Auto hinbrächte?«

Der Kapitän zuckte die Achseln. »Kraftwagen, Señor? Unmöglich! Aber Pferde!«

»So besorgen Sie mir zwei Pferde und einen Führer.«

Nicht lange, und Arvelin ritt unter Führung eines Mestizen durch die Pampas, nach Süden zu. Wohl eine Stunde waren sie unterwegs, da leuchteten vor ihnen die weißen Gebäude einer Hazienda. Arvelin stieg ab und bedeutete dem Führer, seine Rückkunft zu erwarten. –

Wohl zwei Stunden schon hatte Arvelin Virgina Winterloo gegenübergesessen. Da trat ein Diener ein, der seiner Herrin diskret ein paar Worte zuraunte. Eine flüchtige Röte glitt über ihr Gesicht. Hastig erhob sie sich, ging hinaus, wandte sich in der Tür noch einmal um.

»Ich komme gleich wieder, Herr Doktor!«

Das also war die Mutter des Erben von Winterloo! Ihr Antlitz zeigte noch Spuren früherer Schönheit. Doch eine starke innere Unruhe ging von dieser Frau aus. Arvelin hatte den Grund für ihre offenbare Erregung darin gesucht, daß sein Erscheinen und sein Auftrag ihr allzu überraschend kämen. Im Laufe der Unterredung hatte er jedoch zu seinem Erstaunen bemerkt, daß in dem Telegramm ihres Sohnes Oswald, das auf dem Tisch lag, die Ursache ihrer Beklemmung zu suchen war.

Er nahm es zur Hand, überflog die Worte: »Ich komme morgen mit dem Postflugschiff. Keine Entschließung, bevor ich da!«

Den Mestizen, der ihn zu Pferd hierhergebracht, hatte Arvelin wie beiläufig über Oswalds Mutter auszuforschen versucht. Er hatte mancherlei zu berichten gewußt. So auch von der bevorstehenden Hochzeit der Señora mit einem benachbarten Haziendero Lerdo de Tejada. Dieser Tejada, aus spanischem Blut entsprossen, schien nicht in besonderem Ansehen zu stehen. Hier lag zweifellos der Schlüssel zu Oswalds gewagter Reise nach La Cima.

Während der Unterredung mit Doña Virgina hatte Arvelin dem Gespräch eine Wendung zu geben gewußt, die zu Lerdo de Tejada führte. In seltsamer Nervosität hatte sie ihm von dem Gutsnachbar erzählt; dabei immer wieder erwähnt, wie sehr er ihr während der schweren Kriegszeiten zur Seite gestanden. Schon die Dankbarkeit gebot es, so versicherte Doña Virginia, ihm ihr Jawort nicht zu verweigern, als er um sie warb.

Jedenfalls aber schien Oswald Winterloo den Entschluß seiner Mutter nicht zu billigen. Morgen nachmittag würde er hier sein!

Arvelin zog eine Landkarte aus der Tasche. Die alte Caraibenstadt.

Schon vor seiner Reise hatte er sich mit den Kulturdenkmälern der Ureinwohner Venezuelas in großen Zügen beschäftigt. Im Gespräch mit Doña Virginia hatte er die Ruinen nördlich von San Fernando erwähnt. Ihre Auskünfte reizten seine Wißbegier. Die Zeit bis zu Hauptmann Winterloos Erscheinen genügte vollauf zu einem flüchtigen Besuch der historischen Stätte.

Als jetzt Oswalds Mutter wieder eintrat, erhob er sich, teilte ihr seine Absicht mit und verabschiedete sich. Doña Virginia begleitete ihn vor das Tor, wo er seinen Geleitsmann mit den Pferden fand. Sie sprach ein paar Worte mit dem Mestizen. Der nickte lebhaft, deutete nach Norden, war gern bereit, die Führung zur Caraibenstadt zu übernehmen. –

»Warum wollten Sie den Deutschen nicht sehen, Don Lerdo?«

Der Angeredete wandte sich ab. »Er wird ja morgen wiederkommen, wenn Ihr Sohn da ist, Doña Virginia. Ich werde dann noch Gelegenheit haben, ihn kennenzulernen.«

Er wehrte die Versuche Virginias ab, die ihn zum Bleiben nötigen wollte, wandte sich nach kurzem Gruß ins Freie und bestieg sein Pferd.

Diese deutsche Erbschaft, brummte er, während er scharf nach San Fernando zuritt, ist jedenfalls nicht zu verachten. Mir würde es ja niemals einfallen, deshalb nach Europa zu gehen. Aber es ist sehr wohl möglich, daß dieser Oswald es tut. Und vielleicht wird er gar seine Mutter bewegen wollen, ihn zu begleiten.

Dann wäre alles umsonst gewesen! Das würde für mich das Ende bedeuten. Das kann, darf nicht sein!

Der Kommandant in San Fernando ist auf die Brasilianer schlecht zu sprechen. Nebenbei ein rabiater Bursche, der sich nicht viel um diplomatische Schwierigkeiten scheren wird. Wenn man's möglichst schlau einfädelt... Ich muß mich stellen, als täte ich alles nur im Interesse des Vaterlandes. Unbegreiflich überhaupt, daß der Hauptmann die Reise wagt! Er muß doch damit rechnen, in Spionageverdacht zu geraten. Die Kriegsgerichte in Venezuela sind schnell bei der Hand – es müßte mit dem Teufel zugehen, wenn der Kommandant sich solchem Hinweis verschließen wollte...

Nach mehrstündigem Ritt kam Arvelin mit seinem Begleiter zu den Ruinen der Caraibenstadt. Er entließ den Führer und band sein Pferd an einem Farnbaum fest.

Über ein mit Obsidiansteinresten besätes Gelände näherte er sich den Trümmern eines Tempels und trat ein.

Dann schritt er hinaus, ging auf kleinem, schmalem Pfad auf einen Hügel zu. Links und rechts von ihm ragten aus dem wuchernden Urwaldgestrüpp Reste kleinerer Pyramiden. Der Weg war wohl früher eine breite Straße zu jenem Hügel gewesen.

Am Ende dieses anscheinend auch heute noch häufig begangenen Weges gelangte Arvelin auf die Anhöhe. Vergeblich suchte er hier eine Fortsetzung des Pfades. Da er jedoch noch mehr Ruinen von Tempelanlagen auf dem Hügel vermutete, begann er sich aufs Geratewohl durch das Dickicht zu zwängen. Er kam schon nach wenigen Schritten leichter voran. Denn hier hatte, wie er vermutet, ehedem eine breite Treppe, im Anschluß an die alte Allee, zu dem Tempel geführt. Unschwer erreichte er das Plateau.

Von den Riesenkronen der Waldbäume überschattet, lagen die Tempelruinen vor ihm. Geräusch in seinem Rücken ließ ihn aufhorchen. Er wandte sich um: Ein alter Indio kam durch das Buschwerk hinter ihm drein.

Arvelin redete ihn spanisch an. Auf Arvelins Bitten war der Rothäutige gern bereit, ihm die Anlagen des Heiligtums zu zeigen und zu erklären. Mit einer leichten Neigung des Kopfes bedeutete er Arvelin, ihm zu folgen. Er schritt auf ein Risperogebüsch zu, bog die Zweige auseinander. Über Trümmer von Steinplatten, die mit zum Teil gut erhaltenen Reliefs verziert waren, öffnete sich ein neuer Pfad, bog dann scharf nach Osten ab. Zerborstene

Steinstufen führten auf eine hohe Plattform, auf der sich die Reste des eigentlichen Tempels erhoben.

In das Innere führten drei quadratische Tore, durch geschmückte Steinpfeiler voneinander getrennt. Der Tempelraum selbst war in sich zusammengebrochen. Soweit die Mauern noch standen, waren sie mit dunkelbraunen Mosaikreliefs auf hellbraunem Grunde geschmückt. In der Mitte der Anlage ein altarartiges Gebilde, von allen Seiten behauen, die glatten Flächen über und über mit Hieroglyphen bedeckt.

Die tausendjährige Schrift – was mochte sie bedeuten? Da klang hinter Arvelin die monotone Stimme des alten Indianers. Er erzählte von dem großen Schöpfer.

Arvelin schüttelte ungläubig den Kopf. »Du verstehst diese Zeichen zu deuten?«

»Cihuaca heiße ich«, fiel der Indio ihm ins Wort, richtete sich stolz auf. »Cihuacas Ahnen waren einst, als die Caraiben noch ein glückliches, mächtiges Volk waren, Könige in diesem Lande.«

Arvelin reichte dem Indio die Hand, sprach ein paar Worte, die der Alte ersichtlich mit großer Befriedigung aufnahm.

Der wandte sich jetzt, führte Arvelin um den Tempelbau herum, zeigte ihm unterirdische Gänge, wunderliche Bilder, riesige Monolithen, die umgestürzt im Grase lagen. Jetzt waren sie zu der Stelle zurückgekommen, von der sie die Wanderung begannen. Arvelin drückte dem Indio die Rechte zum Abschied.

»Wo willst du hin?« fragte der.

»Nach San Fernando.«

Der Häuptling deutete auf die Sonne, die sich dem Zenit näherte. »Nicht jetzt reiten, alter Mann! Die Sonne sendet glühende Pfeile. Bleibe hier im schattigen Wald, bis Abendkühle kommt! In Cihuacas Hütte magst du rasten.«

Gern ergriff Arvelin die Gelegenheit, einen Blick in das Leben dieser Indianer zu tun. Vor einem etwas größeren Bau in der Dorfmitte hielt der Alte an. Bei ihrem Nahen hatte sich eine weibliche Gestalt von einer Bank erhoben, wollte ins Haus treten, blieb auf einen Wink Cihuacas sitzen.

»Eine weiße junge Dame?« murmelte Arvelin vor sich hin.

Pferdegetrappel hinter ihm riß ihn aus seinen Gedanken. Ein indianischer Jüngling jagte an ihnen vorbei, brachte sein Pferd vor der Hütte zum Stehen und überreichte der jungen Weißen ein Körbchen. Er redete in seiner Sprache mit ihr.

Arvelin beschleunigte die Schritte. Wer war diese Weiße?

Nur wenige Schritte trennten ihn noch von der Fremden, da sah er sie während des Gesprächs mit dem jungen Indio plötzlich erbleichen. Hastige, überstürzte Worte kamen aus ihrem Munde.

Arvelin zuckte unwillkürlich zusammen: Winterloo? Ganz deutlich vernahm er den Namen.

Alle Rücksicht vergessend, eilte er auf die Sprechenden zu.

Cihuaca sprach ein paar indianische Worte zu dem Jüngling. Der begann stotternd seinen Bericht zu wiederholen.

Als der Name »Winterloo« fiel, unterbrach Arvelin mit heiserer Stimme den heftig Gestikulierenden. »Sprichst du wahr? Hauptmann Winterloo, der Sohn der Witwe in La Cima, soll als Spion erschossen werden?«

Der Indio nickte. »Heute noch, ehe die Sonne untergeht!«

Arvelin trat ganz nahe an die Weiße heran. »Sie kennen Hauptmann Winterloo, meine Dame? Ich heiße Doktor Arvelin, kam aus Europa hierher zu dem Zweck, Oswald Winterloo zu suchen. Was ich da eben hörte – ist es wahr?«

Bei dem Namen Arvelin war ein Freudenschein über das Gesicht des Mädchens geglitten. »Ich bin Edna Wildrake. Mein Bruder und Mr. Droste erzählten mir viel von Ihnen. Doch Winterloo, was wollen Sie von ihm? Ist er etwa verwandt mit Ihrem Freund, dem Freiherrn Winterloo in Deutschland?«

Arvelin nickte hastig. »Er ist sein Erbe. Ich bin hier, um ihn zu holen.«

Edna streckte ihm bittend beide Hände entgegen. »Die Deutschen sind gut Freund mit Venezuela. Eilen Sie nach San Fernando! Versuchen Sie alles – vielleicht gelingt es Ihnen – doch nein, Winterloo ist ja Brasilianer! Der Haß gegen die Brasilianer ist so groß. Er ist verloren, wenn nicht ein Wunder geschieht!«

»Ein Wunder, Fräulein Wildrake, nur könnte ihn retten? Vielleicht, daß Gott mir beisteht!«

Bei den letzten Worten hatte sich Arvelin schon gewandt, sprang ohne Gruß aufs Pferd, jagte dem Ausgang des Dorfes zu.

Schon seit zwei Tagen lag die »Susanna« im Hafen der Pirateninsel. Droste hatte angeordnet, daß ständig einer der drei Offiziere am Empfänger blieb, da ja Wildrake stündlich erwartet wurde.

Droste saß mit Alvarez und Barradas vor der Hütte, die Renard für seine Leute hier errichtet hatte. Renard selbst stand am Ufer.

Calleja, der am Empfänger gesessen hatte, kam freudig winkend herbeigeeilt. »Habe eben Verbindung mit dem ›Captain‹ bekommen. In einer Viertelstunde ist er da!« –

Und dann standen die vier Freunde um Wildrake, der seinem Flugzeug entstiegen war. Calleja wollte in die Kabine treten, um das Gepäck herauszuholen. Doch der Kapitän hielt ihn zurück.

»Ein Grund besonderer Art, lieber Calleja! Warten Sie noch ein Weilchen! Es gilt jetzt, so schnell als möglich die Sache mit Renard zu regeln. Er mag leben bleiben! Aber er muß von hier fort. Was weiter mit ihm geschieht, kann uns einerlei sein. Jedenfalls glaube ich nicht, daß wir berufen sind, über ihn zu richten. Also folgendes ist zu tun: Einer – Barradas, Sie wären wohl der Geeignetste dafür – nimmt das Bordflugzeug und bringt ihn fort. Machen Sie sich sofort bereit! Ich selbst nehme Sie, Droste, an Bord. Wir fliegen weiter nach Südwesten, um einen anderen, besseren Stützpunkt zu suchen. Alvarez und Calleja warten hier mit der ›Susanna‹.«

In diesem Augenblick kam Renard vom Strande her langsam auf sie zugegangen. Die Hände in den Taschen vergraben, seine kurze Pfeife schmauchend, stellte er sich breitbeinig vor die Offiziere hin.

»Nun, hat ein hohes Kriegsgericht getagt?« fragte er. »Daß Sie einen alten Kriegskameraden nicht dem Strick überliefern werden, ist ja selbstverständlich. Ich möchte nur bitten, daß Sie mich so bald wie möglich von hier wegschaffen, und zwar zu einer Stelle, von wo ich Verbindung nach dem Westen habe: S.-Pauls-Insel am besten!«

»Es wäre besser, Jean Renard, wenn Sie Ihre Sprache mäßigten!« sagte Wildrake. »Noch sind Sie in unserer Hand. Wenn wir beschlossen haben, Ihnen die Freiheit zu schenken, so tun wir das, weil wir genau wissen, daß Ihnen über kurz oder lang doch der Strick blühen wird.«

Renard schlug mit dem Finger einen Kreis um seinen Hals. »Wäre schade darum!« meinte er mit komischem Grinsen. »Denke, er wird meinen Kopf noch eine gute Reihe von Jahren tragen! Glaube auch nicht, daß es das letztemal gewesen ist, daß wir uns begegneten, Kapitän Wildrake. Der Krieg ist noch nicht zu Ende. Vielleicht kommt der Tag, wo Sie sehen, daß Jean Renard seine alten Freunde nicht vergißt.«

Barradas kam vom Schiff her. »Das Flugzeug steht bereit, Kapitän Wildrake. Kann's losgehen?«

»Ah, so schnell?« fiel Renard ein. »O nein! Muß noch sehen, ein bißchen Reisegeld zusammenzuklauben. Es ist nicht viel. Ihr werdet's einem alten Manne lassen!«

Er verschwand in dem Gebüsch hinter dem Hause, kam nach kurzer Zeit wieder. »Fahren wir zur Insel S. Paul! Kenne da einen Platz, wo wir in der Dunkelheit ungesehen landen können.«

Er wandte sich zum Gehen, besann sich einen Augenblick, trat dann auf Wildrake zu. »Vergaß ganz, mich bei Ihnen für genossene Gastfreundschaft zu bedanken, Captain! Möchte Ihnen zur Erinnerung dieses Paket übergeben.«

Wildrake drehte sich ärgerlich um.

»Nicht so stolz, lieber Captain!« rief Renard. »Ein paar Worte nur, dann mögen Sie tun, was Sie wollen. Erinnern sich vielleicht alle, daß vor kurzem das brasilianische U-Boot 340 als vermißt gemeldet wurde ...«

Wildrake wandte interessiert den Kopf, trat unwillkürlich ein paar Schritte näher.

»Verschollen!« Der Pirat lachte heiser. »Jean Renard weiß, an welcher Stelle des Meeres es liegt ...« Er machte eine Pause.

»Diese Mappe stammt vom U-Boot 340, Kapitän Wildrake! Ich schenke sie Ihnen. Geld ist nicht darin – war auch nicht darin! Aber ich taxiere, es sind ein paar Dokumente dazwischen, die Sie interessieren werden.« Renard schwenkte mit vergnügtem Lächeln seine Mütze.

»Nach alldem, was wir gesehen haben, Droste, dürfte dieses Eiland am besten Ersatz für unsere Insel X. bieten.« Droste nickte. »Sie haben recht, Wildrake. Bietet sie auch nicht alle Vorzüge von X., so bleibt uns in Ermangelung eines Besseren doch nichts übrig, als hier unsere Station anzulegen. Nennen wir sie ...«

»Nein, nein!« unterbrach ihn Wildrake laut. »Ich taufe die Insel hiermit auf den Namen ihrer besten, edelsten Bewohnerin: Santa Maria!«

In der Kabinentür der Flugjacht erschien Maria. Noch ehe ihr Bräutigam herbeieilen konnte, war sie mit bewunderungswürdiger Sicherheit die Stufen hinabgeschritten, eilte über das flache Land der Stelle zu, wo die Freunde standen.

»Unser neues Heim, Maria! Ich will dir's kurz beschreiben«, rief Wildrake dem Mädchen zu.

»Die Insel ist ungefähr zwei Quadratkilometer groß. Die Südseite, auf der wir uns hier befinden, hat flachen Strand. Draußen im Meer ziehen sich Korallengürtel um die Küste. Nach Osten hin schützt sie ein dichter Mangrovenwald. Nach Norden und Osten erhebt sich unwirtlicher Felsboden. Der Südostteil birgt ein paar Süßwasserquellen; Haine und Wiesen darum.

Das alles könnte uns ja nicht besonders interessieren. Die Hauptsache war doch, einen Stützpunkt zu finden, auf dem eine Kraftquelle vorhanden ist, die wir zur Erzeugung unseres Treibstoffes unbedingt benötigen. Ein Brandungskraftwerk zu schaffen, wie wir's auf der Insel X. beabsichtigten, ist hier unmöglich. Dafür gewährt uns aber dieses Eiland etwas noch Günstigeres. Da, wo der abfallende Fels barrenartig in die Brandung ragt, bietet sich Gelegenheit, unter besten Bedingungen ein Stromkraftwerk anzulegen.

Im Laufe der nächsten Stunden muß die ›Susanna‹, die auch Barradas mitbringt, hier landen. Droste wird den Freunden die nötigen Anweisungen geben. Morgen bei Tagesanbruch fliegen wir beide dann weg, lassen dich hier bei den anderen zurück.«

Als die Sonne im Westen sank, landete die »Susanna« mit Droste und Barradas. Und als das Tagesgestirn sich zwölf Stunden später wieder aus der See erhob, flogen Wildrake und Droste Kurs Europa.

Als Arvelin auf abgehetztem Gaul nach San Fernando kam, war sein erstes, sich nach dem Kommandanten zu erkundigen. Aber der war auf die Jagd geritten.

Verzweifelt sprach Arvelin einen höheren Offizier an. Der hörte dem Bericht höflich zu. Schon glaubte der Doktor Hoffnung schöpfen zu können, da erklärte der Venezolaner veränderten Tones, alle Versuche, das Schicksal des Verurteilten zu wandeln, würden vergeblich sein.

Arvelin sah auf die Uhr. Die Hinrichtung war auf die fünfte Nachmittagsstunde festgesetzt. Jetzt war es vier.

Als die Glocke zum fünften Schlage anhub, wurde Oswald Winterloo auf den Hof des Gefängnisses geführt. Zehn Schritt vor der Umfassungsmauer band man ihm ein Tuch vor die Augen.

Jetzt traten aus dem gegenüberliegenden Haus die sechs Männer des Exekutionskommandos unter Führung eines Offiziers. Der Offizier ließ trommeln, begann das Urteil des Kriegsgerichtes zu verlesen. Oswald Winterloo hörte mit einem bitteren Gefühl die sinnlosen Beschuldigungen.

Da! Was war das? Eine Stimme hinter ihm. Portugiesische Laute klangen flüsternd an sein Ohr.

»Keine Furcht! Hilfe ist nah! Sobald Sie von draußen den Krach einer Explosion hören, reißen Sie die Binde von den Augen, nehmen meine Hand und folgen meiner Führung!«

Oswald glaubte, Halluzinationen ließen ihn Worte vernehmen, die doch unmöglich gesprochen sein konnten.

Aber da ... doch keine Sinnestäuschung? Er glaubte zu fühlen, wie seine Fesseln gelöst wurden. Unwillkürlich wollte er die befreiten Hände nach vorn strecken, da wurden sie von fremden Fingern festgehalten.

»Nicht rühren, bevor die Explosion erfolgt!«

Winterloo stand in maßloser Erregung.

Der Offizier hatte die Verlesung beendet. Er ließ die Mannschaft stillstehen, kommandierte: »Anlegen!«

Da zerriß von draußen her ein furchtbarer Knall die Totenstille. Unwillkürlich wandte der Offizier den Kopf in Richtung des Schalles. Auch die Soldaten hatten bei dem Donner unwillkürlich die Gewehre sinken lassen, sich umgedreht. Ihr Befehlshaber faßte sich schnell. Ärgerlich über die Störungen kommandierte er von neuem: »Stillgestanden!«

Da! Seine Augen gingen ratlos von der Stelle, wo der Gefangene stehen mußte, zu den Soldaten. Auch die standen sprachlos, verwirrt.

Der Gefangene – wo war er? Eben noch zehn Schritt vor ihnen – jetzt plötzlich verschwunden, als hätte die Erde ihn verschluckt! Nur die abgestreifte Binde bezeichnete die Stelle, wo er gestanden.

Der Offizier war der erste, der wieder zu sich kam. »Er ist entflohen! Alarm!«

Er schoß seinen Revolver in die Luft, rannte zum Torweg, schrie dem Außentorposten zu: »Achtung! Schließt das Tor!«

Da! Der Soldat taumelte, wie von unsichtbarer Hand gestoßen, zur Seite. Jetzt war der Offizier am Außentor. Die Umgebung menschenleer. Neben ihm sammelten sich seine Mannschaften und andere Soldaten, die auf den Schuß hin herbeigeeilt waren. Auch sie stierten fassunglos über das verlassene Feld. –

Halb besinnungslos folgte Winterloo dem alten Mann, der plötzlich hinter ihm gestanden, als er die Binde von den Augen riß, ihn an der Hand nahm und mit ihm forteilte. Jetzt, nach dem Verlassen des Tores, mäßigte er die Schritte. Es war dieselbe Stimme, die im Gefängnishof zu ihm geklungen, die jetzt weitersprach.

»Halten Sie sich hinter mir und haben Sie Vertrauen! Dann sind Sie gerettet!«

Gerettet? Winterloo faßte sich an die Stirn.

Das verworrene Geschrei am Außentor ließ ihn vorsichtig den Kopf wenden. Da standen ja Haufen von Soldaten ... und die erkannten ihn nicht?

Und als habe sein Mentor diese Gedanken erraten, kam die Stimme warnend zurück. »Nicht stehenbleiben! Sonst sind Sie verloren.«

Sie gingen weiter. Da – trotz allem, was schon geschehen, hielt Winterloo den Atem an: Um die Ecke der Mauer, auf die sie zuschritten, kam ein Schwarm Soldaten, die Gewehre schußbereit. Jetzt war alles verloren ... Doch nein: Sie liefen unter dem Kommando eines Offiziers einem Wäldchen zu, als wollten sie den Entwichenen dort suchen.

Der Alte hatte haltgemacht, drückte sich enger an die Mauer. Auch Winterloo folgte seinem Beispiel. Nun waren die Soldaten fort, der Weg frei!

Der Alte setzte sich aufs neue in Marsch. »Es ist gelungen, Herr Hauptmann! Bleiben Sie neben mir, und lassen Sie mich Ihren Arm nehmen! Doch hüten Sie sich zu sprechen, wenn Menschen in der Nähe sind.«

Sie umwanderten die Stadt, kamen an einen Rancho, vor dem ein paar Pferde angebunden standen. Der Alte schien zu fühlen, wie schwer es Winterloo wurde, mit ihm Schritt zu halten. Die Aufregungen der letzten Tage, die unerklärlichen, rätselhaften Vorgänge der letzten Stunde hatten seine Kräfte erschöpft.

»Raffen Sie sich zusammen! Steigen Sie auf dieses Pferd – ich nehme das andere!«

Mit Mühe schwang sich Winterloo in den Sattel. Eine halbe Stunde später umfingen sie die dunklen Schatten des Waldes. Jetzt erst glaubte der Hauptmann sich in Sicherheit. Ein wohliges Gefühl durchrieselte ihn, stärkte seine Lebensgeister. Nicht länger konnte er seine Wißbegier zähmen.

»Wer sind Sie, Señor?«

Der Alte nickte ihm freundlich zu. »Ich bin Doktor Arvelin. Ich komme im Auftrage eines Mannes, der Ihnen wohlwill und mit dessen Schicksal das Ihre eng verbunden ist. Hier ist nicht der Ort, Ihnen das auseinanderzusetzen. Wir reiten jetzt zu einem Indianerdorf, wo Freunde sind. Auch Freunde von Ihnen, Herr Hauptmann!« Er sah den Verwunderten mit bedeutungsvollem Lächeln an. »Ich geleite Sie dorthin – verlasse Sie dann für einige Zeit, um mein Flugzeug hierherzuholen.«

Die Nacht war herabgesunken, als sie das Indianerdorf erreichten.

»Hier sind Sie in Sicherheit, Winterloo! Um keine Zeit zu verlieren, trenne ich mich schon jetzt von Ihnen. Reiten Sie bis zur Mitte des Dorfes und fragen Sie dort nach dem Hause des Häuptlings Cihuaca – oder auch fragen Sie nach Edna Wildrake!«

Im Konferenzsaal des Außenministeriums in Brasilia saß der Außenminister Torno mit Major Compra vom Kriegsministerium und William Hogan, dem großen Ölmagnaten, zusammen.

»Ich stimme Ihrer Ansicht im Prinzip vollkommen zu.«

Der Außenminister wandte sich an Hogan. »Venezuela und die übrigen unabhängigen Staaten Südamerikas bleiben kulturell immer weiter im Rückstand. Die ungeheuren Bodenschätze dort werden nur zum Bruchteil und unter größten Schwierigkeiten von ausländischen Unternehmern ausgenutzt. Als neue Mitglieder der Vereinigten Staaten von Brasilien würden diese Länder erst das werden, was sie nach ihren Naturschätzen sein müßten!«

»Ich verstehe nicht, Señor Torno, wie Sie das aussprechen und trotzdem sich weigern können, diese günstige Gelegenheit zu benutzen, ein für allemal reinen Tisch zu machen.«

Der Außenminister wiegte den Kopf. »So muß ich's noch einmal wiederholen. Die Stimmung im übrigen Südamerika ist uns gegenüber mehr als feindselig. Überstürzen wir unser Programm, so riskieren wir wirtschaftliche Nackenschläge, die auf Jahrzehnte hinaus alle Vorteile, die Sie sich von einem radikalen Vorgehen versprechen, hinfällig machen. Außerdem ist da noch ein Punkt, die öffentliche Meinung der Welt.«

Mit einem leichten Lächeln quittierte der Außenminister die wegwerfenden Gesten der beiden Starrköpfe. »Sie wissen, Señor Hogan, daß sich unsere Stellung als Weltgläubiger in den letzten Jahren immer mehr zugunsten der USA und Europas verschlechtert hat. Mehr als je reagieren die Weltbörsen auf die Volksstimmungen – eine Entwicklung, die niemand voraussah. Übertriebene Expansion unsererseits würde Schwierigkeiten auf dem Geldmarkt hervorrufen, die schlimme Folgen haben könnten.«

Nur mit Mühe wahrte Tornow seinen ruhigen Gleichmut. Er schöpfte ein paarmal kurz Atem. »Unterschätzen Sie die Mißhelligkeiten nicht, die uns schon jetzt erwachsen, wenn wir auch nur das Gebiet bis zum Ventuarifluß in irgendeiner Form annektieren. Womit vorläufig Ihre Aspirationen, Mr. Hogan, doch befriedigt sein dürften?«

»Ich glaube, Sie wählen da einen falschen Ausdruck. Meine Aspirationen, wie Sie es nennen, sind die der Vereinigten Staaten von Brasilien! Sie geben ja selber zu, daß irgendwann einmal ganz Venezuela und Südamerika zu uns kommen müssen. Und Ihre zarte Rücksichtnahme auf Geldstand, Weltmeinung und so weiter dürfte unserem Vaterlande teuer zu stehen kommen. Wie denken Sie, Herr Major?«

Compra hieb die Faust auf den Tisch. »Venezuela liegt wehrlos zu unseren Füßen. Eine vollständige Besetzung würde kaum nennenswerte Opfer fordern; ein späterer neuer Krieg aber die Verluste an Menschenleben und Kapital verzehnfachen.«

Torno zuckte die Schultern. »Ich sprach im Namen der Staatsregierung, Señor Hogan. Und habe dem nichts hinzuzufügen.«

Der Major erhob sich, verließ den Raum. Ungeduldig erwartete Torno, auch Hogan werde sich entfernen. Die Tür hatte sich hinter Compra geschlossen. Hogan lehnte sich in seinen Stuhl zurück.

»Wir sind jetzt allein, Señor Torno. Ich gestatte mir, Ihnen ein Geschäft vorzuschlagen. Sie treten in den Vorstand der Centralen Oil-Gesellschaft ein – mit zehn Millionen Süddollar Aktien in Ihrem Portefeuille.«

Torno wurde blaß. »Nein! Ausgeschlossen! Ich habe Sie sicherlich mißverstanden. Mich beeinflussen ...?. Unmöglich, daß solch absurder Gedanke Ihnen ... Das Wohl nur des Staates, nichts anderes ...«

»Nichts anderes, Señor Torno! Ich wüßte aber nicht, wie unser Geschäft das Staatswohl berühren könnte; glaube im Gegenteil ...«

Torno wollte eben eine heftige Antwort hervorpressen, da glühte ein rotes Glimmlicht auf. Er fuhr sich über die Stirn. »Verzeihung, Señor Hogan – eine wichtige Nachricht!«

Er drückte auf einen Knopf. Ein Sekretär kam herein, legte eine Mappe vor ihm nieder.

Der Außenminister schlug sie auf. »Ah!« Er überlegte sekundenlang. Der Sekretär wollte die Tür schließen. Torno rief ihm nach: »Wenn zufällig Major Tejo im Hause ist, soll er sofort zu mir kommen!«

Er wandte sich zu Hogan. »Eine kurze Unterbrechung nur! Gestatten Sie mir, die Angelegenheit sofort zu erledigen! Sie ist dringend.«

Wieder öffnete sich die Tür. »Treten Sie näher, Herr Major!« Torno winkte ihm, Platz zu nehmen. »Eine Mitteilung, die mich eben erreicht, veranlaßt mich, auf unsere Unterredung von neulich zurückzukommen. Es handelte sich darum, daß mancherseits in den Handlungen des Hauptmanns Winterloo ein an Hochverrat grenzendes Verhalten erblickt wurde. Aus dem Gespräch mit Ihnen erhielt ich den Eindruck, daß zum mindesten eine aktive Verfehlung nicht vorliegen dürfte. Obwohl Sie, ungeachtet Ihrer Freundschaft für Winterloo, keineswegs mit Ihren eigenen Zweifeln zurückhielten. Nun – diese Nachricht hier«, er zeigte auf die Depesche, »erbringt den tragischen klaren Beweis, daß der Hauptmann völlig unschuldig ist. Überzeugen Sie sich, bitte, selbst!«

Tejo las. Seine Lippen murmelten die Worte halblaut vor sich hin: ›Radionachricht aus Caracas – Der brasilianische Hauptmann Winterloo als Spion ergriffen – zur Erschießung verurteilt – Exekution um siebzehn Uhr –‹

»Was sagen Sie dazu, Herr Major?«

Tejo suchte sich zu fassen. »Jetzt dürfte wohl jeder Schatten eines Verdachts von Hauptmann Winterloo genommen sein. Sein trauriges Schicksal hat er, so leid es mir auch tut, selbst verschuldet. Doch sprechen wir nicht mehr davon! Er dürfte inzwischen seinen Leichtsinn mit dem Leben bezahlt haben.«

Mit formeller Verneigung verabschiedete sich der Minister von Tejo und Hogan, der stumm der Unterredung zugehört hatte.

»Sie würden mir ein Vergnügen machen, Major Tejo, wenn Sie mir die Ehre gäben, mich nach Hause zu begleiten. Es sind da einige Fragen, die Sie mir vielleicht beantworten könnten.«

»Gern, Señor Hogan!«

Sie schritten zur Tür. Gerade, als sie sie öffnen wollten, trat ein Beamter ein, eine Mappe in der Hand.

»Gut, daß ich Sie noch treffe, Herr Major. Eine Meldung vom Außenminister!«

Tejo schlug die Mappe auf. ›Radiotelegramm aus Caracas. Der brasilianische Hauptmann Winterloo mit Unterstützung unbekannter Helfershelfer kurz vor der Exekution entflohen. Sämtliche Behörden arbeiten fieberhaft, des Flüchtigen habhaft zu werden ...‹

Tejo war unfähig, seiner Bewegung Herr zu werden ... Eben noch froh, der alten Zweifel ledig zu sein, fühlte er sie jetzt mit neuer Gewalt erwachen. Edna Wildrake – hatte sie ihre Hand im Spiel? Oder war alles gar nur Komödie? Er mußte sich auf jedei Fall Klarheit verschaffen, Klarheit um jeden Preis!

Hogan legte seine Hand auf Tejos Schulter. »Sind Sie so weichen Gemütes, Herr Major, daß diese erfreuliche Nachricht Sie derart fassungslos macht? Oder was sonst beschäftigt Ihre Gedanken?«

Tejo wich dem forschenden Blick aus. »Eine Häufung von merkwürdigen Abenteuern, die sich um Winterloo abspielen.«

»Merkwürdig? Sie haben recht, Herr Major. Doch gehen wir jetzt!« –

Mitternacht war vorüber, als Major Tejo aufstand, um sich vom Hausherrn zu verabschieden.

»Ein interessanter Abend, mein lieber Major!« sagte Hogan. »Ich hoffe, daß wir noch öfter Gelegenheit haben, unsere Gedanken auszutauschen. Verlassen Sie sich bei allem, was Sie tun, auf mich! Ich werde Sie decken, was auch geschieht. Vor allem denken Sie nicht etwa an Torno. Mir erschien heute sein Gesundheitszustand so schlecht, daß meiner Meinung nach die Tage seiner Amtstätigkeit gezählt sind. Ich nehme an, Señor Peleira wird sein Nachfolger.

Doch kehren wir zu unserem Thema zurück! Ihre Pläne bezüglich des Kapitäns Wildrake billige ich durchaus. Es liegt mir daran, den Menschen so bald wie möglich zur Strecke gebracht zu sehen. Scheuen Sie vor nichts zurück! Ich hoffe sehr, daß dabei auch sein Helfershelfer Droste unschädlich gemacht wird. Es wäre mir lieb, wenn Sie mich über Ihre Schritte dauernd auf dem laufenden halten wollten.«

»Sehr wohl, Señor Hogan!«

Tejo reichte Hogan die Hand, drehte sich um. Als er am Schreibtisch vorüberschritt, stutzte er einen Augenblick – blieb stehen – sann –

»Nun, Herr Major! Was sehen Sie da?«

Der Offizier fuhr sich mit der Hand über die Stirn. »Eine kleine Täuschung meiner Augen. Verzeihen Sie, Señor Hogan, es war mir nur . . .«

Hogan trat neben ihn, schaute ihn verwundert an. »Was sahen Sie? Was ist hier?« Sein Blick glitt suchend über den Schreibtisch.

»Dieses Bild, Señor Hogan«, sagte Tejo verwirrt, »das Bild Ihrer Frau Gemahlin?«

Eine leichte Röte überflog William Hogans Züge. »Das Bild hier, Herr Major – nein, Sie irren. Es ist nicht das meiner verstorbenen Gattin.«

Dem scharfen Blick Tejos entging die offenkundige Verlegenheit seines Gegenüber nicht.

Hogan gewann im Augenblick seine Gelassenheit wieder. »Das Bild einer Jugendfreundin, die in dem Alter starb, wie Sie sie hier sehen.« Seine Stimme klang fest und bestimmt. »Das ist nun achtundzwanzig Jahre her.«

Tejo fuhr zögernd fort: »Ich habe mir ein Konterfei dieses Droste zu verschaffen gewußt. Ich bedaure, es nicht bei mir zu haben. Doch bin ich überzeugt, wenn Sie es sähen, würde Ihnen die Ähnlichkeit dieses Mannes mit dieser Dame auch auffallen.«

Hogan kniff die Augen zusammen, stand eine kurze Weile in Gedanken, sagte dann: »Sie werden die Liebenswürdigkeit haben, Herr Major, mir Drostes Bild oder eine Kopie gelegentlich zu schicken?«

»Gewiß, Señor Hogan.«

Als Tejo nach Hause ging, überdachte er noch einmal alles, was heute geschehen. Ein ereignisvoller Tag, es war nicht zu leugnen. Besonders bedeutungsoll, daß es ihm gelang, das Wohlwollen des einflußreichsten Mannes Brasiliens, William Hogan, zu gewinnen.

Vor ungefähr dreißig Jahren war Hogan nach Brasilien gekommen. In Tejos Gedächtnis tauchten Erinnerungen an mancherlei auf, was er bei Ausbruch des Krieges gelegentlich gehört. William Hogan – naturalisierter Brasilianer, Sproß einer alten schottischen Adelsfamilie – Sanierungsheirat mit der Tochter Maria Potters – plötzlich erwachender Geschäftssinn – täuschte alle, die erwarteten, daß er die Millionen seiner Frau so schnell wie möglich vergeuden würde.

Die Frau früh gestorben. Er der alleinige Erbe; wird Dollarmacher größten Stils. Sein Einfluß erstreckt sich auf alle Industriezweige Brasiliens, und – der heutige Abend hatte es bewiesen – er steckte seine Hände auch in das politische Spiel – der Welt.

Arvelin näherte sich in seinem Flugzeug dem Indianerdorf. Kaum hatte er den Boden betreten, eilten Edna Wildrake und Winterloo auf ihn zu, umarmten ihn unter Ausbrüchen freudigster Dankbarkeit. Doch Arvelin wehrte ab.

»Ich glaube, eine kleine, unerwartete Verlängerung unseres Aufenthaltes hier ist nicht zu vermeiden. Beim Aufsteigen vom Flugplatz sah ich schon, daß das Steuer der Maschine nicht in Ordnung ist.«

»Überlassen Sie es mir, Doktor Arvelin, die Sache ins Lot zu bringen!« bat Winterloo.

»Gut! Ich bin einverstanden!« sagte Arvelin. Während Winterloo zum Flugzeug ging, wandte sich der Doktor an Edna.

»Kommen wir noch einmal auf das zurück, was schon Hauptmann Winterloo mit Ihnen besprach! Ich muß unbedingt beistimmen, wenn er Sie, Fräulein Wildrake, auf keinen Fall hierlassen will. Kommt Ihr Bruder in der nächsten Zeit hierher, um Sie zu holen, wird ihm Cihuaca die nötige Auskunft geben, und damit gut. Ich weiß nur noch nicht, was mit Hauptmann Winterloo geschehen soll. Ihn auf brasilianischem Gebiet abzusetzen, wäre nicht ohne Gefahr für Sie. Nun, wir werden sehen!«

»Alles in Ordnung, Herr Doktor Arvelin!« rief Winterloo.

»Brechen wir auf!« sagte Arvelin.

Sie waren längst über dem Atlantik. Winterloo, der im stillen geglaubt hatte, Arvelin würde Kurs Jamaika nach neutralem Gebiet nehmen, stellte zu seinem Erstaunen reinen Nordostkurs fest. Er trat zu Arvelin, unfähig, seine Neugierde zu bezwingen.

»Bin gleich bereit, Herr Winterloo. Will nur die automatische Steuerung einstellen. – Gehen wir in die Kabine zu Fräulein Wildrake! Was ich Ihnen zu sagen habe, kann sie ruhig mit anhören; ihre Gegenwart ist mir sogar erwünscht.«

Eine Stunde wohl war vergangen. Arvelins Worte hatten auf seine Zuhörer tiefen Eindruck gemacht ...

Da drüben in Deutschland das Stammschloß der Winterloos. Darin ein alter Mann ohne Erben, der Letzte seines Geschlechts ...

Arvelin erhob sich. »Ich glaube wohl, daß Sie beide mit meiner Reiseroute einverstanden sind: Wir fliegen über London nach Winterloo.«

Schweigend drückten sie seine Hand.

Die Überraschung im Hause James Wildrake war groß gewesen, als Edna Wildrake in Begleitung der beiden Fremden eintraf. So sehr auch Arvelin drängte, wurde doch aus dem sofortigen Weiterflug nichts. Unendlich viele Fragen hatten Wildrake und Lord Truxton, der zufällig zu Gast da war, auf dem Herzen.

Die wunderbare Errettung – Oswald Winterloo hatte es aus einem inneren Gefühl heraus nicht über sich gebracht, seinen Befreier darüber zu befragen.

Hier jedoch, in der Unterhaltung mit den beiden wißbegierigen Engländern, wandte das Gespräch sich naturgemäß auch diesem Geschehnis zu. Aufs höchste gespannt, erwartete Winterloo Arvelins Antwort.

Der sprach jetzt leichthin einige Worte, deren Sinn unverständlich blieb. Sprach von der Gabe, die da manchem Alten in den Mooren innewohne: in Gesichten andere Zeiten und Orte zu sehen; wie es auch gelänge, dieses Vermögen auf andere zu übertragen, ihren Augen andere Bilder zu zeigen, daß sie die Umgebung vergäßen ...

Als er geendet, lag ein geheimnisvoller, zwingender Bann auf den Zuhörern. Nur langsam kam ein Gespräch wieder in Gang, doch niemand wagte es, auf die Umstände jener rätselhaften Rettung zurückzukommen. –

Arvelin und Winterloo hatten sich erhoben, um Abschied zu nehmen. Ein Diener trat ein, überreichte James Wildrake ein Telegramm. Offenbare Bestürzung malte sich auf dessen Zügen. Er mußte mehrmals ansetzen, ehe er zu Arvelin sprechen konnte.

»Noch einen Augenblick! Eine traurige Nachricht... Ihr Freund ist gestorben. Hier ein Telegramm des Dieners Friedrich.«

Arvelin nahm das Telegramm; es war an Droste gerichtet, an den alle Sendungen über Truxton & Co. gingen. Da, noch ein Schlußsatz: »F. H., der neue Herr, wohnt hier im Schloß.«

Arvelins Augen starrten sinnend auf Winterloo, der betroffen und bewegt schien. Endlich brach er die lastende Stille.

»Die Verhältnisse in Schloß Winterloo haben durch den Tod meines Freundes eine derartige Veränderung erfahren, daß ich es für nützlich halte, wenn Sie, Mr. Winterloo, vorläufig in England bleiben. Ich fahre sofort dorthin. Sind meine Befürchtungen unbegründet, werde ich Sie umgehend rufen.«

Er hatte schon längst das Haus verlassen, als die Zurückbleibenden Worte fanden, über seine sonderbaren Reden zu sprechen. Lord Truxton drückte Winterloos Hand: »Was auch geschehen mag, Herr Hauptmann – es wird mir ein Vergnügen sein, Sie als Gast zu beherbergen.«

Die mannigfachen Aufregungen der letzten Zeit hatten den Gesundheitszustand des Freiherrn von Winterloo mehr und mehr erschüttert. Nach dem Abschied des Freundes zog er sich ins Laboratorium zurück. Und gegen Abend fand der alte Diener seinen Herrn ohnmächtig am Boden liegen.

Mit ein paar Hausmitteln wurde der Kranke zum Bewußtsein gebracht, während ein Bote den Arzt holte. Wiederholt bat der alte Friedrich den Freiherrn um die Erlaubnis, an Doktor Arvelin zu depeschieren. Der war noch über europäischem Boden, konnte leicht zurückgeholt werden. Doch Winterloo weigerte sich hartnäckig, hielt den Anfall für ein vorübergehendes Unwohlsein.

Es war zur Nachmittagsstunde des nächsten Tages. Der Freiherr saß am Schreibtisch. In Gedanken versunken, überhörte er den Eintritt Franz Harrachs.

Der räusperte sich laut. Winterloo, aufgeschreckt, warf den Kopf zur Seite, unfähig, seine Betroffenheit zu verheimlichen. Ohne vorläufig von

Franz Notiz zu nehmen, legte er die Briefschaften in den Schreibtisch zurück, schloß ihn ab.

»Es wäre mir lieb, Franz, wenn du dich in Zukunft stets durch Friedrich anmelden ließest. Ich bin nicht zu jeder Stunde geneigt, Besuch zu empfangen.«

Der Neffe spielte den Gekränkten. »Aber, Onkel! Nur die Sorge um dich hat mich hergetrieben.«

Winterloo trat zum Fenster.

»Du gestattest doch, Onkel, daß ich zum Kaffee bleibe? Ich bin in aller Hast abgefahren, bin hungrig, durstig . . .«

Ohne die Antwort des Freiherrn abzuwarten, wandte er sich um, ging hinunter zu seinem Kutscher. »Ausspannen! Wir bleiben hier!«

Kaum hatte sich die Tür hinter ihm geschlossen, als Winterloo auf den Schreibtisch zueilte. Diese Papiere, besonders das Testament – Franz hatte erspäht, in welches Fach er sie gelegt – sein Mißtrauen gegen den Neffen war gerade in letzter Zeit immer stärker geworden. Er öffnete die Schublade, nahm die Papiere heraus, barg sie unter seinem Rock.

Da trat Franz Harrach wieder ein. Unwillkürlich ging Winterloos Hand zu der Brusttasche. Er atmete befreit. Mochte der suchen, wenn . . .!

Doch nun spürte er plötzlich, wie die Knie unter ihm schwach wurden.

Er schleppte sich zum Lehnstuhl.

Seine Hand fand den Klingelknopf. Der alte Diener trat ein.

»Bring mich zu Bett, Friedrich!«

Der legte seinen Arm um die Schultern seines Herrn, hob ihn hoch. Franz Harrach wollte helfen, doch Winterloo stieß ihn zurück.

»Laß mich in Frieden, du! Friedrich, sorge dafür, daß niemand außer dir mein Schlafzimmer betritt!« –

Ein paar Stunden hatte der Freiherr im Halbschlummer zugebracht. Neben ihm saß sorgenvoll der alte Diener.

»Gib mir die Pulver, die der Arzt verordnete!« kam's endlich aus dem Munde Winterloos. Friedrich mischte den Trank. Nach einer Weile belebte sich das Auge des Freiherrn. Er fühlte sich ganz wohl.

»Geh nun, Friedrich! Doch halte dich bereit, wenn ich klingle!«

Wieder allein, fühlte er sich abermals von Schwäche übermannt. »Nein – nein!« stöhnte er leise. »Ich muß mich jetzt aufrecht halten . . . Das Testament – wo tu' ich's hin? Wo ist ein Ort, der vor Franz Harrachs Spürsinn sicher wäre? Ah – das Mausoleum!«

Der Freiherr mischte sich noch eins der Pulver, ergriff seinen Stock, ging nach unten. Friedrich eilte herbei, sah seinen Herrn bekümmert an.

»Keine Sorge, Friedrich! Ich fühle mich wieder ganz wohl. Will einen kleinen Spaziergang ins Freie machen.«

»Unmöglich, Onkel Winterloo!« Franz, wie aus dem Boden gewachsen, stand plötzlich neben ihm. »Unmöglich, daß du allein gehst! Die Pflicht verlangt, daß ich dich begleite.«

Winterloo wollte eine heftige Antwort geben, doch dann besann er sich. »Wenn es dir Vergnügen macht, Franz – ich will dich nicht abhalten!«

Eine Weile schritt er neben Franz durch die weiten Gänge des Gartens.

An einer Stelle, wo die Gänge sich kreuzen, lag das Mausoleum vor ihnen. Doch kaum hatte Winterloo den ersten Schritt nach dem Bau hin getan, wurde Franz sichtlich unruhig.

»Verzeih, lieber Onkel, ich vergaß, mein Gepäck abzuschließen. Du bleibst ja wohl auf der Bank. Ich eile derweil ins Schloß, komme gleich wieder.«

Der Freiherr nickte ihm freundlich zu.

»Ein halbes Stündchen, Franz! Länger bleibe ich nicht.«

Der hatte sich schon gewandt, ging zum Schloß.

Merkwürdig, weshalb Franz den harmlosen Bau scheut!

Mit schnellen Schritten ging Waterloo auf das Mausoleum zu, öffnete die Tür, trat ein.

Die schon belegten Grüfte waren mit schweren Steinplatten abgedeckt, auf denen die Namen der Verstorbenen eingemeißelt waren. Unter den Steinplatten führten Treppenstufen zur Sohle der Gruft hinab.

Der Freiherr trat zu der Platte seines Grabes, unter der die Treppenstufen begannen. Er schob sie zur Seite. Aufatmend nahm er aus seiner Tasche das Testament, legte es auf die oberste Stufe. Dann rückte er die Steinplatte wieder über die Öffnung.

Schleppenden Ganges wandte er sich dem Ausgang zu. Die schwere Abendluft legte sich wie ein Alp auf seine Brust. Mit Mühe erreichte er die Bank. Er setzte sich nieder, fiel in Ohnmacht.

Wie lange er gelegen, wußte er nicht. Es war Mitternacht, als er in seinem Bett zu Bewußtsein kam. Friedrich und der Arzt an seinem Lager. Nach Sekunden schon überfiel ihn neue Ohnmacht.

Tagelang schwebte er zwischen Tod und Leben. Dann kam das Ende.

Zur Abendstunde landeten Kapitän Wildrake und Droste bei der alten Caraibenstadt. Sie fanden die Indianer in größter Aufregung. Am Morgen des Tages nach Winterloos Flucht waren Soldaten in das Dorf gedrungen.

Die Offiziere der Militärabteilung stellten ein strenges Verhör mit den Dorfbewohnern an. Doch vergeblich war alles Bemühen, aus Cihuaca und seinen Brüdern etwas Wichtiges herauszubringen. Der Häuptling gab offensichtlich nur widerwillig Antwort.

Ein Zivilist, der dem Verhör beiwohnte, wandte sich an den Offizier, sprach ein paar Worte mit ihm.

Der nickte. »Bitte, Don Lerdo! Wenn Sie glauben, den Burschen besser zum Sprechen bringen zu können . . .«

Tejada trieb sein Pferd an Cihuacas Seite, herrschte ihn in heftigen Worten an, fuchtelte mit der Peitsche.

Cihuaca blieb stumm, die Augen glühend auf Tejada gerichtet, dem er, Cihuaca, zwanzigjährige Verbannung nach Wildrake-Hall verdankte – Tejada, der sie gepeinigt, mißhandelt hatte, als sie auf seiner Hazienda arbeiteten.

Des Hazienderos Mienen wurden zorniger, je länger er sprach. Schließlich hob er die Peitsche, schlug sie mit voller Wucht über das ungeschützte Gesicht des alten Häuptlings.

Ein Schrei des Entsetzens aus aller Munde. Da knallte ein Schuß. Lerdo de Tejada sank aus dem Sattel.

Noch ehe die Soldaten sich von ihrer Überraschung erholt, war Cihuaca im Walde verschwunden. Die Verfolgung blieb ohne Ergebnis.

Droste und Wildrake hatten nur mit Mühe vermocht, sich aus dem Gewirr der vielen Stimmen ein ungefähres Bild der Geschehnisse zu machen.

Das kurze Billett Ednas gab Wildrake die Gewißheit, daß sie schon längst in Sicherheit, vielleicht bereits in England war. Droste war den Erzählungen der Indios nur mit halbem Ohr gefolgt.

Immer wieder in ihm die Frage: Wie kam sein alter Freund Doktor Arvelin hierher? Und dieser Winterloo? Der einstige Erbe des alten Freiherrn sollte doch in Brasilien wohnen... Er schrak auf, als Wildrake die Hand auf seine Schulter legte.

»Eine Fülle von geheimnisvollen, unerklärlichen Vorgängen, Freund Droste. Zerbrechen wir uns nicht lange den Kopf! Morgen sind wir in England, dann werden wir alles hören.«

Als Arvelin die Halle von Schloß Winterloo betrat, kam ihm der alte Friedrich weinend entgegen. Arvelin versuchte den Zitternden zu trösten, da klang von oben her die Stimme Franz Harrachs.

»Ah – wieder zurück, Herr Doktor Arvelin? Welch günstiger Zufall! Oder hörten Sie etwa auf Ihrer Reise?«

»Ja!« erwiderte Arvelin. »Ich hörte schon auf der Rückfahrt vom Tode meines alten Freundes.«

Harrach begann wie trösend zu Arvelin zu sprechen. »Nun, war es Ihnen auch nicht vergönnt, am Sterbebett Ihres Freundes zu weilen, so kommen Sie doch noch zurecht, ihm die letzte Ehre zu erweisen. Morgen findet die Beisetzung im Mausoleum statt. Doch treten Sie näher!«

Harrach öffnete die Tür zu Winterloos Arbeitszimmer. Fuhr fort, als sie Platz genommen: »Um von vornherein alle Bedenken über die Zukunft zu zerstreuen, möchte ich Ihnen mitteilen, daß es Ihnen selbstverständlich unbenommen bleibt, Ihren Aufenthalt hier, solange Sie wollen, auszudehnen. Ich glaube damit im Sinne unseres teuren Verstorbenen zu sprechen.«

»Ich danke Ihnen, kann jedoch über meine Zukunft erst schlüssig werden, wenn der Nachlaß geordnet ist. Es fällt mir schwer, in dieser Stunde zu sagen, was ich jedoch zu meinem Bedauern offen aussprechen muß: Sie halten sich für den Erben der Winterlooschen Hinterlassenschaft, Herr Harrach?«

»Ohne Zweifel!« erwiderte dieser mit erstauntem Gesicht. »Bin ich doch der nächste Verwandte des Freiherrn. Oder?«

Arvelin nickte. »Allerdings, Herr Harrach. Ihr Irrtum ist entschuldbar. Aber es existiert ein Testament, von meinem Freund eigenhändig geschrieben...«

»Ein Testament?« unterbrach ihn Franz erregt.

»... ein Testament, in dem der Freiherr anderweitig über sein Vermögen verfügte...«

»Unmöglich! Wo ist das Testament?«

»Der Freiherr verschloß es vor meinen Augen in seinem Schreibtisch.«

Ein triumphierendes Lächeln. »Nein, Sie irren! In diesem Schreibtisch lag kein Testament. Ich habe sofort nach dem Hinscheiden des Oheims die

Schlüssel an mich genommen, alles Wichtige durchgesehen – auch im Schreibtisch. Natürlich zweifle ich keineswegs an Ihren Worten, Herr Doktor! Es mag sein, daß der Freiherr in einem Testament genauere Bestimmungen traf. Daß aber niemand anders als meine Schwester und ich als Haupterben vorgesehen sind, dürfte doch außer Frage stehen!«

Arvelin unterdrückte die Worte, die ihm auf der Zunge schwebten.

»So wird es Sache des Gerichtes sein, den Verbleib des Testamentes festzustellen«, sagte er gelassen und verabschiedete sich.

Mit zitternden Händen schloß er in seinen Räumen den Schreibtisch auf. Hastig durchwühlte er ein Fach. Atmete erleichtert auf, als er einen Brief fand, den der Freiherr an ihn gerichtet. Der Inhalt besagte, daß der Baron von Winterloo Doktor Arvelin zu seinem Testamentsvollstrecker ernannte.

Sorgfältig barg Arvelin das Schriftstück in seiner Brusttasche. Jetzt sah er den Weg klar vor Augen, den er gehen mußte. –

Die Nacht war schon längst hereingebrochen, als ein Wagen vorfuhr, der Adeline Harrach zum Schloß brachte. Franz führte seine Schwester in das Arbeitszimmer, erzählte ihr von Arvelins Hiersein und seiner Unterredung mit ihm.

»Du weißt bestimmt, Franz, daß das nicht im Schreibtisch liegt?«

»Adeline! Nicht einmal – zehnmal habe ich den Schreibtisch durchstöbert!«

Sie klingelte, ließ sich einen kleinen Imbiß geben. Noch während sie aß, begann sie mit Franz die Durchsuchung des Zimmers. Der Schreibtisch interessierte Adeline am meisten. Mit einem Zentimetermaß prüfte sie all seine Abmessungen, besonders die der Schubkästen. Vielleicht konnte das Testament in einem Geheimfach verborgen sein.

Endlich gab sie ihr Mühen auf.

»Du warst doch in den letzten Tagen vor dem Tode des Oheims hier, Franz. Kannst du dich erinnern, daß er einmal diese Räume verließ? Vielleicht, daß er es doch woanders versteckt hätte?«

Franz schüttelte den Kopf. »Nein! Ich bin ihm ja stets auf den Fersen geblieben. Am Tage vor seinem Tode hat er allerdings das Zimmer verlassen, ist in meiner Begleitung in den Garten gegangen und war dann kurze Zeit im Mausoleum. Ich mußte, weil ich etwas vergessen hatte, ins Schloß zurück. Das dauerte nicht lange.«

Adeline öffnete bedeutsam die Augen. »Ah – im Mausoleum? So müssen wir auch dort suchen! Wenn nicht heute, so an einem der nächsten Tage.«

Es war am folgenden Nachmittag. Die Geschwister hatten sich nach der Mittagsmahlzeit zur Ruhe hingelegt. Ein Wagen fuhr vor, brachte Notar Hartwig aus Neustadt, einen alten Bekannten Arvelins, den er telefonisch zu sich gebeten. Lange saßen sie in Arvelins Zimmer zusammen.

»Ich habe die beste Hoffnung, mein lieber Dr. Arvelin, daß alles nach Wunsch verlaufen wird. Der Brief des Freiherrn, in dem er Sie zum Testamentsvollstrecker ernennt, muß die Bedenken des Nachlaßrichters zerstreuen. Ich denke auch im Laufe des morgigen Tages eine Verfügung zu erwirken, die allem Rechnung trägt. Vor allem natürlich den Harrachs das weitere

Verweilen im Schloß untersagt. Wie sich der Nachlaßrichter zu Ihren sonstigen Wünschen stellt, kann ich vorläufig nicht überschauen. Das eine möchte ich Ihnen natürlich ans Herz legen: daß der mutmaßliche Erbe, Oswald Winterloo, sich so bald wie möglich in den Besitz von beweiskräftigen Papieren setzt, die ihn gerichtlich legitimieren.«

»Es tut mir von Herzen leid, lieber Droste, daß Sie unseres großen Unternehmens wegen gezwungen sind, bis morgen hierzubleiben. Ich kann es wohl verstehen, wie es Sie nach Winterloo zieht. Morgen fliegen wir zusammen übers Meer, um dem Toten die letzte Ehre zu geben. Aber mir ist das heilige Pflicht. Wo wären wir ohne das Geschenk seiner genialen Erfindung? Was die kleine finnische Werft hier in der kurzen Zeit schon geleistet hat, übersteigt meine kühnsten Hoffnungen.«

Kapitän Wildrake deutete auf den schnittigen Eisenbau, der aus Spanten und Blechen auf der Helling emporwuchs.

»Hallo, da drüben!« riefen ein paar von den Arbeitern, deuteten in die Luft, wo Lastflugzeuge heranschwebten. »Paßt gut, daß sie kommen!«

Droste hatte ebenfalls den Kopf in die Höhe gerichtet.

Die Schiffe landeten. Ein Schwarm von Arbeitern machte sich daran, sie zu entladen. Der Werftleiter war herangetreten.

»Neues Futter für Sie, Herr Tolmänen!« sagte Wildrake. »Wenn die deutschen Bestellungen ebenso prompt ausgeführt werden wie die englischen, sehe ich unser Fahrzeug in spätestens fünf Wochen Finnlands Boden verlassen. Tun Sie nur alles, um den Bau zu beschleunigen. Sie werden ja aus dem Briefwechsel mit Truxton & Co. gemerkt haben, daß Geld keine Rolle spielt.«

Tolmänen nickte lachend. »Wünschte nur, ich bekäme mehr solcher Aufträge!« Und er sah dabei Droste an, der den Blick des Finnen ruhig aushielt.

»Es wäre nicht ausgeschlossen«, begann Droste nach einigem Überlegen, »daß unsere Geschäftsverbindung später wieder recht lebhaft werden könnte. Sie haben jedenfalls den Beweis geliefert, daß wir bei Ihnen vor die rechte Schmiede gekommen sind. Sie mißverstehen mich auch nicht, Herr Tolmänen, wenn ich Sie nochmals bitte, stets daran zu denken, daß hier eine englische Firma ein Sonderboot für Sportzwecke auf Grund einer Wette im geheimen bauen läßt.«

Der Finne reichte Droste lachend die Hand. »Auf mich dürfen Sie sich verlassen, mein Herr! Doch können Sie mir das Denken nicht verbieten . . .!«

»Gut, Herr Tolmänen!« Wildrake schlug ihm auf die Schulter. »Denken Sie für sich, was Sie wollen! Später werden Sie die Gründe begreifen, die uns abhielten, selbst einen ehrlichen Mann wie Sie in unsere Gedanken einzuweihen.« –

»Wollte Gott, daß auf Santa Maria die Arbeit ebenso glatt vonstatten geht«, sagte Droste, als sie wieder allein waren.

»... und auch«, fügte Wildrake hinzu, »daß Maria Anunziata sich wohlbefindet. Ich werde eine unbestimmte Unruhe nicht los. Besser, sie wäre bei Edna in England.«

»Ah, jetzt habe ich den Fehler«, rief Barradas triumphierend. »Eine kurze Weile, dann wird der Sender zu unserer Zufriedenheit funktionieren.«

Bei seinem Rufen war Maria Anunziata an der Tür der Hütte erschienen.

»Gleich wird der Sender arbeiten!« rief Barradas.

Maria Anunziata winkte mit freudestrahlendem Gesicht. »Oh, wie bin ich froh, Señor Barradas! Darf ich nicht selbst die Zeichen geben?«

»Gewiß, Santa Maria!« Barradas nannte sie nie anders als mit diesem Namen. »Haben wir zwei Tage geschwiegen, mag's auf ein paar Worte mehr nicht ankommen! Der Teufel soll den holen, der uns anpeilt.«

Von Barradas' Hand geleitet, gab Maria die Morsezeichen, auf die Wildrake bereits ungeduldig wartete.

»In einer Woche«, begann Barradas, »werden wir hoffentlich melden können, daß unsere Turbine läuft.«

Er ging, Maria am Arm führend, zu der Barre.

»Ich lasse Sie jetzt allein, Santa Maria. Muß den Kameraden helfen. Ist schwere Arbeit da drüben.«

Maria Anunziata reichte ihm die Hand, legte sich in den weißen Sand nieder. »Wenn Sie zur Mahlzeit gehen, nehmen Sie mich wieder mit, Señor Barradas!«

Ja, es war schwere Arbeit, die die drei hier zu leisten hatten. Wenn nicht ein besonderes Hindernis eintrat, würde die Station fertig sein, wenn Wildrake und Droste kamen.

Tejo saß in William Hogans Haus in Rio. Er war vor einer Viertelstunde gekommen, um Bericht zu erstatten. Hogan, der bisher geschwiegen, lachte kurz auf. »So war's doch ein Irrtum, Herr Major? Hm!« Er schüttelte zweifelnd den Kopf. »Doch immerhin, ich bewundere Ihren Mut! Sie wagten es, mit falschen Pässen über die Grenze zu reisen. In Caracas, San Fernando, bei den Indianern, im Urwald nach Hauptmann Winterloo zu forschen. Und nach dem, was Sie mir eben erzählten, kann kein Zweifel darüber bestehen, daß da unten keinesfalls Komödie gespielt wurde. Unglaublich töricht von diesem Hauptmann, solch unbesonnenen Schritt zu tun! Aber die Gründe liegen ja jetzt klar: Er wollte seine Mutter abhalten, diesen zweifelhaften Hidalgo zu heiraten – es ist zu begreifen.«

Er drehte sich um, schritt zum Schreibtisch, auf dem der Ticker zu arbeiten begann. »Sie entschuldigen mich einen Augenblick, Herr Major.«

Tejo lehnte sich nachdenklich im Stuhl zurück. Die vielen Gefahren, die er bei seiner Erkundungsreise zu überstehen gehabt, hatte er im Gespräch gar nicht erwähnt. Aber er wollte – und wenn es sein Leben gekostet hätte – Klarheit gewinnen über Winterloo. Und er hatte sie gewonnen.

Verrat, schimpflicher Verrat war's, den Winterloo an ihm, an Victorine geübt. Diese Edna Wildrake hatte ihn umgarnt. Unmöglich, daß ein Zufall Winterloo und Edna in dem Indianerdorf zusammengebracht hatte. Sie standen in Verbindung miteinander.

Und warum ging Edna Wildrake gerade nach San Fernando, wo seine Mutter wohnte? Sicherlich doch Verabredung! Nur blinde Liebesleidenschaft konnte Winterloo veranlaßt haben, sich nach Venezuela zu wagen.

Tejo knirschte mit den Zähnen. Strafe des Himmels wäre es gewesen, wenn der Ungetreue unter den Kugeln der Exekutionssoldaten sein Leben ausgehaucht hätte. Doch ein Teufel hatte ihn gerettet, jener Alte, in dessen Flugzeug er dann aus der Caraibenstadt weggeflogen.

Immer wieder hatte Tejo sich dessen Persönlichkeit beschreiben lassen. Wer war der unbekannte Helfershelfer? Endlich war ihm die Erleuchtung gekommen: Die Beschreibung paßte vollkommen auf den Freund des Freiherrn, den er in Schloß Winterloo gesehen hatte.

Doch wie kam der nach Veneuzela? Wie konnte es geschehen, daß der Verurteilte im letzten Augenblick noch befreit werden konnte? Hier versagte jegliche Kombinationskunst. Doch auch das mußte er ermitteln. Nur in Schloß Winterloo durfte er hoffen, das Ende des verlorenen Fadens wiederzufinden. Und dabei würde sich auch das Dunkel um Winterloo aufhellen lassen. Vielleicht, daß er jetzt mit Edna in Deutschland weilte. Er war ja der gesuchte Erbe. Wildrake und Droste dazu – man könnte möglicherweise das Nest mit allen vieren darin ausheben.

Wie hatte doch Hogan gesagt: Ich decke alles, was Sie tun. Bringen Sie Wildrake und Droste zur Strecke!

Hogan räusperte sich, schob die Papiere ärgerlich von sich. »Es geht auch Sie an, Herr Major. Sehen Sie hier! Der erste Schlag ist vorbeigegangen. Ich glaubte die Stellung des Außenministers erschüttert, doch der Präisdent hat ihn noch gehalten. Nun – lassen Sie sich dadurch in Ihren Plänen nicht stören! Fällt Torno nicht heute, so fällt er morgen!«

Tejo nickte. Sein Auge ging suchend über den Schreibtisch. Die Fotografie war verschwunden. Er wollte eine Bemerkung machen, unterdrückte sie. Doch Hogan schien seine Gedanken erraten zu haben.

»Ich danke Ihnen übrigens für das mir zugesandte Bild dieses Droste. Sie täuschen sich, Herr Major! Von Ähnlichkeit war wenig zu sehen. Wäre ja auch höchst sonderbar. Jene Dame war eine Engländerin, Droste ist Deutscher. Doch, um auf unsere Angelegenheit zurückzukommen: Es ist selbstverständlich am ratsamsten, wenn Sie sofort Schloß Winterloo aufsuchen.«

Es war der Tag nach der Beerdigung des Freiherrn. Ein Wagen fuhr vor Schloß Winterloo vor.

»Melden Sie Herrn Harrach Señor Demedio!«

Eine Minute später stand Tejo Franz und Adeline im Bibliothekzimmer gegenüber. Er sprach ein paar Worte des Bedauerns, kam dann sofort zu dem Zweck seines Besuches.

»Es war mir außerordentlich wertvoll, daß Sie mir das Hiersein von Wildrake und Droste nach Rio de Janeiro meldeten. Habe ich doch nun wenigstens eine Spur von den beiden. Aber wissen Sie vielleicht auch, woher sie kamen? Und wohin sie sich dann gewandt haben?«

Die Geschwister verneinten. »Wir nehmen an, daß sie aus England gekommen sind und dorthin zurückkehrten.«

»Es wäre das Nächstliegende. Aber gerade deshalb glaub' ich's nicht. Doch einerlei! Es ist nicht anzunehmen, daß sie das letztemal hiergewesen sind. Um möglichst nahe bei Winterloo zu bleiben, werde ich die nächste Zeit in Warschau wohnen. Selbstverständlich treffe ich alle Vorbereitungen, damit, wenn eines Tages Meldung von Ihnen kommt, die Aktion sofort beginnen kann.«

Er hielt inne, betrachtete erstaunt die Geschwister. Franz Harrach war augenscheinlich sehr verlegen. Adeline hatte sich zornigen Gesichts erhoben.

»Wir müssen morgen das Schloß verlassen«, rief sie. »Unter dem Vorwand, es existiere ein Testament, worin der Verstorbene einem brasilianischen Winterloo den Hauptteil seines Eigentums vermacht habe, hat Dr. Arvelin – Sie wissen ja, der Freund des alten Freiherrn – eine gerichtliche Verfügung gegen uns erwirkt. Ein Nachlaßpfleger soll die Erbmasse so lange verwalten, bis das vorgebliche Testament gefunden ist. Als Frist sind fünf Monate gesetzt.«

»Hm – sehr fatal, meine Herrschaften! Und störend für meine Pläne!«

»Nicht doch, Señor Remedio!« sagte Franz Harrach. »Wir haben vertraute Leute hier. Der Weg nach Dobra ist kurz. Über alle Vorgänge im Schloß werden wir ständig auf dem laufenden gehalten. Es läßt sich auch einrichten, daß eine geheime Telefonverbindung zwischen Winterloo und Dobra hergestellt wird. Lassen sich also die von Ihnen Gesuchten hier blikken, so würden Sie das in Warschau in kürzester Zeit erfahren.«

»Gut!« lobte Tejo. »Ich hoffe, bald Günstiges von Ihnen zu hören.«

William Hogan sah erstaunt auf, als ihm Tejo gemeldet wurde.

»Hallo, Herr Major! Ist etwas Besonderes vorgefallen? Ich glaubte Sie auf Ihrem Posten. Doch kommen Sie, setzen Sie sich! Ich sehe, Sie haben einiges auf dem Herzen.«

»Ich darf wohl der Reihe nach berichten, Señor Hogan? Es wird dann alles leichter verständlich. Sie wissen, daß ich meine vorgesetzte Behörde in meine Reise nach Venezuela und ihre Ergebnisse einweihte. Und daß ich neben meinem Auftrag, Wildrake betreffend, mich damit beschäftigte, das Leben und Treiben des Hauptmanns Winterloo zu beobachten.

Die Gründe waren zunächst mehr persönlicher Natur. Doch allmählich gelangte ich zu der Einsicht, daß Winterloos Verhalten Staatsinteressen berührt. Ich stellte fest, daß er auf seiner Flucht von San Fernando mit jener Edna Wildrake nach London gekommen war und dort im Hause eines Lord Truxton sich einige Zeit aufhielt. Der ist Teilhaber der Firma Truxton & Co. Und bei seinem Kompagnon James Wildrake, einem Verwandten des Kapitäns Robert Wildrake, weilt Edna Wildrake zu Gast.

Oswald Winterloo ist seit kurzem in seinem Büro in Rio de Janeiro tätig. Er steht jedoch in dauernder brieflicher Verbindung mit dem englischen Hause Wildrake. Ich berichtete darüber meiner Behörde. Diese zog aus dem merkwürdigen Verhalten des Hauptmanns Schlüsse, die für Winterloo nicht günstig waren. Beorderte mich nach Rio, damit dort in meinem Beisein der Verdächtige verhört werde.«

»Ah! Das ist allerdings sehr interessant, Herr Major! Und das Ergebnis?«

Tejo zuckte die Achseln. »Winterloo leugnete nichts. Die Erklärungen, die er für die Häufung von sonderbaren Zufällen gab, wären durchaus glaubwürdig, wenn nicht eben schon von früher her der Argwohn bestanden hätte, er habe die Befreiung der Edna Wildrake stillschweigend geduldet. Dieser Verdacht wurde von ihm während des Verhörs noch in ungeschickter Weise verstärkt, denn er hielt mit seiner mir schon bekannten Ansicht, daß Fräulein Wildrake vollkommen unschuldig sei, nicht zurück.«

»Und weiter?«

»Wie man in einem eventuellen Ehrengericht darüber entscheiden würde, weiß ich nicht. Hat Oswald Winterloo die Wahrheit gesprochen, so ist ihm kein Vorwurf zu machen. Oder höchstens der einer unklugen Handlungsweise.«

William Hogan nickte. Dann sagte er: »Ich vermute, Sie kamen zu mir, um die Gelegenheit zu benutzen, mir einiges über Wildrake zu erzählen.«

Tejo schüttelte den Kopf: »Ich weiß nur das eine: In England sind Kapitän Wildrake und Droste nicht.«

»Droste! Glauben Sie bestimmt, daß er in Wildrakes Gesellschaft ist? Weshalb?«

Wieder eine zweifelnde Geste Tejos. »Ich nehme es an. Beweise habe ich nicht. Sicher ist, daß die beiden sich vor jener Affäre bei der Insel Aruba nicht gekannt haben. Meine Ansicht wird jedoch durch die Tatsache unterstützt, daß beide zusammen an der Beerdigung des Freiherrn von Winterloo teilgenommen haben.«

»So haben Sie also gar nichts weiter ermitteln können?«

»Nein. Einen merkwürdigen Umstand nur möchte ich noch erwähnen. Die beiden sind im Besitz eines Flugzeuges, das eine außerordentliche Geschwindigkeit entwickelt.«

»Woher wissen Sie das?«

»Ich besuchte natürlich den Flughafen in Neustadt, einem Städtchen bei Schloß Winterloo, von wo sie nach der Beisetzung des Freiherrn abgeflogen waren. Man sagte mir, daß sie, kaum aufgestiegen, schon aus der Sicht entschwunden seien. Es scheint, als ob diese Maschine das Flugzeug jenes Dr. Arvelin wäre. Der hat, wie ich feststellte, von San Fernando aus mit Winterloo und Edna Wildrake an Bord in sechs Flugstunden London erreicht.«

Hogan schlug mit der Hand auf den Tisch. »Undenkbar! Wie wäre das möglich?«

»Ein Rätsel! Und doch – es ist so! Mein Wort darauf!«

»Und Wildrake und Droste sind Bekannte oder Freunde dieses Dr. Arvelin?«

»Gewiß, Senhor Hogan.«

»Dann müßten sie oder er im Besitze eines Flugzeuges mit außerordentlichen Motoren sein oder mit einem neuen Treibstoff, der solche Geschwindigkeiten ermöglicht. So oder so: Derartige Flugzeuge in feindlicher Hand sind eine schwere Gefahr. Immer mehr verstärkt sich meine Überzeugung, daß dieser Wildrake und der andere so bald als möglich unschädlich gemacht werden müssen. Um so mehr, als der Krieg mit Venezuela voraussichtlich weitergeht.

Ich lege jedenfalls den größten Wert darauf, daß dieser Wildrake und seine Kumpane schnellstens aufgespürt werden.«

Als Tejo gegangen war, rief Hogan den Diener. »Sie meldeten mir vorher einen Besucher. Führen Sie den Herrn herein!«

»Nun, Señor Moleiro, was können Sie mir berichten?«

»Ich kam nach Brookland, begann mich zunächst nach den noch lebenden Mitgliedern der Familie Doherty zu erkundigen. Der jetzige Besitzer von Doherty-Hall, Sir Philipp Doherty, ist im Kolonialdienst beschäftigt. Die Eltern sind verhältnismäßig früh gestorben. Ebenso die ältere Schwester Philipp Dohertys, Vivian.« Moleiro holte ein Notizbuch aus seiner Tasche, berichtete an Hand seiner Aufzeichnungen weiter. »Sie ertrank im Alter von zwanzig Jahren im Wyan-River, wie man sagte.

Der Zufall führte mich bei einem Gang am Flußufer zu einer Fischerhütte. Ich fürchtete, im Abenddunkel den Heimweg in dem dichten Unterholz zu verfehlen, und trat ein. Eine Frau in mittlerem Alter war darin, um sie herum eine Schar von Kindern. Die Frau war gern bereit, mir den Weg zu weisen. Wollte jedoch erst die Kinder zu Bett bringen. Währenddessen unterhielten wir uns, kamen auch auf Doherty-Hall und jene alten Ereignisse zu sprechen.

Was ich erfuhr, war zweifellos die Wahrheit. Danach steht fest, daß Vivian Doherty in dem Fluß, wo sie den Tod suchte, nicht ums Leben kam ...«

Ein Tischchen neben William Hogan fiel polternd um. Moleiro wollte aufspringen, doch der andere hielt ihn zurück.

»Eine kleine Ungeschicklichkeit von mir! Doch sprechen Sie weiter!«

»Sie wurde gerettet. Von einem Manne, über dessen Persönlichkeit ich nichts Näheres erfahren konnte. Er brachte sie in diese Hütte, in der ich mich befand und die damals einer alten Verwandten der jetzigen Bewohnerin gehörte. In dem Bett dieser Frau hat Vivian am nächsten Morgen ein Kind geboren. Bald darauf starb die junge Mutter. Das Kind blieb bei der Alten und wurde später von jenem Manne, der die Lebensüberdrüssige aus den Fluten zog, abgeholt. Über das Geschlecht des Kindes wußte die Frau nichts. In einem kleinen, verwilderten Garten liegt Vivian Doherty begraben.«

Moleiro blickte zu Hogan hinüber. Der wischte sich mit einem Tuch über die Stirn, als ob ihm zu heiß wäre, sagte kurz: »Fahren Sie fort!«

Moleiro begann jetzt über Sir Philipp zu sprechen – sprach ...

William Hogan lag in seinen Stuhl zurückgelehnt, hatte die Hand über die Augen gedeckt. Es machte den Eindruck, als hörte er sehr aufmerksam zu. In Wirklichkeit vernahm er kein Wort von dem, was Moleiro ihm vortrug. Nur übermenschliche Selbstbeherrschung hielt ihn ab, aufzuspringen, hinauszueilen, irgend etwas Gewaltsames zu unternehmen, um seinem Herzen Luft zu machen.

Erst nach geraumer Weile gelang es ihm, wieder Herr seiner Sinne zu werden. Er riß sich zusammen und sagte: »Sie können jetzt gehen, Moleiro! Ihr Bericht war gut.«

Arvelin trat aus seinem Zimmer, schritt die Treppe hinab. Die Uhr hatte die siebente Stunde geschlagen. Er ging in den Garten, begegnete Morawsky, der, die Gartengeräte auf der Schulter, sich anschickte, nach Hause zu gehen.

Morawsky wohnte nicht im Schlosse selbst, sondern in einer der Katen beim Gutshof.

Durch ein Gebüsch versteckt, sah Arvelin, wie Morawsky sein Handwerkszeug in den Schuppen stellte und den Garten verließ. Wie zufällig nahm auch Arvelin den gleichen Weg. Er sah, wie Morawsky zunächst den Pfad nach dem Gutshof einschlug, dann aber auf einem Feldweg nach Osten ausbog, der zu dem großen Wald an der Grenze führte.

»Also doch!« murmelte Arvelin vor sich hin. »Lange Jahre schon ist er hier, hat nur Gutes genossen – und ist trotzdem zum Verräter geworden!«

Schon länger hatte er ihn im Verdacht.

Heute nachmittag war ein Telegramm von Medardus aus Hamburg angekommen. Morgen wollten die Freunde eintreffen. Das Telegramm war ihm veschlossen von Morawsky übergeben worden. Der hatte nur mühsam seine Neugierde verbergen können. Arvelin hatte das Telegramm vernichten wollen. Da fiel ihm ein, die Gelegenheit zu nutzen, um Morawsky auf die Probe zu stellen. Der machte sich noch in seinem Zimmer zu schaffen. Arvelin las das Telegramm, warf es dann in den Papierkorb. Nachdem Morawsky das Zimmer verlassen hatte, ging auch Arvelin hinaus. Schritt unten in der Halle an Morawsky vorbei, nahm den Weg zum Mausoleum. Als er später wieder in sein Zimmer kam, war deutlich zu sehen, daß Morawsky allerhand Aufräumungsarbeit verrichtet hatte. Auch der Papierkorb war geleert.

Der Bursche fängt es schlau an, dachte Arvelin bei sich, doch vielleicht gelingt es mir heute, ihn zu überführen.

Morawsky hatte jetzt den Feldweg verlassen, war in den Wald getreten.

Die zehnte Stunde nahte, als Morawsky in Dobra ankam. Als er über den vernachlässigten, schmutzigen Hof schritt, sah er unter dem Schuppen einen Kraftwagen stehen. Fremde mußten da sein. Da er wußte, daß der Gutsbesitzer jederzeit für ihn zu sprechen war, trat er ohne Zögern ins Haus. Stand gleich darauf Franz Harrach gegenüber.

»Nun, was bringst du?« fragte der ihn hastig.

Morawsky zog aus der Tasche das Telegramm, übergab es Harrach. Der las, überlegte. »Die Unterschrift nur ein ›M‹. Was vermutest du?«

»Nichts anderes als ›Medardus‹. Ich entnehme das auch daraus, daß der alte Arvelin sich so freute, als er es las.«

Franz konnte ein Gefühl froher Genugtuung nicht verbergen. »Es soll dein Schade nicht sein, wenn alles so eintrifft, wie wir's hoffen. Laß dir draußen was zum Trinken geben und gehe wieder heim!«

Harrach schritt eilig in das Bibliothekszimmer, schwenkte das Telegramm in der Hand.

»Endlich!« rief er, so daß die im Zimmer Sitzenden überrascht aufsprangen.

Tejo riß ihm mit ungezügelter Hast das Papier aus der Hand, las: »Komme morgen. M.« – »Sie, Herr Harrach, meinen natürlich auch, daß ›M‹ die Abkürzung dieses ›Medardus Droste‹ ist?«

»Unbedingt.«

»Hm! Hm!« brummte Tejo vor sich hin. »Alles hängt davon ab, ob sie die morgige Nacht in Winterloo verbringen. Denn bei Tage läßt sich unser Vorhaben nicht ausführen. Ich werde sofort geeignete Leute nach Winterloo dirigieren, die morgen feststellen sollen, ob's die Erwarteten sind und wie lange sie bleiben.«

Er drehte sich jetzt dem Dritten im Raume zu – rief: »Pardon! Ich war ungeschickt.«

»Wie meinen Sie das?« fragte der.

»Nun, ich stieß Sie doch an, im Umdrehen.«

»Aber nein!« Ein Lächeln. »Sie berührten mich nicht.«

»So?« Tejo warf einen verwunderten Blick rundum. »War's mir doch, als hätte ich bei der hastigen Wendung jemand gestreift . . .«

In Harrachs Augen trat ein unruhiger Glanz. Seine Blicke gingen von dem einen zum anderen. Doch Tejo wandte sich wieder dem Telegramm zu, das er dem Dritten jetzt ins Portugiesische übersetzte.

»Ich denke, Señor Filippo, wir werden vielleicht morgen um diese Zeit die Affäre schon erledigt haben. Für alle Fälle will ich Ihnen jetzt noch mal meinen Plan in allen Einzelheiten erläutern. Es ist wichtig, daß Sie das in Ihren Bericht aufnehmen, wie auch die Sache ausläuft.« –

Eine Stunde später fuhr der Kraftwagen mit Señor Filippo allein davon, in Richtung Warschau.

»Es wäre mir lieb, Medardus, wenn du deinen Freund bewegen könntest, über Nacht hierzubleiben.«

Droste schüttelte den Kopf. »Du weißt doch, Vater Arvelin, wie eilig wir es haben.«

Einen Augenblick stand Arvelin überlegend. »Nun, es wird am besten sein, ich erkläre euch schon jetzt meine Gründe. Komm mit Wildrake zu mir nach oben!«

Kaum möglich, die Gesichter der Freunde zu beschreiben, als Arvelin ihnen von Tejos Vorhaben erzählte. Kaum, daß sie fragten, wie Arvelin davon Kenntnis bekommen habe. Sie nahmen seinen beiläufigen Hinweis, ein Vertrauensmann habe ihm durch Morawsky den Plan verraten, ohne weitere Überlegung hin.

Wildrake begann alsbald einen Kriegsplan zu entwerfen, wie man die Angreifer mit blutigen Köpfen heimschicken könne.

Das lange Hin und Her, wie man dem Überfall am besten begegnen könnte, beendete Arvelin jedoch mit Worten, deren kategorischer Ton den Widerspruch der beiden verstummen ließ.

»Es ist auf jeden Fall zu vermeiden, daß sich eine große politische Aktion entwickelt. Wiederholt würde Winterloo von allen möglichen Personen aufgesucht werden. Man würde in allen Ecken herumschnüffeln. Das Laboratorium, die Tankanlage würden neugierigen Blicken preisgegeben sein; vielleicht gar würde euer Aufenthalt in Finnland bei der Gelegenheit festgestellt werden. Kurz, euer ganzer Plan wäre gefährdet, wenn wir es zu Gewalttätigkeiten kommen ließen. Alles ließe sich ja vermeiden, wenn ihr, wie ihr wolltet, heute abend fortführet. Doch es liegt gerade in meinen Plänen, jenes schon lange vorbereitete Unternehmen eurer und meiner Gegner in einer Weise zum Scheitern zu bringen, daß unangenehme Folgen für euch, für mich und für Schloß Winterloo ausgeschaltet werden.«

»Und wie willst du das machen, Vater Arvelin?«

»Oh, sehr einfach! Der Hauptangriff wird ja, wie ihr wißt, vom Lande her erfolgen. Morawsky, als Wegweiser der Schar – es handelt sich da um einen früheren polnischen Offizier Schidlowsky und zwölf zweifelhafte Individuen, die für Geld alles zu tun bereit sind – wird sie in die Irre führen. Er wird die Leute, um ungesehen über die Grenze wegzukommen, durch ein Moor bugsieren. An einer Stelle, wo er unauffällig verschwinden kann, überläßt er sie ihrem Schicksal. Die Bande, unkundig des Weges, wird sich vor Tagesanbruch weder vorwärts noch rückwärts bewegen können. Die Feinde auf der Wasserseite werden unter diesen Umständen vergeblich auf das Signal warten, werden mit langen Nasen abfahren müssen. Ich bitte euch dringend, auf keinen Fall das Schloß zu verlassen. Ich würde es ewig bereuen, wenn ich euch zum Bleiben überredet hätte und ihr durch ein unvorhergesehenes Ereignis zu Schaden kämet.«

Droste, gewohnt, sich Arvelins Autorität zu beugen, stimmte dem Plane zu. Wildrake aber, von dem Gedanken beherrscht, seinem alten Widersacher Tejo eins auszuwischen, war nur schwer zu bewegen, seine eigenen Absichten dem Urteil des alten Arvelin unterzuordnen.

In Dobra waren alle Lichter erloschen. Aus einer Hintertür traten Franz Harrach und Mr. Hal. Leise flüsternd standen sie beisammen. Dann wurde die Stimme des Brasilianers B. lauter und schärfer.

»Ich muß darauf bestehen, Mr. Harrach, daß Sie sich, wie verabredet, den Leuten anschließen. Schidlowsky erscheint mir wenig zuverlässig. Macht auch den Eindruck, als sei er angetrunken. Sie sind mit den Örtlichkeiten in Winterloo aufs beste vertraut. Bleiben Sie im letzten Augenblick zurück, so ist der Erfolg unseres Unternehmens trotz der umfassenden Vorbereitungen in Zweifel gestellt.«

»Aber Morawsky!« warf Harrach ein. »Er kennt noch besser als ich die Umgebung von Winterloo.«

»Mag sein!« erwiderte der Südamerikaner kurz. »Doch müßten Sie wissen, daß die besten Untergebenen ohne energische, tüchtige Leitung wenig wert sind.«

Noch zögerte Harrach, da sagte Hal: »Der Scheck in Ihrer Tasche – vergessen Sie es nicht, Herr Harrach! – ist auf übermorgen datiert. Er ist leicht zu sperren.«

Harrach brummte ein paar unwillige Worte in deutscher Sprache vor sich hin, ging dann vor den anderen her. Am Rande des Waldes trafen sie Schidlowsky und seine Schar.

»Morawsky!« rief Harrach mit halblauter Stimme.

»Er ist nicht hier«, erwiderte einer der Leute. »Er ging noch einmal zurück zu den Hintergebäuden des Hofes.«

»So laufe hin, hole ihn!« befahl Harrach ärgerlich.

Nach einer Weile kam der Bote mit dem Gesuchten zurück. Ohne ein

Wort zu sagen, setzte sich Morawsky an die Spitze. Ihm allein war der Weg durch die Wälder und Sümpfe bekannt. –

Weit über eine Stunde waren sie schon unterwegs. Der Pfad wurde immer schmaler. Die Leute fluchten vor sich hin.

Doch Morawsky ließ sich nicht beirren. »Wir haben bald festen Boden unter uns. – Dann können wir rasten!« sagte er undeutlich.

Am hinteren Ende des Zuges schien man den Worten wenig zu trauen. Wurde doch der Weg gerade jetzt immer schwieriger.

Endlich –! Morawsky blieb stehen, deutete auf ein dichtes Erlengebüsch. »Hier können wir rasten!«

Er sprang um einen umgestürzten Baum herum, bahnte sich einen Durchschlupf in das Gebüsch. Die anderen drängten nach. Hier und da ein Wort der Befriedigung. Gott sei Dank, wieder feste Erde!

Der Mond war aufgegangen. Harrach trat aus dem Erlengebüsch in der Richtung, aus der Morawskys Stimme erklungen.

»Morawsky, wo bist du? Komm hierher!« rief er wütend.

Keine Antwort. Lauter noch einmal ließ Harrach seine Stimme erschallen.

Alles hielt lauschend an. Nichts zu hören. Nichts zu sehen.

Da klangen von hinten her laute Rufe. Harrach eilte ärgerlich dorthin. »Was schreit ihr so?«

»Spuren von Männertritten, die zurückführen! Nur Morawsky kann das gewesen sein.«

Harrach bückte sich, suchte den Boden mit Hilfe einer Taschenlampe genau ab. Kein Zweifel: Auf eine Entfernung von zehn Schritten waren die Tritte genau zu erkennen. Der Mensch, der da gegangen, war hier am Busch, wo der Pfad sich verbreiterte, an ihnen vorbeigekommen.

Harrach richtete sich auf, wandte sich zu Schidlowsky, der neben ihn getreten war. »Nur Morawsky kann das gewesen sein. Aber warum?«

»Unmöglich. Die Spuren sind ja höchstens einen Schritt von unseren entfernt. Selbst bei der Dunkelheit hätte Morawsky nicht ungesehen an uns vorüberkommen können. Ebensowenig natürlich ein anderer.«

»Und doch ist es so!« rief Harrach dazwischen. »Die Spuren sind ganz frisch. Aber einerlei! Wir dürfen uns nicht länger aufhalten. Die Zeit wird knapp. Morawsky muß unser Rufen überhört haben. Suchen wir nach ihm!«

Harrach und Schidlowsky suchten vergeblich die Umgebung des Busches ab. Nirgends ein Pfad zu entdecken.

»Nun, Herr Harrach, Morawsky wird doch nicht geflogen sein? Hier in dieser Richtung ist er jedenfalls nicht gegangen. Eine Spur führt nach rückwärts. Sie muß von Morawsky sein. Es bleibt uns nichts übrig, als ihr zu folgen, um aus dieser Sackgasse herauszukommen.«

Schidlowsky schritt dem Zug voraus. Ein paarmal kamen sie aus der Richtung, und nur nach langem Suchen fanden sie nach der alten Stelle zurück.

Harrach sah auf die Uhr. Mitternacht war längst vorbei – die Zeit, wo in Winterloo schon alles getan sein sollte. Ein Wunder, wenn sie überhaupt wieder aus diesem Morast herausfänden! Als letztes blieb ihnen ja noch die Möglichkeit, durch Schüsse die Grenzpatrouillen zu alarmieren. Aber das durfte nur im äußersten Notfall geschehen, denn es hieß ja, alles verraten. –

Die Nacht war schon beinahe vorüber, als sie wieder in Dobra ankamen. Schidlowsky und seinem Trupp wurde in einer Scheune ein notdürftiges Lager bereitet, da die Leute durch die nächtliche Anstrengung völlig erschöpft waren. Auch Harrach war am Ende seiner Kräfte, dachte an nichts anderes als an Schlaf. Mochte der Südamerikaner schimpfen und fluchen, soviel ihm beliebte!

Er wollte sich eben zur Ruhe legen, da pochte Schidlowsky stürmisch an die Tür. »Morawsky ist da!«

Im Nu war alle Müdigkeit von Harrach gewichen. Er warf einen Mantel über, eilte hinaus. »Wo ist er, der Schurke?«

»In der Scheune.«

Harrach stürmte wie ein Rasender der Scheune zu.

»Morawsky, weshalb hast du uns im Stich gelassen? Wie konntest du es wagen, einfach fortzugehen? Bist bestochen von der Gegenseite. Steh auf, wenn ich mit dir spreche!« schrie er den am Boden Liegenden an.

»Er ist gefesselt!« scholl es aus dem Haufen der anderen zurück.

»Gefesselt? Morawsky? Ah, ihr habt's besorgt! Gut so!«

»Nein! Wir fanden ihn só.«

Harrach stand fassungslos. »Befreit ihn! Hebt ihn auf!«

Das war schnell geschehen. Stöhnend richtete sich Morawsky auf. Harrach schüttelte ihn am Arm. »Kannst du nicht sprechen? Erzähle, wie du hierherkommst! Wer hat dich gebunden?«

Stockend begann Morawsky: »Ich weiß es nicht, Herr. Ging in die Leutestube, einen Pelz zu holen. Wie ich auf dem Rückweg hier bei der Scheune vorbeikam, stürzte ich auf die Erde. Es war mir, als wenn mir plötzlich die Füße unter dem Leibe fortgezogen wären. Ehe ich mich aufraffen konnte, fühlte ich, wie mir Hände und Beine gebunden wurden . . .«

»Und du weißt nicht, wer das war? Du hast niemand gesehen?«

Morawsky schüttelte den Kopf. »Ich habe niemand gesehen. Weiß nur noch, daß man mir den Pelz wegnahm und meine Mütze. Dann wurde es mir schwarz vor den Augen. Ich verlor die Besinnung. Wurde erst wieder wach, als die andern mich hier fanden.«

»Lüge, du Schurke!« schrie Schidlowsky dazwischen. Du bist doch im Sumpf vor uns hergegangen – über eine Stunde lang!«

Harrach hieß ihn schweigen. »Sie vergessen, Schidlowsky, daß dem Morawsky Pelz und Mütze genommen wurden. Ein anderer hat sie angelegt. In der Nacht – er hat uns nur den Rücken gezeigt – konnte er unsere Augen täuschen.«

»Ah! Sie haben recht! Jetzt fällt mir auch auf, daß der, der da vor uns ging, kaum ein Wort gesprochen hat. Doch jetzt möchte ich schlafen! Bin hundemüde.«

Er warf sich neben die anderen aufs Stroh. Harrach ging mit Morawsky ins Haus zurück.

»Hörten Sie nicht oben Schritte, Wildrake?«

»Allerdings, Droste. Es war mir, als ginge jemand in Doktor Arvelins Zimmer.«

Hastig eilte Droste die Treppe zu des Doktors Räumen hinauf, klopfte an. Erst nach einer kleinen Weile wurde geöffnet.

»Ah, Vater Arvelin, wo bliebst du so lange? Und wie erschöpft du aussiehst! Wo warst du?«

Arvelin ließ sich in seinen Lehnstuhl fallen. »Ja, lieber Medardus, ich konnte es mir nicht versagen, den Scherz, den ich mit Harrach und seinen Spießgesellen machte, teilweise mitanzusehen. Morawsky hat seine Sache trefflich gemacht. Er führte die Leute in dem Sumpf derart in die Irre, daß sie vor morgen früh sicher nicht herausfinden werden.«

»Und wir, Wildrake und ich, haben währenddessen hier tatenlos sitzen müssen, ohne etwas zu entdecken. Vorher, als der Mond so hell schien, sind wir ein paarmal am Strand gewesen. Mit dem Nachtglas konnte man ungefähr feststellen, wo jenes brasilianische Boot liegt. Hätten ihm ja gern einen kleinen Besuch gemacht. Aber du hattest uns doch feierlich verpflichtet, uns nicht aus dem Schlosse zu rühren.«

»Nun, ich denke, die Leute in dem Schoner werden des Wartens müde geworden sein und sich entfernt haben.«

»Möglich. Doch ich traue dem Frieden nicht. Wenn kühne Leute an Bord wären, müßten sie doch einen Versuch machen, ihrerseits etwas zu unternehmen. Jedenfalls werde ich mit Wildrake ein scharfes Auge auf den Strand haben. Du aber, Vater Arvelin, lege dich zur Ruhe! Die vielen Fragen, die ich an dich habe, wirst du mir später beantworten müssen, denn manches ist mir doch recht unklar.« –

»In einer halben Stunde wird die Sonne aufgehen, Wildrake. Ich glaube, wir können unsere Patrouillengänge im Park aufgeben.«

»Ich gäbe etwas darum, wenn ich wüßte, wer diese Brasilianer, dieser Señor Remedio und Konsorten sind!«

»Nun, sie werden sicherlich mit falschen Pässen hier sein. Doch gehen wir jetzt dem Mausoleum zu und dann ins Haus!«

Sie schritten quer über den Rasen. Das dichte Gras dämpfte ihre Schritte. Eben wollten sie um die Ecke des Mausoleums biegen, da standen sie plötzlich still. Ein Geräusch auf dem kiesbestreuten Weg, der zum Schloß führte, ließ sie aufmerken.

»Es kommt jemand«, flüsterte Wildrake. Steckte dabei vorsichtig den Kopf um die Ecke, fuhr blitzschnell zurück. »Er ist im Schatten der Mauer stehengeblieben, schaut sich suchend um.«

Droste legte die Finger auf die Lippen. »Sobald er weitergeht, springen wir auf ihn zu, stellen ihn.«

Nach einer Weile hörten sie, wie der Fremde um das Gebäude herumgeschritten kam. In dem Augenblick, als er die Ecke erreichte, hielten sie ihm ihre Waffe entgegen.

»Halt! Hände hoch – sofort! Oder wir schießen!« rief Wildrake.

Langsam hob der Fremde die Hände.

»Nun, Droste, leuchte doch mal dem Eindringling ins Gesicht! – Ah!« Verblüfft ließ Wildrake die Waffe sinken. »Major Tejo? Sie? Ihnen also hätten wir diesen schönen Besuch zu verdanken gehabt, wenn nicht ...«

»Was sagten Sie, Wildrake?« unterbrach ihn Droste. »Major Tejo?

Der Fang ist nicht schlecht. Doch ich denke, unsere Unterredung wird sich ruhiger gestalten, wenn wir uns vor Überraschungen schützen. Wollen Sie nicht dem Herrn die Waffe abnehmen, Wildrake, die er sicherlich bei sich trägt?«

Tejo wollte zurückweichen, doch schnell richtete Droste seinen Revolver auf ihn. »Ruhe, Herr Major! – Donnerwetter, Wildrake, das ist ja allerhand, was Sie da in den Taschen fanden! Und keine Papiere? Nicht mal eine Brieftasche?«

Wildrake schüttelte den Kopf. »Nein! Der Herr war sehr vorsichtig.«

»Schade! Unser Außenministerium hätte vielleicht Interesse dafür gehabt. Wozu hier lange stehen? Gehen wir ins Haus.«

Als sie dem Hauptweg zuschritten, sahen sie vom Schloß her Doktor Arvelin kommen.

Der war jetzt bis auf wenige Schritte an sie herangekommen.

»Wer ist der Mann, Medardus? Wie kommt er zu euch?« fragte er.

»Ich will Ihnen vorstellen, Doktor Arvelin«, rief Wildrake. »Es ist Major Tejo. Den Namen haben Sie wohl schon gehört? Unser ganz besonderer Freund. Er ist augenscheinlich trotz unserer Wachsamkeit von dem Schoner drüben gekommen.«

Arvelin trat nahe an Tejo heran. Seine Augen senkten sich in dessen Blick. »Sie haben Schweres durchgemacht, Herr Major. Der Krieg raubte Ihnen Eltern und Geschwister. Jenes beklagenswerte Ereignis – Sie türmen alle Schuld auf diesen hier!« Er deutete auf Wildrake. »Und er war doch nur Werkzeug, wie Sie es waren, wenn Sie Ihre Gegner schädigten, wie Sie konnten. Glauben Sie, das Rechte zu tun, wenn Sie auch jetzt noch, da die Waffen ruhen, Ihrem Haß folgen? Unablässig diesen einen Ihrer Gegner verfolgen, vernichten wollen? Mit seinem Blut würden weder Ihre Angehörigen noch die vielen anderen wieder zum Leben erweckt ...«

Unter dem zwingenden Bann der Augen des alten Mannes wandte Tejo den Kopf zur Seite.

»Sie sprechen zu einem Stein! Jedes Wort ist umsonst«, rief Wildrake. »Seine Rachsucht wird nie ruhen.«

»Nehmen wir ihn mit ins Schloß!« unterbrach ihn Droste. »In irgendeiner Weise müssen wir versuchen, ihn auszuschalten.«

Arvelin schüttelte den Kopf. »Nein, Medardus! Der Mann ist frei. Er kann gehen, wohin er will.«

»Unmöglich!« Wildrake drängte sich erregt zwischen Arvelin und Tejo. »Das hieße mit dem Leben spielen, ließen wir ihn frei.«

»Es bleibt bei meinen Worten, Kapitän Wildrake! Glauben Sie mir: Wer, wie ich selbst, am Rande des Grabes steht und die Nichtigkeit allen Lebens erkannt hat, weiß zu verstehen – zu verzeihen. – Gehen Sie, Major Tejo!«

Wochen waren vergangen. Tolmänen schritt zur Werft. Der U-Boot-Bau war in Tag- und Nachtschichten so gefördert worden, daß demnächst die Probefahrten beginnen konnten. Am Wasser angekommen, betrachtete er kopfschüttelnd den Bau.

Ein merkwürdiges Schiff! Flugzeug und U-Boot zugleich. All das, was diese beiden Fremden ihm erzählt hatten, erschien ihm, je weiter der Bau fortschritt, immer zweifelhafter. Das letzte große Rätsel für ihn war, daß sie die beiden Ölvorräte von auswärts holten. In mehreren Fahrten hatten sie den nötigen Treibstoff herbeigebracht, um die Tanks des U-Bootes zu füllen.

Tolmänens Blick hing an dem Deck des Schiffes. Die leeren Schraubenbolzen, die mannigfachen Verstrebungen, die sonderbare Anordnung übermächtig dimensionierter Motoren – das alles ließ keinen Zweifel, daß das Schiff irgendwo anders noch mit besonderen, ihm unerklärlichen Vorrichtungen versehen werden würde.

Von der Werftuhr schlug die Feierabendstunde. Ein paar Arbeiter entstiegen dem Schiffsbauch. Gleich darauf kamen auch Wildrake und Droste aus der Luke geklettert. Als sie Tolmänen gewahrten, gingen sie zu ihm an Land.

»So wäre denn alles fertig, Herr Tolmänen!« redete ihn Wildrake an. »Wir können Ihnen unsere Anerkennung nicht versagen. Es war ein tüchtiges Stück Arbeit, das Sie da geleistet haben.«

»Loben Sie es nicht zu früh! Warten wir die Probefahrten ab! Und nun wäre es wohl angebracht, Ihr Schiff zu taufen, meine Herren. So manches Schiff habe ich gebaut, doch keins ist in das Taufbecken geglitten, ohne daß der Patron ihm einen Namen gegeben.«

»Der Name?« Wildrake sah Droste lachend an. »Ja der Name! Ich glaube, er wird Ihnen später noch häufig in den Ohren klingen, Herr Tolmänen. Das Schiff wird heißen: ›Venezuela libre‹.«

Tolmänen nahm Wildrakes Rechte, preßte sie mit kräftigem Druck. »Möchte, das Wort würde wahr werden, meine Herren!«

Dann wandte er sich um, schritt zu den Helligen. »Eine nette Überraschung das!« murmelte er vor sich hin. »Bin gespannt, was sich daraus entwickelt!«

Die Überraschung, die der nächste Morgen brachte, war nicht geringer. Das Schiff war von seinem Ankerplatz verschwunden. Ein kurzes Billett wurde an Tolmänen abgegeben.

»... Probefahrt diese Nacht glänzend verlaufen. Weitere Ausdehnung beschlossen. Sie werden von uns hören.«

Tolmänen zerriß das Papier in kleine Stückchen, nickte dabei zufrieden.

Gegen Abend des nächsten Tages sichtete die Luxusjacht Lord Truxtons östlich der Doggerbank im Schein der sinkenden Sonne einen dunklen, glatten Schiffsrumpf, der mit äußerster Schnelligkeit auf sie zuhielt.

»Bei Gott, sie sind's, Wildrake!« rief der Lord.

Ein paar Augenblicke später legte das U-Boot sich an die Leeseite der Jacht. Gleichzeitig wuchs aus seinem Deck ein Kran. Ein paar Trossen fielen vor Truxton und James Wildrake nieder. Die machten sie eigenhändig fest.

Es war eine freudige Begrüßung. James Wildrake ruhte nicht, bis sie alle vier in der Kajüte saßen und etlichen Flaschen alten Rheinweins den Hals brachen. Doch den Lord litt es nicht lange.

»Kommen Sie, Mr. Droste! Sie sollen sehen, daß wir auch nicht untätig waren!«

Er zog ihn durch ein paar Gänge hindurch in den Schiffsbauch. Wies mit stolzer Gebärde auf ein Arsenal von Waffen und Geschossen aller Art. »Wird ein tüchtiges Stück Arbeit geben, das alles 'rüberzunehmen. Fangen wir hier bei diesen 15-Zentimeter-Geschützen an! Sie werden bald Gelegenheit haben, sie zu erproben.«

Eine Stunde später schlossen sich die Luken auf den zwei Fahrzeugen. Der Kran verschwand. Wildrake sprang mit einem letzten Lebewohl auf das U-Boot hinab. Die hellen Scheinwerfer erloschen. Die Maschine dröhnte. Ein paar Minuten später umhüllte dunkle Nacht beide Schiffe.

»U-Boot voraus!« rief der Ausguck vom Fockmast der »Saragossa«, die auf der Fahrt von Santander nach Rio de Janeiro eben den Azorennebel hinter sich gelassen hatte. Der Wachoffizier nahm das Glas zur Hand, rief durchs Mikrophon zur Kabine des Kapitäns Madero.

»U-Boot voraus! Zeigt keine Flagge, gibt Signal zum Halten.«

Der Kapitän stieg eilig nach oben, trat zu dem Offizier.

»Eigenartiges Kriegsfahrzeug! Zeigt keine Nationalität. Was mag der wollen?« Er nahm das Glas vor die Augen. »›Venezuela libre‹ steht an seinem Bug. Merkwürdiger Name!«

Er gab das Kommando: Stoppen. Die »Saragossa« verlangsamte ihre Fahrt. Eine halbe Seemeile von dem U-Boot entfernt lag sie still. Eine Pinasse stieß von dem U-Boot ab, legte an der »Saragossa« an. Der Kapitän erwartete den Ankömmling am Fallreep.

»Ich bin Robert Wildrake.«

Der Kapitän trat erstaunt einen Schritt zurück. »Ah! Kapitän Robert Wildrake? Welche Ehre, Sie an Bord meines Schiffes begrüßen zu können!«

»Ich hoffe, Herr Kapitän, daß Sie meine kleine Bitte erfüllen werden, diesen Brief bei Ihrer Ankunft in Rio de Janeiro an die angegebene Adresse weiterzuleiten.«

Madero ließ einen Blick über die Aufschrift gleiten. »O gewiß!« Sehr gern!«

»So seien Sie im voraus bedankt, mein Herr!« Wildrake reichte ihm grüßend die Hand, stieg das Fallreep hinunter.

Noch ganz benommen von dem Erlebten, war Madero in seine Kajüte gegangen. Erst nach geraumer Zeit fiel ihm die Sendestation ein. Er rief den Funkoffizier an: »Es werden keine Telegramme abgegeben, die unsere Begegnung mit Kapitän Wildrake behandeln.«

Der antwortete zurück: »Ein Telegramm nach Spanien ist schon abgegangen.«

Madero stampfte ärgerlich auf den Boden. »Na! Dann ist's eben nicht mehr zu ändern! In Zukunft ist die Station für alles, was auf Wildrake Bezug hat, gesperrt. Sehen Sie zu, wie Sie fertig werden!«

Der Außenminister Señor Torno war im Begriff, zu einer Konferenz mit dem Präsidenten zu fahren.

Ein Sekretär trat ein.

»Dieser Brief wurde eben abgegeben. Da darauf vermerkt ist: ›An seine Exzellenz persönlich‹, bringe ich ihn. Zugleich möchte ich bemerken, daß ein Schwarm von Reportern das Pressebüro im Hause belagert.«

Torno zögerte einen Augenblick. »Bitte, lesen Sie das Schreiben vor!«

Der andere tat, wie ihm geheißen. Torno verzog keine Miene. Sagte nur kurz: »Bringen Sie das Schreiben irgendwo unter! Der Absender scheint wahnsinnig geworden zu sein.«

Enttäuscht ging der Sekretär zur Tür. Dort drehte er sich noch einmal um. »Die Pressevertreter, Euer Exzellenz!«

»Ah so? Die Herren möchten gern ... Nun, so tragen Sie den Brief zum Pressebüro! Sie mögen dort ihren Mummenschanz damit treiben!«

Eine Viertelstunde später brachten die Mittagsausgaben unter dicksten Schlagzeilen den Inhalt des Briefes.

Kriegserklärung Robert Wildrakes an die Regierung der Vereinigten Staaten von Brasilien! Darunter spaltenlange Berichte, aus denen einzelne Schlagworte in Fettdruck ins Gesicht sprangen: ›Völkerrechtswidrige Vergewaltigung Venezuelas. – Nicht das brasilianische Volk, sondern eine Gruppe machthungriger Herrscher hat den Krieg gemacht. Annexion des venezolanischen Gebietes bis zum Ventuari-Fluß gegen den Willen der Bewohner. Bruch der Waffenstillstandsbedingungen. Überfall auf Aruba. Unmoralischer Zwang auf die Regierung Venezuelas. Das venezolanische Volk steht nicht mehr hinter dieser Regierung – ich erkenne die gegenwärtige venezolanische Regierung nicht als die vom Volke gewollte an – verweigerte auch ihren Abmachungen die Anerkennung – forderte Zurücknahme der brasilianischen Besatzungstruppen, Zusammentritt einer neuen Friedenskonferenz in einem neutralen Land – werde nicht eher die Waffen niederlegen, bis Venezuelas Boden wieder frei. Ich werde vierundzwanzig Stunden nach Überreichung dieser Erklärung die Feindseligkeiten beginnen, falls nicht bis dahin eine befriedigende Antwort der brasilianischen Regierung mich erreicht hat ...‹

Am Spätnachmittag verkündete eine offizielle Radionachricht aus Caracas, daß die venezolanische Regierung Wildrake und seine Gefährten, soweit sie venezolanischer Nationalität seien, als für außerhalb des Gesetzes stehend erklärt habe.

Bei der strengen Zensur, die über Venezuela verhängt war, war es der Regierung bisher gelungen, die Nachricht der Bevölkerung vorzuenthalten. In der übrigen Welt brachte Wildrakes Manifest die verschiedensten Wirkungen hervor. Kopfschütteln, Lachen, Neugierde, Schadenfreude.

Die englischen Zeitungen als einzige betrachteten die Drohung Wildrakes mit starker Besorgnis. Aus Schiffahrtskreisen wurden ernste Befürchtungen laut. Dem Ablauf der von Wildrake gesetzten vierundzwanzig Stunden sah die ganze Welt mit Spannung entgegen.

Santa Maria lag in strahlendem Sonnenschein. Ihre Bewohner atmeten auf, die Regenzeit schien endlich überstanden.

Die drei Männer hatten in diesen Wochen, allen klimatischen Unbilden zum Trotz, unverdrossen gearbeitet.

An diesem ersten Sonnentag sollte die Arbeit ruhen. Maria Anunziata hatte es gefordert. Wohlig streckten die Männer ihre Glieder in dem warmen, trockenen Dünensand. Barradas hatte sich aufgerichtet, starrte über die weite Wasserfläche. Da hinten ein heller Punkt. Ein Segel? Er hielt schützend die Hand über die Augen. Nein, ein Vogel nur, dessen Gefieder im Sonnenschein glänzte.

Von der Hütte her kam Maria Anunziata. Mit dem instinktiven Ortsgefühl der Blinden ging sie geradewegs auf die Männer zu. Am Arm ein Körbchen mit Früchten. Sie reichte jedem ein paar.

»Wagen Sie es wirklich, Santa Maria, vom Morseticker fortzugehen?« fragte Barradas scherzend.

Maria lachte, drohte mit dem Finger. »Oh! Captain Roberto hat jetzt an anderes zu denken als an mich. Doch immerhin habe ich Pablo an den Empfänger gesetzt.«

»In einer Stunde läuft die Frist unseres Captains ab«, sagte Alvarez. »Ich bin fest überzeugt, er schlägt auf die Minute los. Wen wird sein erster Streich treffen?«

»Diese großspurigen, höhnischen Brasilianer«, rief Calleja, »werden die Augen aufreißen!«

»Gedulde dich, Calleja!« warf Barradas ein. »Es wird noch genug für uns übrigbleiben. Hoffentlich kommt Kapitän Wildrake bald. Unsere Anlage ist ja Gott sei Dank fertig.« Er drehte den Kopf nach Osten, von wo das Rauschen des über die Barre stürzenden Wassers klang. »Will mal wieder nachsehen, wie der Akkumulator sich füllt.«

Maria ergriff seinen Arm. »Nehmen Sie mich mit, Señor Barradas! Verstehe ich auch nicht viel, etwas werden Sie mir schon sagen können von dieser wunderbaren Sache!« –

Sie waren aus dem Maschinenraum in den Laderaum getreten. Barradas beschrieb Maria die Apparate. Sie strich mit den Händen über die Teile, wie sie Barradas ihr erklärte. Nickte zum Zeichen des Verstehens, stellte auch hier und da eine Frage.

Als Barradas geendet hatte, sagte sie lächelnd: »Nun, so prüfen Sie mich, ob ich's recht begriffen habe! Also da drüben steht die große Turbine, die mit tausend Pferden arbeitet. Sie treibt die elektrische Dynamomaschine, die einen Strom von 750 Kilowatt durch die Drähte hierher in diesen Raum schickt.«

»Soweit ist's richtig. Doch jetzt kommt die Hauptsache!«

»Hier steht ein großer Stahltrog, der mit gewöhnlichem Treibstoff gefüllt ist. Da hinein ragen zwei Elektroden, durch die in den Treibstoff Energie hineingepumpt werden soll. Das geht aber nur, wenn das Elixier des alten Freiherrn hinzugetan wird.«

»Sie nennen's Elixier, Santa Maria! Der Ausdruck ist gut. Der Erfinder sprach von einem ›atomisierten Hydroaeromaten‹, aber wie ein Elixier wirkt es in der Tat. Es mobilisiert die ganze Flüssigkeitsmenge. Ohne das Elixier tot, wird sie mit ihm lebendig. Dann nimmt sie diesen Strom von tausend Pferden viele Tage hindurch auf. Ohne Zersetzung, ohne Erwärmung binden Elixier und Flüssigkeit die Energie. Weit über eine Million Pferdekraftstunden kann dieser Bottich hier schlucken, ehe er gesättigt ist. Nach Tagen erst zeigen aufsteigende Gasbläschen, daß die Ladung ihrem Ende entgegengeht.«

»Ein wunderbarer Vorgang!«

»Und wunderbarer Erfolg! Die mitgenommene Treibstoffmenge reicht eben zwanzigmal länger als bisher.«

Lautes Rufen von draußen ließ Barradas aus dem Gebäude eilen. Er sah Alvarez lebhaft winken. Barradas nahm Marias Arm, ging mit ihr zu den Freunden hin.

»Der Kapitän funkt!« rief Alvarez.

»Ah, Roberto ruft!« Maria hatte sich fester in Barradas Arm gehängt, zog ihn laufend mit sich fort.

Und dann stand sie am Empfänger. Hörte mit geröteten Wangen, was Wildrake zu ihr sprach.

Nun schien das Gespräch zu Ende. Sie trat zurück. »Ein Gruß von Roberto!« sagte sie mit ernstem Gesicht. »Ein letzter Gruß vielleicht. Gleich wird die Frist abgelaufen sein.«

Die Uhr in der Hand, stand Wildrake, das Auge an das Okular des Periskops gepreßt. Droste hinter ihm an der Automatentafel.

Brütende Hitze lag über dem Atlantik. Zwei brasilianische Panzerschiffe fuhren halbdwars in mäßigem Abstand nach Süden. Die Decks leer; nur ein paar Wachen, die vergeblich den Himmel absuchten, ob nicht eine kühle Brise käme.

Die Uhr in der Zentrale des U-Bootes schlug die zwölfte Stunde. »Zeit stimmt!« rief Wildrake, »die Wachen werden abgelöst. Jetzt, mit Gott, los!«

Ein Hebeldruck. Das Boot änderte den Kurs nach Osten. Wildrake preßte das Auge ans Okular. Jetzt – seine Rechte drückte einen Knopf. Luft zischte durch Röhren. Fast im selben Augenblick hatte er einen anderen Hebel bewegt. Der Bug des Bootes drehte sich nach Steuerbord. Ein zweiter Torpedo verließ sein Rohr. Wie ein Stein sackte Wildrakes Boot nach unten, jagte dreißig Meter unter dem Wasserspiegel mit hoher Geschwindigkeit weiter.

Zwei schwere Explosionen kurz hintereinander!

Nach einer viertelstündigen Fahrt wagte es Wildrake, wieder aufzutauchen. Das Auge am Periskop, suchte er das Meer hinter sich ab.

»Gut getroffen!« rief er. »Beide Panzerschiffe haben schwerste Schlagseite. Halten sich keine zehn Minuten mehr. Alle Boote scheinen schon zu Wasser zu sein. Zeit zum Funken haben sie offenbar auch gehabt. Das Meer ist ruhig – also überlassen wir sie sich selbst! Fahren wir weiter!«

»Das Wetter da unten, Wildrake, kommt schnell näher. Hoffentlich geht's an denen da hinten vorüber. In ihren Booten können sie ihm nicht standhalten.«

Ein Windstoß fuhr über die See, ließ die Wellen schäumen, brachte das U-Boot zum Schlingern.

»Verstehe nicht«, brummte Wildrake vor sich hin, »daß wir noch keine Hilfsschiffe sehen. Es sind doch überall an der Küste leichte brasilianische Streitkräfte stationiert.«

»Ah!« Droste wies nach Südwesten. »Da! Sehen Sie! Da sind sie schon. Scheint eine Zerstörerdivision zu sein. Tauchen!«

In weniger als einer Minute war das Boot verschwunden.

»Die Richtung stimmt!« rief Wildrake. »Halten wir auf Land zu. Minenkette 'raus! Der rechte Flügel mag noch hinüberkommen. Die anderen müssen die Pillen schlucken!«

Der Sturm nahm an Heftigkeit zu. Schwere Regenböen prasselten. Wildrake ließ das Boot tiefer tauchen, zog das Periskop ein. Er und Droste standen sich gegenüber. Alle Sinne gespannt, lauschten sie.

Plötzlich ein dumpfer Knall! Dann in Folge noch andere. Jetzt dazwischen ein paar gewaltige Detonationen. Munition mußte durch die Minen mit zur Explosion gebracht worden sein.

Längst war der Donner der letzten Explosion verhallt. Langsam ließ Wildrake das Boot steigen, schob das Periskop aus. Doch es war nichts zu erblicken. Der dichte Regen verhinderte jede Aussicht. Ein neuer Hebeldruck brachte das Boot ganz über Wasser.

»Genug für jetzt!« sagte Wildrake. »Bin zwar neugierig, wie viele Treffer es gegeben hat. Aber das werden wir schon erfahren. Die rechten Flügelboote sind gewarnt. Fahren wir weiter!«

Bluff! Schwindel! Ausgeburten eines Verrückten! Mit solchen Schlagworten hatten die meisten brasilianischen Zeitungen die Kommentare über Wildrakes »Kriegserklärung« geschlossen. Nur wenige Bätter hielten es der Mühe wert, die Möglichkeiten zu erörtern, wie auch ein einzelner Mensch im Besitz geeigneter Waffen und Geldmittel einem Staate eine Zeitlang schweren Schaden zufügen könne.

Und doch: Je näher die Stunde kam, in der Wildrakes Ultimatum ablief, desto größer wurde die Zahl der Neugierigen, die am Radio hingen.

Die Mittagsstunde war vorüber. Die Spannung begann zu weichen. Nein! Pünktlich schien er nicht zu sein, der »Herr Kriegführende«!

Die gleichen Worte sprach William Hogan zu Tejo, doch der scherzhafte Ton wollte ihm nicht recht gelingen.

»... Und ich habe Sie doch gerade zu dem Zweck hierher zu mir gebeten, weil bei mir alle etwaigen Nachrichten einlaufen müßten. Je länger ich über das, was Sie mir neulich berichteten, nachgedacht habe, desto mehr neige ich zu der Ansicht, daß wir unangenehme Überraschungen erleben werden. Bedauerlich, daß Ihr Unternehmen mit einem Fehlschlag endete! Hätten Sie sich streng an meine Weisungen gehalten, dann hätten Sie eben persönlich bei dem Überfall anwesend sein müssen.

»Ich gebe zu, Señor Hogan, es war ein Fehler. In dieser Stunde bereue ich es mehr als je.«

Die Stille, die seinen Worten folgte, wurde durch das Glockenzeichen eines Funkgerätes unterbrochen. Der Papierstreifen begann zu laufen.

»SOS ... SOS ... SOS ... Schlachtschiff ›Sao Leopoldo‹ vier Grad nördlicher Breite, neununddreißig Grad westlicher Länge torpedirt. SOS ...«

Beide waren aufgesprungen. »Die ›Sao Leopoldo‹, eines unserer stärksten Schlachtschiffe?«

Der Streifen eines zweiten Apparates begann: »SOS ... SOS ... SOS ... Schlachtkreuzer ›Parana‹ torpediert! SOS ... SOS.«

Ihre Augen gingen von dem einen zum anderen Morsestreifen, innerlich zitternd, daß ein dritter Apparat reden könnte. Der Streifen lief weiter.

»... die Schiffe verloren ... stärkste Schlagseite ... alles in die Rettungsboote ...«

Die beiden Männer starrten sich an. »Ich wußte es«, murmelte Tejo. »Warnte – man sah es als unwürdig an, irgendwelche Sonderanweisungen zu geben.«

»Wir haben's gebüßt, werden uns danach richten«, entgegnete Hogan. »Unmöglich, daß dieser Wildrake allein ohne irgendwelche starke Hilfe hinter sich das ausführen konnte. Venezuela wird die Zeche bezahlen müssen, so oder so. Wenn ich denke, wie gut sich noch vor Wochen alles anließ! Längst wären wir am Ziel, wenn nicht dieser Wildrake wäre!«

Ein Ticker begann zu arbeiten, schrieb ...

»SOS ... SOS ... SOS ... Siebente Zerstörerdivision ... acht Boote der Division bei Hilfeleistung der ›Sao Leopoldo‹ und ›Parana‹ auf Minen gelaufen ... sinken ... SOS ... SOS ...«

Hogan stand eine Weile überlegend da, die Stirn von tiefen Falten zerfurcht. »Entschuldigen Sie mich, Herr Major! Ich fahre zum Marineamt.«

In Manaos war's, als ob eine Bombe in das Hotel de Primeira gefallen wäre, wo die Unterhändler gerade zusammensaßen. Der Führer der brasilianischen Delegation hob sofort die Sitzung auf und vertagte sie auf unbestimmte Zeit. War doch nicht abzusehen, welche Folgen für den Frieden die Vorgänge dieses Tages haben würden.

In einem harten Kampf mit dem Kriegsminister Revelador hatte Torno gesiegt. Revelador wollte sofort die Verhandlungen abbrechen, den Krieg wiederaufnehmen. Auch der Marineminister Aposta hatte sich dafür entschieden. Da war Torno Hilfe von einer Seite gekommen, von der er sie nicht erwartete. Ein Sekretär William Hogans hatte einen Brief abgegeben, nach dessen Lektüre der Widerstand gegen Tornos Entscheidungen nachließ.

»Selbstverständlich werden wir alle Hebel in Bewegung setzen, um festzustellen, ob und inwieweit die venezolanische Regierung hinter Robert Wildrake steht. Bei dem geringsten Anzeichen dafür würde ich mich sofort Ihrer Meinung anschließen. Doch Venezuela hat nochmals feierlich versichern lassen, daß es nichts mit Robert Wildrake zu tun habe, sein verbrecherisches Handeln aufs stärkste mißbillige und ihn zur Rechenschaft ziehen werde. Auch hat es alle Behörden angewiesen, Wildrake zu verhaften, falls er sich in Venezuela blicken ließe.«

Der Kriegsminister zuckte die Schultern. »Ist mir recht zweifelhaft, ob diese venezolanische Regierung die Macht hat, ihre Befehle durchzusetzen. Man braucht kein Hellseher zu sein, um aus den Berichten der ausländischen Korrespondenten aus Venezuela zwischen den Zeilen herauszulesen, wie stark die allgemeine Stimmung für Wildrake ist. Die Tage dieser Regierung dürften wohl gezählt sein, wenn es nicht gelingt, diesen Freibeuter schnellstens unschädlich zu machen.«

»Hierin stimme ich Ihnen vollkommen bei, Señor Revelador. Doch wir sind gezwungen, vorläufig mit dieser Regierung zu rechnen.«

Am Abend brachten Radiomeldungen die Nachricht, man habe den Obersten Guerrero in Haft genommen. Am nächsten Morgen jedoch wurde dieser Bericht dahingehend richtiggestellt, daß der verhaftete Guerrero von Anhängern befreit worden sei. Hierbei aber blieb verschwiegen, daß die Befreiung auf etwas eigentümliche Weise vor sich ging: Die Soldatenabteilung, die Guerrero bewachen sollte, war mitsamt ihren Offizieren einfach zu dem Gefangenen übergegangen, der sich mit ihnen ins Gebirge zurückgezogen haben sollte. –

In England wiederholte sich das alte Spiel. Wie schon früher, nahm man auch jetzt wieder Wildrake als halben Landsmann in Anspruch. Das Wettfieber wuchs. Man betrachtete die ganze Angelegenheit mehr von der sportlichen Seite. Im Hause James Wildrakes schlugen die Wogen der Begeisterung wohl am höchsten. Die einzige, die ihre Freude nur wenig zeigte, war Edna. Tags zuvor hatte sie einen Brief von Oswald Winterloo bekommen, der ihr Herz hatte höher schlagen lassen.

Wie würde der heute denken, nachdem ihr Bruder seine Drohung gegen Oswalds Vaterland wahrgemacht? Würde er den Brief wohl heute noch einmal schreiben? Der Gedanke trübte ihre Freude. Wieder, immer wieder las sie seine Zeilen, die ihr so viel Liebes, Gutes sagten. Sie ahnte nicht, daß vor ihr schon andere, neugierige Augen den Brief gelesen hatten. Die Korrespondenz Oswald Winterloos stand seit einiger Zeit unter scharfer Geheimzensur. –

In den nächsten Tagen wurde bekannt, daß die brasilianische Regierung umfassende Maßnahmen getroffen habe, um Wildrake weitere Überraschungsstreiche unmöglich zu machen.

Trotz alledem erwartete die Welt, von neuen Taten des tollkühnen »Captain« zu hören. Doch die Zeit verstrich, ohne daß sich etwas ereignete. Die brasilianischen Zeitungen triumphierten. Offenbar zog es der feige Räuber vor, sich angesichts der weitgehenden Schutzmaßnahmen irgendwo zu verkriechen.

Schon seit zwei Tagen fuhr die »Venezuela libre« durch die Fluten des Atlantischen Ozeans.

»Wenn ich denke, Droste, wieviel schöne Gelegenheiten wir vorübergehen ließen auf unserer letzten Fahrt! Doch Sie haben ja recht: Die Überraschung wird für uns eine Hauptwaffe sein! Eine Serie von versenkten brasilianischen Schiffen hätte unseren Weg nur allzu deutlich gemacht.«

»Was da im nördlichen Atlantik in den letzten Tagen geschah, wagte man natürlich nicht auf unsere Rechnung zu bringen. Die Besatzungen der geplünderten Schiffe sagen übereinstimmend aus, daß ein Schoner in Verbindung mit einem Flugzeug sie ausgeraubt hat. Man scheint in Brasilien Jean Renard in Verdacht zu haben.«

»Ich glaube es selbst, der alte Sünder scheint doch das Glück gehabt zu haben, sein Fahrzeug wiederzufinden.«

»Wir werden bei Gelegenheit mal Renards Insel untersuchen müssen.

Liegt auch Santa Maria weit davon ab, so wäre es doch nicht ausgeschlossen, daß uns Renard eines Tages schlimmen Besuch auf den Hals zöge.«

»Sie sind's!« Barradas schrie's mit seiner Donnerstimme. »Wildrake und Droste kommen! Hurra!«

Alles eilte zu der Anhöhe, auf der Barradas stand. Maria, auf Pablos Arm gestützt, lauschte den Worten der Männer.

Inzwischen war die »Venezuela libre« so nahe an die Insel herangekommen, daß die Bäume jede Aussicht verdeckten.

»Sicherlich werden sie bei der ›Susanna‹ in der Mangrovenbucht festmachen!« rief Alvarez. »Eilen wir dorthin!«

Es dauerte eine Weile, ehe sie den Weg durch das sumpfige Gebiet hinter sich brachten. Als sie endlich die »Susanna« zu Gesicht bekamen, bog der Rumpf des U-Bootes gerade in die Buchtmündung ein.

Und dann lag die »Venezuela libre« sicher an den gewaltigen Mangrovenwurzeln vertäut. Wieviel gab's zu erzählen! Wieviel war zu sehen! Während die Inselleute das U-Boot in allen seinen Teilen durchforschten, standen Droste und Wildrake, der Maria am Arm führte, in der Turbinenanlage.

Die beiden konnten sich nicht der Rührung erwehren, als jetzt Maria Anunziata ihnen mit freudiger Stimme die Anlage in all ihren Teilen erklärte.

Der Rest des Tages war unter Plaudern und Beschauen vergangen. Wildrake und Droste schienen dringend der Ruhe bedürftig. Alle weiteren Montagearbeiten wurden auf den morgigen Tag verschoben. Auch mußten die eingegangenen Briefe gelesen werden.

Alvarez und Calleja hatten die Post aus Tabago mitgebracht. Wildrake las Maria die Briefe Ednas und des Oheims vor. Droste hatte sich in den Sand gelegt und studierte einen Brief Arvelins.

Das Testament war immer noch nicht gefunden! Immer wieder klang aus den Zeilen des Doktors Betrübnis über das Verschwinden des Dokumentes. Unklar schien Droste die undeutlich am Schluß hingeworfene Bemerkung, daß der Schreiber vielleicht genötigt sei, demnächst eine lange Reise anzutreten. Droste sann: Wahrscheinlich hing diese Absicht mit dem Testament zusammen?

Es war der dritte Tag, daß Wildrake und Droste auf Santa Maria weilten. Die »Venezuela libre« hatte man aus der Bucht heraus weiter ins Meer gezogen. Doch war das noch das U-Boot, das Wildrake und Droste hierhergebracht?

Zwei Riesenflügel waren auf dem Deck des Schiffes montiert. Ein U-Boot mit Flügeln? Wo sollten die Maschinen, wo der Treibstoff herkommen, die solche Last weithin durch die Lüfte trugen?

Für morgen waren die Probeflüge anberaumt. Würden sie gelingen? Alles hing davon ab.

Kaum graute der Morgen, sprangen alle auf.

Eine Stunde war vergangen. Die Tanks des U-Bootes waren mit dem Treibstoff gefüllt. Alle außer Maria und Pablo gingen an Bord. Langsam schob sich der graue Rumpf ins freie Meer. Wildrake stand im Kommandoturm, Droste in der Zentrale, die anderen auf dem Rücken des Bootes. Der war mit Waffen gespickt. An Bug und Heck je ein Fünfzehn-Zentimeter-Geschütz. Überall verteilt schwere und leichte Maschinengewehre.

Wildrake schrak zusammen. Aus der Zentrale war ein Anruf von Droste gekommen: »Erwarte Befehl des Kapitäns.«

Einen Augenblick mußte sich Wildrake besinnen. Dann klang seine scharfe Kommandostimme nach unten: »Fliegen!«

Ein Beben ging durch den Leib des Bootes. Langsam setzte es sich in Fahrt, wurde schneller, schneller – hob vom Wasser ab, schraubte sich höher und höher. Jetzt das Meer frei unter ihm!

»Ich sehe es nicht mehr!« rief Pablo, der Indianerjunge. »Es ist in den Wolken verschwunden, Doña Maria.«

Da verlor sie den Rest ihrer Fassung. Schlang die Arme um den Jungen, drückte ihn an sich. »O Pablo! Wie bin ich glücklich!«

»Nun, Herr Kapitän Wildrake, wie gefällt Ihnen die Jungfernfahrt unseres Schiffes? Haben Sie nun Vertrauen?«

»Droste! Du! Verzeih mir, daß ich nur eine Minute zweifelte – an deiner Schöpfung! Freund, Bruder! Wie soll ich dich nennen? Dir aller Ruhm und Preis, wenn der Tag kommt, da Venezuelas Flagge wieder über dem geraubten Boden weht!« Wildrakes Rechte hob sich in die Höhe. »Bei Santa Maria, unserer Schutzheiligen, schwöre ich, daß ich nicht rasten will, bis ›Venezuela libre‹, der Name unseres Schiffes, über ganz Venezuela leuchtet!«

Eine Zeitlang stand er so. Droste ergriff seine Hand. »Noch fehlt die zweite Probe, Wildrake. Das war nur das halbe Werk.«

Der Freund, aus seinen Gedanken gerissen, wehrte ab. »Jetzt habe ich keine Zweifel mehr! Doch – natürlich, machen wir auch die andere Probe!«

Droste ging zurück zur Zentrale. Das Schiff, das bisher unbeweglich in der Luft gestanden, senkte sich im Gleitflug. Schon lag die im Sonnenschein glitzernde Wasserfläche wieder hell vor ihren Augen.

Wildrake kommandierte: »Klar zum Tauchen!«

Alvarez und Calleja hasteten zu den Luken. Gleichzeitig glitten die Geschütze und Gewehre in den Schiffsleib.

»Deck klar!« Kaum hundert Meter noch trennten das Fahrzeug von der Meeresoberfläche, da wichen die breit ausladenden Flügel zurück, preßten sich auf den Bootsrücken.

Und nun schoß der Bug ins Wasser. Klatschend schlugen die Wellen über dem Heck zusammen. Ein neues Kommando Wildrakes. Das Tiefensteuer wirkte. Das Boot glitt sechzig Meter unter der Meeresoberfläche weiter.

Doch nur eine kleine Weile, dann neue Befehle. Das Boot schoß zur Oberfläche, sprang wie ein Hecht aus der Flut. Die Flügel breiteten sich. Ein paarmal noch klatschte das Boot auf die Wasserfläche zurück. Dann, in immer größer werdenden Sprüngen, hob es sich in die Luft, stieg auf, senkte sich wieder, glitt in verzögerter Fahrt auf die Mangrovenbucht zu, hielt in langsamem Auslauf neben der »Susanna«.

Sie gingen an Land. Da stand Maria, umarmte Droste, der als erster von Bord schritt!

»Dank! Tausend Dank, Droste! Wie würde die Welt zu Ihnen aufschauen, wenn sie das gesehen! Und Sie geben alles hin – Ruhm, Ehre und Lohn, um uns zu helfen!«

»Gott geb's, daß der Tag nicht fern, wo Wahrheit wird, was der Name unseres Schiffes kündet!« sagte Droste.

»Venezuela libre!« rief Maria mit heller Stimme, und die anderen fielen jubelnd ein.

Oswald Winterloo saß in seinem Büro in Rio de Janeiro. Die Nachrichten von Wildrakes Brief und Tat hatten ihn wie ein Donnerschlag getroffen. Es war klar, daß der Tollkühne sich damit außerhalb des Gesetzes stellte.

Wildrakes Feind war Brasilien. Es erklärte ihn in Acht und Bann. Er, Winterloo, war brasilianischer Bürger. So durfte es für ihn keine andere Auffassung geben als die seiner Regierung.

Edna? Immer tiefer die Schlucht, die ihn von ihr trennte. Mußte er nicht nach Pflicht und Ehre jedes wärmere Gefühl für sie unterdrücken?

Ein Bote trat ein, brachte seine Privatpost. Obenauf ein amtliches Schreiben. Er öffnete es und las.

Was war das? Wäre das möglich? Über ein Jahr war vergangen, daß Victoria und ihre Eltern den Tod gefunden. Und jetzt?

Da fiel sein Blick auf ein Briefblatt, das als Anlage beigefügt war. Sein Herz stockte.

Der Inhalt dieser Zeilen – deutlich erinnerte er sich daran. War's doch der letzte Brief gewesen, den er an Victoria Tejo geschrieben hatte! Das Blatt, eine amtliche Kopie, brachte wortgetreu den Text.

Er sprang auf, ging im Zimmer auf und ab. Solch merkwürdige Verkettung von Umständen! Und die Erklärung erst jetzt! Mit Mühe gelang es ihm, sich zu sammeln. Noch einmal nahm er das Schreiben vor. Es kam von der Polizeiverwaltung in São Salvador.

Vor drei Tagen waren in einer hochgelegenen Schlucht des Plateaus von Matogrosso die Trümmer eines Flugzeuges gefunden worden. Die Leichen der Insassen wurden als zwei Männer und zwei Frauen festgestellt. Alle, außer der einen, die eine jüngere weibliche Person zu sein schien, waren bis zur Unkenntlichkeit entstellt; etwaige Erkennungspapiere durch die Witterungseinflüsse vernichtet. Jedoch fand sich in der Tasche des jungen Mädchens ein Brief ohne Umschlag, auf dem der Name Oswald Winterloo als Absender angegeben war.

Die Polizeiverwaltung bat um Auskunft, ob er in der Lage sei, die Leichen zu agnoszieren. Winterloo griff sich an die Stirn. Waren das wirklich, wie es den Anschein hatte, die Leichen von Victoria und ihren Eltern – die vierte wohl die des Piloten –, dann war ja die ganze Feststellung, sie seien beim Brand von São Salvador umgekommen, ein Irrtum gewesen...

Er mußte sofort nach São Salvador. Aber vorher mußte er versuchen, Tejo zu sprechen. Am nächsten Tage gelang es ihm, den Aufenthalt des Majors in Brasilia festzustellen. Das nächste Flugzeug brachte ihn dorthin.

Als er bei Tejo eintrat, machte der ein erstauntes Gesicht, fragte kühlen Tones nach seinen Wünschen.

Winterloo erklärte in wenigen Worten den Zweck seines Kommens, übergab Tejo das Schreiben aus Bahia. Der las es, wandte sich dann ab.

Endlich drehte er sich um. »Du kommst zu mir, weil du annimmst, die Toten seien meine Eltern und Victoria? Ich selbst habe kaum Zweifel, daß es sich so verhält. Ich eile sofort nach Bahia, um mir Gewißheit zu verschaffen. Es dürfte kaum nötig sein, daß du mich begleitest.«

Winterloo unterdrückte die scharfen Worte, die ihm auf der Zunge lagen. Er verneigte sich kurz. »Ich sehe, es ist dein Wunsch, allein zu fahren. Ich überlasse dir diese Papiere und bitte dich, mir von deinen Erkundungen Nachricht zu geben.«

Mit steifem Gruß verließ er das Zimmer.

Ein paar Tage später traf abermals ein Schreiben der Polizeiverwaltung von São Salvador ein. Es bestätigte, daß die Leichen der in dem Flugzeug verunglückten Passagiere mit Bestimmtheit als die des Ehepaares Tejo und ihrer Tochter Victoria erkannt worden seien.

Ein paar Wochen waren vergangen. Die tägliche Frage: »Wo steckt Wildrake?« begann zu verstummen. Das Rätselraten, wo Wildrake seine Stützpunkte haben könnte, woher das Boot stamme, wer ihm Waffen und Betriebsstoffe lieferte, begann die Leute immer weniger zu interessieren. Die umfassenden Vorsichtsmaßregeln, die unausgesetzte Wachsamkeit ließen wohl kaum noch etwas befürchten.

Da weckte eine Reihe furchtbarer Ereignisse die Sorglosen.

Die »Pelotas«, das größte, neueste Flugzeugmutterschiff der brasilianischen Marine, befand sich mit achtzig Flugzeugen an Bord auf einer Marschfahrt von Fernando de Noronha nach Süden. Auf dem dreiundzwanzigsten Grad südlicher Breite und dem sechsundzwanzigsten Grad westlicher Länge wurde das Schiff am achtzehnten April in der zehnten Abendstunde von zwei Torpedoschüssen mitschiffs getroffen. Die Besatzung vermochte noch die Boote klarzumachen und sich in Sicherheit zu bringen. Dann sank die »Pelotas« in die Tiefe.

Auf die SOS-Rufe der »Pelotas« war ein leichtes Kreuzergeschwader von vier Schiffen von seinem Heimathafen ausgelaufen. Der Kommandant steht über die Karte gebeugt. Die Schiffe fahren mit äußerster Maschinenkraft, und doch wird es nicht möglich sein, vor Anbruch des Morgens die Unfallstelle zu erreichen.

Wo mochte Wildrake stecken? Würde er sich wiederum irgendwo »verkriechen« wie damals? Der Kommandant glaubte nicht an das »Verkriechen«, wie die Zeitungen es auszudrücken beliebten. Nach allem, was er von Wildrake wußte, mochte er wohl besondere Gründe für die lange Untätigkeit gehabt haben.

Im Gegenteil würde er vielleicht gar die Gelegenheit benutzen, Schiffe, die zur Hilfe herbeieilten, anzugreifen. Die dunkle Nacht war wohl geeignet dafür. Es galt auch für den Kommandanten des Kreuzergeschwaders, rechtzeitig Sorge zu tragen, daß er nicht selbst von Wildrake überrumpelt würde. Doch noch trennten ihn ja über zweihundert Seemeilen vom Ort des Überfalls. Selbst wenn Wildrake mit forciertester Fahrt nach Norden jagte, war ein Zusammentreffen mit ihm vor der vierten Morgenstunde nicht denkbar. Immerhin beschloß der Kommandant alsbald, alle Vorsichtsmaßnahmen zu treffen.

Da rissen ihn zwei schnell aufeinanderfolgende Detonationen aus seinen Gedanken. Er fuhr herum. Die beiden folgenden Schiffe ... waren torpediert, hatten schon schwere Schlagseite.

Der Maschinentelegraf spielte in der Hand des Kommandanten. Der Kreuzer drehte im scharfen Bogen ab. Da, bei dem letzten Schiff, das eben aus der Kiellinie ausscherte, eine schwere Explosion. Kurze Zeit nur, und das Schiff sank.

»Eine Schreckensnacht!« Die Schlagzeile der Morgenzeitungen von Rio de Janeiro. Die »Pelotas« und drei Kreuzer versenkt! Wildrake? Nein, die Entfernung zwischen den beiden Unglücksstellen war ja so groß, daß nicht dasselbe U-Boot, das die »Pelotas« torpedierte, auch die Kreuzer vernichtet haben konnte.

Die Bestürzung und Verwirrung in den Hafenstädten war unbeschreiblich.

Der nächste Morgen brach herein. Noch zitterten in allen die Gedanken an die furchtbaren Ereignisse der vorletzten Nacht, da trafen Nachrichten ein, die geeignet waren, neues Entsetzen in ganz Brasilien hervorzurufen.

Feindliche Flugzeuge hatten im Laufe der Nacht durch Bombenabwürfe die Kraftwerke von Porto Allegre schwer beschädigt, die Munitionsfabriken in Campinas und Goyaz vernichtet. Die gegen Mittag eintreffende Nachricht, ein Marinetransportdampfer sei zwanzig Meilen vor Bahia versenkt, fand zunächst keine besondere Beachtung. Doch bald darauf erkannte einfachste Überlegung, daß die U-Boot-Gefahr überall vorhanden war.

Drei U-Boote? Ein Flugzeuggeschwader? Woher nahm Wildrake solche Kräfte? Nur eine Meinung: Bruch des Waffenstillstandes! Venezolanische Waffen! Nichts anderes konnte es sein.

Ein heftiger Pressefeldzug gegen Venezuela begann. Von allen Seiten wurde die Regierung bestürmt, die Friedensverhandlungen sofort abzubrechen und den Krieg fortzusetzen. In den Ministerien reihten sich erregte Konferenzen aneinander. Der Außenminister Torno hatte einen schweren Stand. Von Caracas kamen die heiligsten Beteuerungen, es sei ausgeschlossen, daß venezolanische Kräfte in Aktion getreten. Man bat um Entsendung einer Kommission, um die Angaben der venezolanischen Regierung nachzuprüfen.

Die umfassendsten Maßnahmen wurden getroffen, um Wildrake auf die Spur zu kommen.

Aufs höchste stieg die Erregung, als am Abend des nächsten Tages neue Hiobsbotschaften kamen, die die Verwirrung noch weiter steigerten. Im Hafen von Trinidad waren zwei brasilianische Kreuzer versenkt worden!

Neue Nachrichten aus Venezuela verhießen ebenfalls nichts Gutes. Dort war es überall anläßlich der Ereignisse zu heftigen Kundgebungen für Wildrake und gegen Brasilien gekommen, die von der Regierung nur mit Waffengewalt unterdrückt werden konnten.

Ein kleines Hochplateau bei Berinao in den östlichen Kordilleren. Pichincha nannten es die Indios. Ein schmaler Weg, der an der Seite eines schäumenden Wildbaches dorthin führte, war der einzige für Menschen beschreitbare Zugang. Hierhin hatte sich Guerrero mit seinen Leuten zurückgezogen.

Die Regierung konnte es nicht wagen, tatkräftig gegen ihn vorzugehen. Der Friede war trotz aller Schwierigkeiten in absehbarer Frist zu erwarten. Dann war noch immer Zeit, ihn zur Verantwortung zu ziehen. Vorläufig begnügte man sich damit, ihn unter Beobachtung zu halten, damit er nicht etwa durch Zuzug anderer unzufriedener Elemente eine bedrohliche Machtstellung erlangte. Daß die Berichte, die die Regierung erhielt, nicht der Wahrheit entsprachen, entging ihr.

In Wahrheit wuchs Guerreros Macht von Tag zu Tag.

Ein Flugzeug, von Westen kommend, setzte auf dem Plateau von Pichincha auf. Im Nu war es von einer Schar Bewaffneter umringt, die neugierig unter lauten Rufen dem Aussteigenden entgegendrängten.

»Viva Venezuela libre! Viva el Capitan Wildrake!« rief er.

Durch das Jubeln der Masse drang ein lauter Ruf: »Ah! Antonio Barradas! Bist du's oder dein Geist?«

Der Flieger nickte grüßend einem Offizier zu, der sich nach vorn drängte. »Gutes Zeichen, dich als ersten hier zu begrüßen!«

Voller Wiedersehensfreude lagen die beiden sich in den Armen. »Ist der Oberst hier?« fragte Barradas, der sich neben Roca mit Mühe einen Weg durch die Menge bahnte.

»Gewiß! Wo soll er anders sein? Ich führe dich sofort zu ihm.«

Ein Weg von einer Viertelstunde, dann hatten sie ein Blockhaus erreicht. »Hier unser Hauptquartier, Barradas! Da ist er schon, der Oberst!«

Bei ihrem Nahen trat Guerrero aus dem Gebäude. Die straffe Gestalt in Militäruniform.

Roca stellte Barradas vor. Mit einer höflichen Verneigung lud Guerrero ihn in das Innere seines Hauses. Roca, in dem Gefühl, hier nicht länger gebraucht zu werden, blieb auf der Bank draußen. Doch seine Geduld wurde auf eine harte Probe gestellt. Stunden verrannen, und noch immer verweilte Barradas da drinnen.

Endlich öffnete sich die Tür. Barradas trat heraus, das Gesicht gerötet, die Augen voll freudigen Glanzes.

Roca sprang auf.

»Gut, Roca, daß du gewartet hast! Der Oberst verwies mich an dich. Ich brauche deine Hilfe.«

»Gern bereit! Was willst du?«

Barradas dämpfte seine Stimme. »Ich brauche ungefähr acht Leute. In erster Linie solche, die bei der Marine waren, und, wenn möglich, auch mit einem Flugzeug umzugehen wissen. Lauter zuverlässige Männer jedenfalls.«

»Das dürfte nicht schwerfallen, Barradas. Ich werde dir binnen einer halben Stunde acht Burschen vorführen, die gewillt sind, den Teufel aus der Hölle zu holen. Doch wie willst du sie von hier wegbringen?«

»In meinem Flugzeug.«

»Wird das kleine Ding neun Menschen tragen, dazu Treibstoff in genügender Menge? Ich nehme an, dein Weg ist weit!«

»Keine Angst, Roca! Schade, daß du nicht selbst mitkannst. Du würdest bald einige Überraschungen erleben. Doch der Oberst mag dich nicht entbehren. Im übrigen versäume nicht, uns mit Radionachrichten auf dem laufenden zu halten! Den Codeschlüssel für die Wellenlänge bewahre sorgfältig auf!«

Zum Erstaunen Rocas und der anderen Neugierigen erhob sich Barradas' Schiff mit der großen Last ohne Schwierigkeit vom Boden, verschwand in schneller Fahrt gen Westen.

Die »Susanna« folgte ihrem Kurs von Tobago nach Santa Maria. Ihr Befehlshaber Caleja beobachtete mit dem Fernrohr den Rumpf eines anderen Schiffes, das allmählich hinter der Kimme im Osten untertauchte.

»Der Truxtondampfer ist verschwunden«, wandte er sich an die Besatzung.

Vier neue Gesichter an Bord der »Susanna«: die Hälfte der Schar, die Barradas von Pichincha nach Santa Maria gebracht hatte. Verwegene, energische Gesichter.

»Der Captain könnte jetzt mit der ›Venezuela libre‹ kommen!« meinte Calleja. »Es heißt also scharf Ausguck halten, damit wir ihn nicht verfehlen. Sein Verbrauch an Knallbonbons war ja für den Anfang recht vielversprechend. Nun, was wir da jetzt von dem Truxtondampfer übernommen haben an Torpedos, Bomben, Minen, dürfte für einige Zeit genügen. Denn, offen gesagt, diese Transportfahrten zur Küste hier, um Material und Munition zu holen, erscheinen mir nicht ganz unbedenklich. Man könnte uns dabei doch mal erwischen!«

Calleja und zwei der Leute gingen nach unten in die Messe. Kaum hatten sie ihr Mahl beendet, klang die Stimme des Mannes vom Ausguck.

»U-Boote voraus!«

Im Nu waren die anderen wieder nach oben gestürmt.

Der Ausguckposten deutete nach vorn, wo ein halbes Dutzend U-Boote in Überwasserfahrt in Dwarslinie herankam.

»Ruder Backbord!« schrie Calleja dem Steuermann zu, eilte selbst zur Brücke, um die Fahrt der »Susanna« aufs äußerste zu beschleunigen.

Infolge des Steuermanövers der »Susanna« waren die U-Boote so nahe herangekommen, daß man sie mit dem Glas genau beobachten konnte. Von dem Flügelboot – jetzt auch von dem zweiten – und nun von allen... Sechs Flugzeuge stiegen auf, glitten fächerförmig auseinander. Die Außenenden ihrer Kurve weit vorgebogen, näherten sie sich der »Susanna« – offensichtlich, um sie einzukreisen.

Ohne Kommando hasteten alle außer Calleja, der am Ruder blieb, zu den Abwehrgeschützen am Bug. Doch die beiden Kanonen waren überlagert von Kisten und Geräten. Noch ehe man die Hindernisse weggeräumt, stand ein Flieger über ihnen, ließ eine Briefboje auf das Deck der »Susanna« fallen. Gleichzeitig prasselte zur Warnung ein Kugelregen aus Maschinengewehren dicht vor ihnen ins Wasser.

Calleja ließ stoppen, öffnete die Boje, las: »Sofort halten! Untersuchung durch U-Boote abwarten! – Niemals!« schrie er den Gefährten zu. »Lieber sprengen wir unser Schiff!«

Die U-Boote hatten sich währenddessen in einem Halbkreis um die »Susanna« auf die Lauer gelegt. Calleja sah, wie man eine Pinasse klarzumachen begann. Als sei dies ein Zeichen für die Flugzeuge, ließen sie von der »Susanna« ab und jagten in Geschwaderformation in der Richtung des entschwundenen Truxtondampfers davon. Die »Susanna« lag ja sicher unter den Kanonen der U-Boote. In wenigen Minuten waren die Flieger außer Sicht.

Die Pinasse war inzwischen zu Wasser gebracht. Die Mannschaft stieg ein.

»Kein Brasilianer soll lebend das Deck der ›Susanna‹ betreten!« knirschte Calleja. »Sobald sie heran sind, fliegt das Schiff in die Luft.«

Er eilte nach unten.

»Bravo! Endlich scheinen wir den Burschen über den Hals zu kommen!« rief Marineminister Aposta seinem Adjutanten zu, der ihm die Radionachricht brachte, ein Motorschiff »Susanna« sei auf 33 Grad südlicher Breite, 38 Grad westlicher Länge mit Hilfe von Flugzeugen umstellt und gefaßt. Die Flugzeuge unterwegs, um einen verdächtigen englischen Dampfer festzuhalten.

»Suchen Sie telefonische Verbindung mit Major Tejo! Ihm ist es zu danken, daß wir dieser Fährte nachspürten.« –

Einem gerissenen Pressemann gelang es, von dieser Nachricht Wind zu bekommen. Kurz darauf eilte sie wie ein Lauffeuer durch die Stadt und nahm bei der Weitererzählung von Mund zu Mund immer gewaltigere Ausmaße an.

»Wildrake gefangen!« war der Schwanz der Riesenente.

Noch ratterten die gigantischen Maschinen der Zeitungsdruckereien mit Feuereifer in voller Arbeit, um die Jubelbotschaft in Millionen von Exemplaren zu vervielfältigen, da traf ein Radiotelegramm ein, das den Giganten in den Arm fiel. Die weiten Hallen der Druckereibetriebe lagen minutenlang in tiefster Stille.

Ein neuer Satz wurde eingefügt. Wieder begannen die Maschinen zu arbeiten. Doch fast schien es, als ob sie nur zögernd, widerwillig die veränderte Nachricht druckten.

»Riesenflugzeug Wildrakes!« lautete jetzt die Überschrift. Die Kunde kam von U. IV. 80, dem einzigen geretteten Rest der brasilianischen U-Boot- und Flugschiff-Flottille.

Der vom Marineministerium ausgegebene Bericht besagte folgendes:

»Unter 33 Grad südlicher Breite, 38 Grad westlicher Länge war ein Motorschiff ›Susanna‹ unbekannter Nationalität von einem unserer U-Boot-Geschwader, bestehend aus sechs Booten, mit Hilfe von ebensoviel Flugzeugen angehalten worden. Zum Stoppen aufgefordert, gehorchte die ›Susanna‹. Da ein Entkommen des Schiffes nicht zu befürchten war, entsandte der Kommandant die sechs Flugzeuge zur Verfolgung eines Dampfers, von dem man vermutete, daß er der ›Susanna‹ Konterbande ausgeliefert habe.

Die Flieger waren bereits außer Sicht, als der Kommandant eine Pinasse mit Bewaffneten abgehen ließ, um das Motorschiff zu untersuchen. In diesem Augenblick stieß plötzlich ein Luftfahrzeug, das in außerordentlich großen Höhen herangekommen war und deshalb erst so spät entdeckt wurde, in steilem Gleitflug herab. Ein Flugschiff von erstaunlichen Formen. Noch ehe man sich über die Absichten der ebenso unbekannten wie überraschenden Erscheinung klar werden konnte, begann das rätselhafte Schiff die U-Boote mit Wasserbomben und Lufttorpedos schwersten Kalibers zu überschütten. Die Wirkung war verheerend. Soweit die Boote nicht sofort durch die Lufttorpedos erledigt wurden, brachten die Wasserbomben sie zum Sinken.

Lediglich dem Führerschiff gelang es zu tauchen und zu entkommen. Auch war kurz zuvor ein Funkbefehl an das Flugzeuggeschwader ergangen, auf der Stelle umzukehren und sich gegen den unerwarteten Feind zu wenden.

Als nach einer Weile unser U-Boot sich so weit an die Oberfläche wagte, um mit dem Periskop Umschau zu halten, wurde es Zeuge des Kampfes zwischen dem Flugzeuggeschwader und dem fürchterlichen Gegner. Dieser entwickelte trotz seiner Größe eine weit überlegene Schnelligkeit. In geschickten Kurven wich er den Angreifern aus. Beschoß sie aus einer Entfernung, in der ihn das Maschinengewehrfeuer nicht erreichen konnte, mit Geschützen.

Vergeblich die todesmutigen Angriffe unserer Flieger. Ohne dem Feind Schaden zufügen zu können, stürzte einer nach dem andern ab. Das entkommene U-Boot war selbst so schwer havariert, daß es nicht daran denken konnte, in das Gefecht einzugreifen. Es beobachtete jedoch noch, wie das fremde Flugzeug neben der ›Susanna‹ wasserte und von dem Motorschiff Ladung übernahm. Dann flog das Flugschiff in östlicher Richtung weiter, während die ›Susanna‹ ihre Fahrt westwärts fortsetzte.«

Wie in Brasilien, wurden auch in der übrigen Welt die überwältigenden Leistungen Wildrakes besprochen und bestaunt. Das Geheimnis seines Fahrzeugs war allerorten Gegenstand lebhafter Meinungsverschiedenheiten. Der Bericht einer finnischen Zeitung, daß die sonderbare Konstruktion eine Vereinigung von U-Boot und Flugschiff darstelle, wurde wegen der offenbaren Unsinnigkeit gar nicht beachtet.

»Señor Moleiro!« meldete der Diener.

William Hogan wandte sich hastig um, drehte die Lampe des Schreibtisches so, daß er sich im Schatten des grünen Schirmes befand. Moleiro trat ein, nahm Platz.

»Ihr telegrafischer Bericht, Señor Moleiro, bedarf noch einiger Ergänzungen. Ich ließ Sie deshalb zu mir kommen. Wiederholen Sie nochmals kurz, was Sie in der bewußten Angelegenheit auf Ihrer schottischen Reise ermittelt haben!«

»Ich war genötigt, um neugierigen Fragen aus dem Wege zu gehen, eine Reihe von Grundstücken zu kaufen, darunter auch das bewußte am Fluß mit der Hütte des Fischers. In Edinburgh gelang es mir, einen vertrauenswürdigen Arzt zu gewinnen, der bereit war, eine Exhumierung der Leiche vorzunehmen.

Ich allein besorgte das Öffnen des Grabes. In geringer Tiefe stieß ich auf die vermoderten Reste eines Sarges. Nachdem ich alle Holzteile sorgfältig entfernt, kam ein menschliches Skelett zum Vorschein. Ihrem Wunsche gemäß ließen wir die Überbleibsel möglichst unberührt. Der Arzt stieg zu mir in die Grube und begann seine Untersuchung.

Das Ergebnis ist Ihnen ja bekannt, Mr. Hogan. Der Arzt agnoszierte die Leichenreste als die eines jungen Mädchens – etwa zwanzig Jahre alt, blondhaarig.«

»Und Sie fanden keinerlei Gegenstände, die der Verwesung getrotzt haben? Schmucksachen vielleicht?«

Moleiro senkte verlegen den Kopf, zögerte mit der Antwort.

»War da nicht etwa ein Ring?« kam Hogans Frage.

»Allerding, Señor Hogan! Ein Eing. Er lag zwischen den Knochen der linken Hand.«

»Wie sah er aus? Wo ist er?«

»Ich steckte ihn zu mir. Nachdem wir das Grab wieder zugeschüttet hatten, gingen wir in die Hütte, wo der Arzt in meiner Gegenwart ein Protokoll über den Befund niederschrieb. Dabei lag der Ring auf dem Tisch. Es war ein schmaler Damenring mit drei kleinen Brillanten ohne besonderen Wert.« Nach einer kleinen Pause fuhr Moleiro unsicher fort: »Der Ring lag links neben mir auf dem Tisch. Rechts von mir saß der Arzt. Als er fertig war und ich aufstand, wollte ich den Ring wieder an mich nehmen. Aber er war verschwunden!«

Hogan sprang auf und schritt unruhig im Zimmer hin und her. Schließlich ging er wieder zu seinem Stuhl, wollte sich darauf niederlassen. Da hielt er plötzlich an. Die Füße wie festgewurzelt am Boden, den Oberkörper weit zurückgebeugt. Er wollte sich aufrichten, taumelte.

Moleiro sprang hinzu, suchte ihn zu stützen. »Señor Hogan, was ist Ihnen?«

Der stieß ihn zurück, trat einen Schritt vor, bückte sich. Moleiros Augen folgten Hogans Blick. Da lag ein Ring! Hogan hob ihn auf, trug ihn zum Schreibtisch.

»Der Ring! Da ist er ja!« Moleiro ergriff ihn mit zitternden Fingern, betrachtete im Schein der Lampe die funkelnden Steine, den Reif, die Fassung.

»Er ist's!« Moleiro suchte sich zu fassen, fuhr stotternd fort: »Doch wie kommt er hierher?«

»Das frage ich Sie, Señor Moleiro! Ich gestehe, die Überraschung war groß für mich. Doch jetzt, bei näherer Überlegung ... Nur Sie können ihn hierhergebracht haben!«

Moleiro stammelte wirre Entschuldigungen? »Gewiß – wenn Sie, Señor Hogan, es sagen, muß es wohl so sein! Aber ich verstehe es nicht. Die Kleidung, die ich in Schottland trug, ließ ich dort. Wenn er in einer Tasche gesteckt hätte, so wäre es unmöglich, daß er dann in diesen Anzug gekommen wäre, ohne daß ich ihn hineingetan. Und ich ...«

»Gehen Sie jetzt, Señor Moleiro! Der Auftrag mag Ihre Nerven angegriffen haben. Sie sind auf acht Tage beurlaubt. Halten Sie sich weiter zu meiner Verfügung!«

Moleiro ging zur Tür, öffnete sie. Während er sich umwandte, schlüpfte ein kleines Windspiel herein, das freudig an Hogan emporsprang. Der streichelte ihm zärtlich den schmalen Kopf, warf ihm ein Stückchen Zucker zu, das durch das Zimmer rollte.

Da, kaum einen Schritt von dem Zucker entfernt, blieb das Windspiel stehen, fing an, wütend zu kläffen. Hogan sah lächelnd dem Hund zu, der mit dem Zucker zu spielen schien. Doch als das Tier nicht mit dem Bellen aufhörte, stand er selbst auf, nahm den Zucker, hielt ihn dem Windspiel hin. Aber es wandte den Kopf, hastete, bald vorwärts- bald zurückspringend, nach der Tür.

»Bilhao!« Hogan wurde zornig. »Hierher zu mir!«

Der Hund folgte widerwillig, legte sich zu Hogans Füßen auf den Boden, den Kopf knurrend auf die Tür gerichtet.

Eine Erinnerung tauchte in Hogan auf. Er schloß sekundenlang die Augen ...

Damals, vor dreißig Jahren, an jenem Schicksalstag, als er mit seinem Vater in Roßmore-Castle zusammensaß ... Hektor, sein alter Jagdhund – hatte der nicht auch solch auffälliges Gebaren gezeigt, so, als wäre eine dritte Person im Zimmer, die ...?

Ganz deutlich stand jetzt alles vor seinen Augen.

Er machte eine jähe Bewegung. Der Hund deutete sie falsch, sprang auf, eilte zur Tür, fuhr aufheulend zurück.

Blitzschnell griff Hogan in die Tasche. Eine Waffe funkelte in seiner Hand, zwei Schüsse fuhren krachend in die Tür.

Das Splittern im Holz verscheuchte die gespenstischen Gedanken. Hogan atmete tief. Narr, der ich bin!

Da wurde die Tür aufgerissen. Ein paar Diener eilten angstvoll herein, blieben erstaunt stehen, als Hogan sie mit ruhig lächelnder Miene empfing.

»Keine Furcht, José!« redete er den einen an. »Eine kleine Schießübung. Die Löcher da in der Tür – ihr seht sie ja! Geht nur wieder!«

Als Hogan allein war, schwand seine künstliche Gelassenheit. Unruhig ging er im Zimmer auf und ab. Bilhao schlich ängstlich neben ihrem Herrn hin und her. Doch jetzt, an der Tür, blieb sie stehen, neigte schnuppernd die Nase. Hogan sah's und ging auf den Hund zu, schob ihn zur Seite. Was sah er da?

Zwei Blutstropfen auf dem Boden! Blut – Blut – Hogan wischte mechanisch mit dem Finger darüber, hielt ihn ans Licht. Blut – Menschenblut?

Er schlug die Hände vors Gesicht. Dann wandte er sich um, stürmte wie ein Wahnsinniger durch den Raum.

Bin ich toll geworden? Ich, William Hogan, der Mann mit den eisernen Nerven, wie sie mich nennen? Sollen Erinnerungen an Zeiten, die ein Menschenalter zurückliegen, mich jetzt noch wahnsinnig machen können?

Mit einem Ruck blieb er stehen, starrte in den Spiegel. War das sein Bild? Diese verzerrten Züge, diese übernatürlich großen Augen, diese zerfurchte Stirn?

Er riß die Tür zum Schlafzimmer auf, erfrischte dort Gesicht und Hände. Atmete auf.

Meine Nerven sind zerrüttet. Nichts anderes! Torheit, daß ich Moleiro nach Schottland sandte! Wozu das alles? ... Vivian ist tot!

Er ging in das Arbeitszimmer zurück. Sein Blick fiel auf den Schreibtisch, auf den glitzernden Ring unter der Lampe. Er riß ein Fach des Schreibtisches auf, warf den Ring hinein, schloß es ab. Schloß ab mit allem, was ...

Die Tür ging auf. Der Sekretär trat ein. »Die Konferenz, Señor Hogan! Der Wagen steht vor der Tür!«

Die Sitzung bei Torno. Man hatte den Vortrag des Marineministers angehört, der dafür eintrat, die äußersten Machtmittel einzusetzen, um dieses furchtbaren Gegners Herr zu werden. Zum Schluß streifte Torno noch einmal den Stand der Friedensunterhandlungen in Manaos. Wie immer, drängte der Marineminister auf Abbruch der Verhandlungen, während Torno ebenso heftig dagegensprach.

Da stand Hogan auf, begann zu reden. Wie unter körperlichen Schmerzen quollen die Worte von seinen Lippen:

»... Friedensschluß mit Venezuela um jeden Preis!«

Die anderen blickten ihn verständnislos an. Der Marineminister rief ihm entrüstet zu: »Señor Hogan, wollen Sie Ihren Scherz mit uns treiben?«

Auch Torno war überrascht. Ein solches Ansinnen aus Hogans Mund?

Der sprach unbeirrt weiter: »Nach den zuverlässigen Berichten meiner Agenten dürfte der Sturz der jetzigen venezolanischen Regierung nur noch eine Frage von Tagen sein. Die neue Regierung, mit Guerrero an der Spitze, wird bis zum letzten Atemzug kämpfen.«

Hogan hob abwehrend die Hand gegen den Kriegsminister. »Sie wollen sagen, Señor Revelador, daß wir doch Sieger bleiben werden – und so weiter ... Caracas besetzen – das Ziel Ihrer Wünsche ist uns ja bekannt!« Er hielt inne. »Sie mögen denken, wie Sie wollen! Ich will mich nicht darauf einlassen, Ihnen die Gründe für meine Meinungsänderung zu erklären. Meine Ansicht über das, was zu tun ist, ist ja, da ich nur als Gast hier weile, für Ihre Beschlußfassung nicht maßgebend. Ich wiederhole nur noch einmal: Die Friedensverhandlungen sind um jeden annehmbaren Preis so rasch wie möglich zum Abschluß zu bringen, da eine Fortsetzung des Krieges unter den jetzigen Umständen die Opfer nicht lohnt.«

Torno nickte Hogan leise zu. Die anderen beiden verharrten in eisigem Schweigen. Hogan erhob sich, wollte gehen. Da trat ein Adjutant ein, überbrachte eine Depesche an Aposta.

Der riß sie auf. Dann las er vor: »Die Arsenale von Manaos durch Bombenabwürfe zur Explosion gebracht. Die Stadt in Flammen. Die Friedensunterhändler haben den Ort fluchtartig verlassen.«

Der Marineminister zerknitterte wütend das Blatt in seiner Hand. »Verflucht, dieser Wildrake! Steht er mit dem Teufel im Bunde? Es ist ja, als kämpften wir mit Schatten.«

Schatten! Hogan war zusammengezuckt. »Schatten!« keuchte er heiser.

»Ja, mit Schatten kämpfen wir! Aber sie haben Blut in den Adern, die Schatten – ich sah es!«

Torno war auf den Taumelnden zugesprungen, führte ihn zu einem Sessel. »Sind Sie leidend, Señor Hogan? Soll ich einen Arzt kommen lassen?«

»Verzeihen Sie, meine Herren.« Hogans Stimme klang gezwungen ruhig. »Die letzten Tage ... brachten mir ein paar rätselhafte Vorgänge ... der Vergangenheit ... der Gegenwart vor Augen: Erinnerungen – Gesichte. Dinge, die jedem klaren, logischen Denken widersprechen, geschahen vor meinen Augen. Vergebens raffte ich alle Kraft zusammen, dagegen anzukämpfen. Die Schatten waren stärker!

Ihre Worte, Señor Aposta: ›Es ist, als kämpften wir mit Schatten‹ ließen das Gedenken daran in mir so lebendig werden. Meine Nerven versagten – Sie waren Zeugen, meine Herren. Doch ich schäme mich nicht, schwach geworden zu sein. Denn es war mehr, als ein Mann auszuhalten vermag. Ich wiederhole noch einmal meine Mahnung: Es muß Friede geschlossen werden, wollen wir nicht unterliegen – im Kampf mit den Schatten!«

Torno hatte Hogan sorgenvoll betrachtet. Wie um ihn zu beruhigen, trat er auf ihn zu, schlug ihm leicht auf die Schulter. »Kampf mit Schatten, Señor Hogai?« sagte er schrzenden Tones. »Denken Sie etwa, Wildrake hätte König Laurins Mantel um die Schultern?«

Hogan starrte ihn an. »König Laurins Mantel? Ah, gewiß! Sie meinen die alte Sage vom Zwergenkönig Laurin, der, wenn er seinen Zaubermantel um sich warf, unsichtbar wurde und doch verwundbar blieb? – Ja, ja, so war's eben auch!« Er hob langsam den Kopf, sah zur Tür, murmelte vor sich hin: »Ob er auch hier ist?«

Die anderen sahen beklommen einander an. Was war mit Hogan? Er ist krank, dachte der Marineminister im stillen. Es wird mir nicht schwerfallen, meine Pläne gegen ihn durchzusetzen. Er trat zu Torno, raunte ihm ein paar Worte zu.

Hogan, aus seinen Gedanken gerissen, schien zu ahnen, was jener flüsterte, und sagte mit fester Stimme: »Keine Angst, Señor Aposta! Sie wähnen, einen Kranken vor sich zu haben? Und Sie, meine Herren?« Er deutete auf Torno und Revelador. »Sie denken wahrscheinlich das gleiche? Doch Sie täuschen sich! Ich bin gesünder denn je. Verlassen Sie sich darauf! Wäre ich's nicht, so hätte ich die Stunden des letzten Tages nicht ertragen können, ohne ...«

Er brach ab, reichte Torno und den beiden anderen die Hand. »Tun Sie, was Sie für richtig halten, meine Herren! Meine Meinung kennen Sie.«

Barradas und Calleja traten in Marias Zimmer.

»Alles fertig, Santa Maria!« rief Barradas der Blinden entgegen. »Im Laufe des Tages werden wir alle Einrichtungsgegenstände hinüber in Ihr neues Heim schaffen. Es wird eine Überraschung für Sie sein, wenn Sie die großen, schönen Räume sehen.«

Barradas benutzte unbedenklich das Wort »sehen«. War es doch, als ob Maria trotz ihrer Blindheit alles, was auf der Insel geschah und man ihr erzählte, sähe.

»Oh, da bin ich gespannt, Don Antonio. Gehen wir schnell!«

Unter einem riesigen Brotfruchtbaum war ein schmuckes Holzhaus im Bungalowstil errichtet. Leise strichen Marias Finger über die glatten, wohlgefügten Planken, tasteten sich bis zur Tür entlang.

»Das Zimmer rechts, Doña Maria!« rief Alvarez. Er sprang vor, um Maria hinzuführen, doch sie wehrte ab.

»Nein, nein! Nicht die Überraschung verderben! Selbst will ich alles finden!«

Während Barradas und Alvarez beim Eingang stehenblieben, glitt Maria in dem Zimmer von einem Möbelstück zum andern. Wirklich! Maria schien jeden Gegenstand zu erkennen.

Ihre Hand hatte eine Fotografie berührt. Mit einem freudigen Ruf wandte sie sich zu Barradas um. »Auch daran haben Sie gedacht, Sie lieber, guter Freund! Das Bild Roberts steht schon auf dem Schreibtisch!« Ihre Finger fuhren mit unendlicher Zartheit über die Umrisse des Bildes. »Kann ich's befühlen, so sehe ich Robert vor mir, sehe ich ihn wie – früher. Und morgen sollt ihr alle meine Gäste sein! In diesem schönen Raum werde ich mit noch viel größerem Vergnügen die Wirtin spielen!«

»Wäre doch schade gewesen, wenn das damals die Brasilianer geschnappt hätten!« sagte Alvarez.

»Ich hatte schon mit allem abgeschlossen«, warf Barradas ein. »Wärst du mir nicht noch im letzten Augenblick in den Arm gefallen, lägen wir mit der ›Susanna‹ und all diesen schönen Sachen auf dem Grund des Meeres.«

»Nachdem wir erst zusammen eine nette Luftreise gemacht hätten!« fiel Alvarez ihm scherzend ins Wort.

»Nun, das Vergnügen, jetzt tagtäglich die verrückten Meldungen der Brasilianer zu hören, ist mir ein reichlicher Ersatz für die paar in Angst und Schrecken verlebten Minuten. Das Rätsel des Vogels Greif – ein größeres Rätsel noch das des Adlers Robert Wildrake! Tausend Meinungen – alle einander widersprechend, sich bekämpfend. Der Aktionsradius! Daran scheitert auch bei den klügsten Köpfen jede Erklärung.« Barradas lachte laut auf. »Haha, wenn sie die Lösung wüßten, dann ...«

»Nicht das allein!« unterbrach ihn Maria. »Hinter das Geheimnis des Tauchflugbootes scheinen sie trotz jener Stimme aus Finnland nicht zu kommen.«

»Gewiß!« bestätigte Barradas. »Keiner will an diese phantastische Kombination glauben. Das Schiff Drostes, dazu das Winterloosche Treibmittel haben es fertiggebracht, daß die Brasilianer mit einer Menge starker, unbekannter Gegner rechnen. Nichts Schlimmeres im Kriege als Unsicherheit über die feindlichen Kräfte! Glaubte man bisher durch die aufs höchste vervollkommneten Nachrichtenmittel über alle Bewegungen des Gegners orientiert zu sein, so versagen hier alle Meldungen. Nur auf unsichere Vermutungen bleibt man angewiesen. Denn diese Schläge im Karibischen Meer, im Atlantik und auf dem Festland, ausgeschlossen, daß man es für möglich hält, ein einziger habe das alles in so kurzer Zeit geleistet!«

Alvarez nickte, sprach mit ernstem Gesicht: »Auch in der Heimat müßte man doch dasselbe annehmen, müßte neuen Mut fassen. Müßte im Vertrauen auf diese unbekannten starken Helfer ...«

Barradas wehrte ab. »Keine Übereilung, mein lieber Alvarez! Du sprachst ja schon gestern von ›Guerrero Cunctator‹. Glaube mir, er wird den richtigen Augenblick schon zu nutzen wissen!«

Maria öffnete ihre Uhr, betastete die Zeiger. »In einer Stunde wird Robert vielleicht schon hier sein!« –

Während alle erwartungsvoll nach der »Venezuela libre« Ausschau hielten, war Barradas zu den Empfangsapparaten gegangen. Wohl ein halbes Dutzend kleiner, hochempfindlicher Geräte war neben dem alten Haus aufgestellt, die die für Wildrake wichtigen Meldungen in Morseschrift notierten. Barradas las die Streifen flüchtig ab. Nichts von Bedeutung. Auch der eine für sie bedeutungsvollste Empfangsapparat hatte nur belanglose Meldungen aufnotiert. Die Nachrichten von Rio de Janeiro, in der Chiffre der brasilianischen Marine, waren für sie kein Geheimnis.

Barradas überdachte im stillen das glückliche Zufallsspiel, das ihnen den Schlüssel geschenkt hatte: Jenes Päckchen, das der alte Jean Renard beim Abschied Wildrake in die Hand drückte, enthielt unter anderem das Geheimnis des Chiffreschlüssels. In der brasilianischen Marine war man fest überzeugt, jenes U-Boot sei durch einen plötzlichen Unfall mit Mann und Maus gesunken. Die Möglichkeit, daß irgendwelche Gegenstände, insbesondere der Chiffreschlüssel, in fremde Hände gelangt wären, lag so fern, daß man an eine Änderung des Geheimkodes nicht gedacht hatte. Das Geschenk Jean Renards mußte für Wildrake von größter Bedeutung sein. Insbesondere dann, wenn der Kampf Brasiliens mit Venezuela wieder von neuem entbrannte.

Barradas riß den Streifen ab, warf sich unter einen Baum. Seine Augen glitten noch einmal mechanisch über das schon Gelesene. Es war ja nichts von Bedeutung dabei. Doch – hier! Barradas prägte sich die eine Meldung wieder und wieder ein.

»... Transportdampfer ›Stella‹ auf der Fahrt von Marajo nach Manaos ... die Fahrt durch den Amazonas durch Torpedoboote eskortiert ...... militärische Wachen an Bord ... größte Vorsicht ... 10 000 Tonnen Sprengstoff und Munition ...«

Lautes Jubeln riß ihn aus seinen Gedanken. Er steckte den Telegrammstreifen in die Tasche, eilte zu der kleinen Anhöhe, wo die anderen nach Westen hin ausschauten. Eine Viertelstunde später war die »Venezuela libre« in der Mangrovenbucht sicher vertäut.

Die Tropennacht lag längst über der Insel. Wildrake saß neben Maria. Den Arm um sie geschlungen, überprüfte er während der Unterhaltung der anderen die eingelaufenen Funkdepeschen.

Sie besprachen neue Pläne, die sie auf ihren nächsten Fahrten und Flügen ausführen wollten.

Wildrake fiel Droste ins Wort. »Ein Schlag! Ein Schlag, der wie ein Donnerkrach all den Zauderern in die Knochen fährt! Ein wuchtiger Keulenhieb, der ihnen in die Ohren dröhnt, sie mitreißt!«

Wildrake machte eine abweisende Bewegung. »Vergeblich haben wir uns auf der Fahrt den Kopf zerbrochen. Sahen nur den einen Weg: Höchstens eine ununterbrochene Kette kleinerer Erfolge der ›Venezuela libre‹ könnte jenen großen Schlag ersetzen.«

Er legte die Hände in den Schoß, schüttelte mutlos den Kopf. Sah auf, als ihm Barradas den Morsestreifen in die Finger drückte. Der Chiffreschlüssel hatte sich ihm so fest eingeprägt, daß er den Text wie Klarschrift las.

»Nun, was soll's damit?«

Barradas strich sich mit der Hand behaglich über das lachende Gesicht. »Der Schlag, Captain! Ich dächte, hier wäre eine Gelegenheit, wie sie besser sich kaum je wiederholt!«

Wildrake schaute ihn verständnislos an. Auch die anderen blickten in stummer Erwartung auf Barradas. Der las die Worte der Radiomeldung laut vor. Sah mit verschmitztem Lächeln in die Runde, begann dann:

»Die ›Stella‹ auf dem Wege durch den Amazonas nach Manaos, mit 10 000 Tonnen Sprengstoff an Bord, fliegt bei Obidos in die Luft! 10 000 Tonnen wirksamsten Sprengstoffs zur Explosion gebracht? Für den weiteren Transport von Kriegsmaterial auf diesem Fluß ist das Flußbett unpassierbar gemacht.

Die ungeheuren Erdmassen – etwa eine Million Kubikmeter – werden einen riesigen Damm aufrichten, und die Wassermassen suchen sich ein neues Lager. Die Katastrophe für die Schiffahrt – die weiteren Folgen – ihr mögt sie euch selber ausmalen!«

Wildrake schüttelte den Kopf. »Schon richtig, lieber Barradas. Das wäre ein Schlag, wie ich ihn mir gedacht. Aber es ist dafür gesorgt, daß die Bäume nicht in den Himmel wachsen. Schon in den Fluß überhaupt hineinzukommen, wäre für die ›Venezuela libre‹ unmöglich. Denn dieser Lebensnerv Brasiliens wird ja so scharf bewacht, daß es selbst bei verzweifeltem Wagemut kaum denkbar wäre, der ›Stella‹ dort beizukommen.«

Nach einer kurzen Pause fuhr er fort: »Die direkten Folgen wären freilich von größter Tragweite: Der Amazonas auf lange Zeit gesperrt – die Hälfte der Transportflotte lahmgelegt, zum mindesten stark behindert. Die Folgen? Brasilien wird im Landkrieg gegen uns nicht schnell genug Nachschub bekommen.«

»Die ›Venezuela libre‹, Captain?« fiel Barradas ein. »Nein – an sie habe ich natürlich auch nicht gedacht. Mein Plan ist viel einfacher.«

»Dein Plan, Barradas? Du hast schon einen Plan?«

»Gewiß! Fix und fertig im Kopf!«

»Nun, dann schieß los, alter Freund!«

Barradas zündete sich lächelnd eine Zigarette an, begann dann zu sprechen. Je länger er sprach, desto größer die Erregung bei den anderen. Barradas schloß: »Ich dächte, die Sache wäre weiter nicht schwierig!«

Mit einem Ruck flogen aller Augen zu Wildrake, der mit Droste ein paar Blicke getauscht hatte.

»Unmöglich, Barradas! Die Bewachung in weitem Umkreis ist peinlich streng. Nur unter schärfster Kontrolle können selbst Militärpersonen sich dem Fluß nähern. Zu Wasser sich heranzupirschen wäre gänzlich aussichtslos. Und durch die Luft? Gegen dieses Heer von Hubschraubern, Patrouillenschiffen, das Tag und Nacht den Fluß beschützt, kann niemand an. Dein Plan, so schön er ist, lieber Barradas, ist unausführbar!«

»Eine ganze Reihe von glücklichen Zufällen müßte Ihnen zu Hilfe kommen«, meinte Droste, der Barradas' Worten mit steigender Bewunderung gefolgt war.

Barradas hatte die Augen geschlossen, sog mit gleichgültigem Gesicht an seiner Zigarette, als ob alle diese Einwände an ihm abprallten. Da wurde die sekundenlange Stille durch Maria unterbrochen, die plötzlich aufsprang, die blinden Augen auf Barradas gerichtet.

»Und doch, Don Antonio! Ihr Plan, kühn gedacht, kühn vollbracht – keiner besonderen Glücksumstände bedarf es dann! Sie werden den Zufall meistern, das Schicksal zwingen!«

Barradas beugte das Knie, seine Lippen preßten sich auf Marias Hand. »Santa Maria! Deine Worte sind Segen für mich und meine Tat! Nun bin ich gewiß, daß alles gelingen wird. Auf, Captain Wildrake! Das kleine Flugzeug bereitgemacht! In einer Stunde muß ich schon über der See sein.«

Eine Stunde später schoß die kleine Flugjacht, von Calleja gesteuert, nach Westen.

Adeline Harrach saß in ihrem Zimmer, ein Zeitungsblatt vor sich.

Plötzlich wurde die Tür aufgerissen. Ihr Bruder Franz stürmte herein.

»Noch zehn Minuten, Adeline!« stieß er hervor.

Die Schwester tat, als ob sie seine Worte nicht hörte, las weiter.

»Ich begreife deine Gelassenheit nicht, Adeline!«

Erschöpft ließ er sich in einen Stuhl sinken. Adeline schaute mit spöttischem Lächeln auf. »Du verstehst meine Ruhe nicht, Franz? Und ich deine Angst ebensowenig. Nachdem wir gehört, daß Doktor Arvelin beim Nachlaßgericht vergeblich um Verlängerung der Frist gebeten hat, war ich vollkommen sicher, daß er das Testament des Oheims nicht gefunden hat und auch niemals finden wird.«

Franz wollte antworten, da schlug die Uhr Mitternacht. Mit einem Jubelruf sprang er auf. »Gott sei Dank, die Frist ist um! Das Testament nicht gefunden! Wir sind die Herren von Winterloo!«

Er wollte seine Schwester umarmen, doch die wehrte ab. »Wozu die Aufregung, Franz?«

Der schüttelte den Kopf. »Adeline! Wie kannst du so gleichgültig tun? Eine Flasche Sekt her! Wenn ich jemals eine mit Genuß getrunken, so soll's diese sein!«

»Vergiß nicht, lieber Franz, daß die Siegel des Gerichtsvollziehers am Weinschrank kleben.«

»Pah! Gerichtsvollzieher! Du wirst sehen, wie die Herren Gläubiger winselnd und kriechend zu dem Besitzer von Winterloo kommen, ihm jeden Kredit anbieten werden.«

Er eilte hinaus, kam mit einem Armvoll Flaschen zurück. Dann schenkte er sich ein Glas Sekt ein, stürzte es hinunter, drückte dann auf einen Klingelknopf. Morawsky, der sich den Schlaf aus den Augen rieb, trat ein.

»Um fünf Uhr den Wagen bereithalten! Wir fahren nach Winterloo. Daß du pünktlich zur Stelle bist!«

Die Fenster des Schlosses strahlten in hellem Lichterschein. In dem weiten Speisesaal war ein großes Fest im Gange. An einer langen, geschmückten Tafel saßen die Gäste.

Der neue Schloßherr feierte nachträglich seinen Einzug in Winterloo. In den wenigen Wochen, die seit jenem Abend in Dobra vergangen waren, hatte sich vieles geändert.

Als Franz und Adeline damals am frühen Morgen in Winterloo ankamen, hatten sie sich vergeblich nach Doktor Arvelin umgeschaut. Franz, der unterwegs hämisch erklärte, er würde den alten Schleicher sofort an die Luft setzen, war anscheinend wütend, daß ihm Arvelin diesen Strich durch die Rechnung gemacht. Innerlich freilich war er froh, daß ihm keine Gelegenheit geboten ward, seine Drohung wahrzumachen. Denn sein geheimer Respekt vor Arvelin hatte sich infolge der Ereignisse der letzten Monate bis zu ängstlicher Furcht gesteigert. Einen großen Teil der Dienerschaft aber entließ er sofort. Morawsky wurde an die Stelle des alten Friedrich gesetzt.

Dieses Fest nun sollte den Anfang einer neuen Zeit bedeuten. Mit unverhohlenem Stolz hatten die Geschwister die schmeichlerischen Glückwünsche der Gäste entgegengenommen. Doch noch ein anderer Zweck war mit dem heutigen Abend verbunden: Adelines Verlobung mit dem Grafen Gajewsky sollte bekanntgegeben werden.

Was allen Künsten der koketten Intrigantin bisher nicht gelungen war, das hatte der goldene Hintergrund von Schloß Winterloo endlich vermocht: Eine ganze Reihe ernsthafter Freier bemühte sich plötzlich um ihre Hand. Und es war wohl nur der Grafentitel, der den Hauptmann Gajewsky die anderen Bewerber aus dem Felde schlagen ließ.

Die Feststimmung näherte sich ihrem Höhepunkt. Adeline gab dem Bruder einen mahnenden Wink. Der erhob sich, ein wenig schwankend, tat dann mit schwerer Zunge die frohe Nachricht kund.

Im Nu war der ganze Saal erfüllt von Jubeln, Schreien, Hochrufen. Alles umdrängte das Brautpaar. Gläser klirrten. Franz stieß so heftig mit dem seinen gegen das seiner Schwester, daß dieses in Scherben brach.

Sie erschrak. Ein böses Omen? Doch schnell hatte sie sich gefaßt. Hastig drehte sie sich um, griff über sich zu einem Bordbrett, wo silberne und irdene Trinkhumpen standen. Dazwischen ein goldglänzender Becher. Es war die Monstranz aus dem Mausoleum, die auf Adelines Anordnung hierhergebracht war.

Mit einem übermütigen Ruf ergriff sie das heilige Gerät, hielt es dem einschenkenden Diener entgegen. Der goß es voll roten Weines.

Franz sprang vor, wollte ihr die Monstranz aus der Hand reißen. »Adeline! Um Gottes willen! Ich bitte dich, nicht dieses!«

Doch sie wandte sich lachend um, hob das Gefäß ihrem Verlobten zu, wollte es an die Lippen führen – da ...

Ein Schreckensruf. Ihr Antlitz totenbleich. Die Augen in wirrem Entsetzen weit aufgerissen, stierte sie mit bebenden Lippen um sich.

»Doktor Arvelin! Er ist hier! Was will er?«

Lastende Stille. Betroffen starrten alle auf Adeline.

»Er ist hier! Ich habe sein Gesicht gesehen – hier im Spiegel des Weines! Seine Augen glotzten mich drohend an.«

Die Hand, mit der Adeline die Monstranz hielt, begann zu zittern, und das Gefäß glitt zu Boden. Wie Blut ergoß sich der rote Wein über ihr weißes Kleid.

Graf Gajewsky fing die Taumelnde auf, die sich in krampfhaftem Schluchzen an ihn klammerte. »Suche die Gäste zu beruhigen!« flüsterte er seinem Schwager zu. »Ein kleiner Nervenschock! Denke dir rasch irgendeine Entschuldigung aus!«

Adeline im Arm, verließ Gajewsky den Saal. Doch Franz, geisterhaft blaß, suchte vergeblich nach beschwichtigenden Worten. Sobald er zum Sprechen ansetzte, ward nur immer ein Gestammel »Arvelin!« daraus.

Raunen im Saal. »Welch düstere Geheimnisse?« die einen. »Strafe des Himmels!« die anderen.

»Fort von hier!« raunte man beklommen einander zu.

An Morawskys Arm hastete Franz aus dem Saal. Ihm nach die bunte Schar seiner Gäste. Und schon lag das Gemach, das noch eben von jauchzender Festfreude widerhallte, verlassen und öde.

»Que há, porco!« rief der Sergeant Arvore einem baumlangen Trainsoldaten zu, der, die Hände in den Taschen, müßig zuschaute, wie der Sergeant mit zwei Leuten sich mühte, ein Lastauto mit Kisten und Körben zu beladen.

Der Angeredete nahm lässig die kurze Pfeife aus dem Munde, deutete auf seinen Kraftwagen, der unweit des Depots hielt.

Der Sergeant schüttelte grinsend den Kopf. »Keine Angst, Freundchen! Der Wagen läuft dir nicht weg! Hier, faß an!«

Mürrisch gehorchte der Soldat. Er schwang die schwere Kiste über die Schulter, warf sie krachend auf den Wagen.

»Que há bife!« fluchte der Sergeant. »Langsam mit den schönen Sachen, sonst gibt's ein Donnerwetter bei den Herren da hinten in Villa Bella.«

Er wandte sich den beiden anderen zu, die inzischen neue Vorräte aus den Depots geholt hatten. »Schnell, Ribeiro! In einer halben Stunde mußt du spätestens in Villa Bella sein! Sobald du abgeladen hast, kommst du zurück, fährst dann als zweite Tour nach der anderen Station in Dados Fort. Verflucht, daß man mir so wenig Leute gelassen hat! Der Teufel soll den Kram holen! Die ganze Nacht wird vergehen, ehe alle Lebensmitteltransporte an Ort und Stelle sind. – Du fährst allein, Ribeiro! Ich kann Aves nicht entbehren. Wirst den Weg ja auch bei Nacht finden. Für den Notfall hast du die Karte bei dir.«

»Werde schon zurechtkommen, Sergeant! Habe die Fahrt bei Tage oft gemacht.«

Während der Fahrer sich mit dem Lastauto zu schaffen machte, schritt Arvore zum Depot, schrie im Vorbeigehen dem gezwungenen Helfer zu: »Scher dich zu deinem Wagen! Brauche dich nicht mehr!« –

Ribeiro mochte mit seinem Lastkraftwagen wohl die Hälfte seines Weges zurückgelegt haben, als er vor sich ein Auto halten sah, das anscheinend eine Panne hatte.

Mitten auf der Straße stand der Fahrer und hob die Hand: »Hallo! Halt an! Hast du Stoff zur Aushilfe?«

»Ah!« grunzte Ribeiro vor sich hin. »Du langes Laster hast uns vorhin geholfen. Will ich dir jetzt helfen.«

Er sprang vom Wagen, trat zu dem anderen ... Doch da! Was ...?

Ribeiro konnte nicht weiterdenken. Zwei Hände legten sich wie ein Schraubstock um seine Kehle, daß ihm die Besinnung schwand. Von allem Weiteren – daß seine Hände und Füße gefesselt wurden, daß ein Knebel seinen Mund verschloß – spürte er nichts mehr.

Was nun geschah, vollzog sich in Sekundenschnelle. Der Trainsoldat packte Ribeiro um den Leib, warf ihn in den Personenwagen. Der Motor sprang an. Kaum hundert Meter weiter, wo die Straße sich scharf nach Süden wandte, brach der Wagen in das leichte Gebüsch. Soweit die Bäume es gestatteten, ließ der Lange ihn fahren, bis ein Stamm den Weg versperrte.

»Na schön – es wird genügen! So bald finden sie ihn hier nicht. Gut, daß der Kerl ein Zwerg ist! Mit einiger Mühe werde ich schon in seine Kluft passen. Gracias, Santa Maria! Sie paßt!«

Barradas hatte dem Besinnungslosen die Fesseln gelöst, ihm den Rock abgestreift, den er sich selbst überzog. Auch die Mütze paßte einigermaßen.

»Adens! Passe muito bem!«

Mit ein paar Sprüngen war Barradas auf der Straße, rannte zu dem Lastwagen zurück. Er wollte eben anfahren, da hielt er den Atem an. Geräusch hinter ihm? Er horchte angestrengt. Nein, eine Täuschung! Der Lärm wurde schwächer, verlor sich. Er schaute auf die Uhr.

»Eine Stunde noch! Bis hierher hat Santa Maria geholfen. Möge sie weiterhelfen!« –

»Que há bife!« fluchte der Lastwagenchauffeur, der seine Ladung in Villa Bella abgeladen hatte und jetzt zurückfahren wollte. »Spürte doch schon bei der Hinfahrt, daß die verfluchte Welle einen Knacks hatte!«

Er wandte sich zu den Soldaten der Wache, die gaffend seinen Wagen umstanden. »Mag einer dem Depot melden, daß der Motor kaputt ist. Ich kann heute nicht mehr zurückkommen!«

»Wird besorgt!« rief eine Stimme zurück, während der Soldat sich langsam entfernte.

»Kommst du mit uns, Kamerad?« fragte einer der anderen.

»Danke dir, mein Junge. Nein! Ich bleibe hier im Freien. Lege mich unter die Plane. Die Nacht ist ja nicht kalt.«

»Wie du willst!«

Der Kommandant des Wachtpostens in Villa Bella ergriff den Telefonhörer, lauschte eine Weile, hängte ihn dann wieder ein, sprach zu einem anderen Offizier: »Ein Munitionstransport wird in einer halben Stunde hier vorbeikommen. Befehl an die Wachen: Strengste Aufmerksamkeit. Der Transportdampfer wird von zwei Torpedobooten eskortiert.«

Der Offizier ging zu einem anderen Fernsprecher, gab den Befehl an die Postenführer seines Kanalabschnitts weiter. –

Ein Torpedoboot vor sich, eins hinter sich, näherte sich die »Stella« in langsamer Fahrt Obidos. Der Kapitän stand auf der Brücke, der Erste und Zweite Wachhabende neben ihm. Unterhalb der Kommandobrücke machten die Posten ihren Rundgang an der Reling entlang.

»Blödsinnige Befehle!« sagte der Erste zum Zweiten Offizier. »Was soll der ganze Unfug? Torpedoboote hinten und vorn – Marinesoldaten an Bord. Bilden die da oben sich etwa ein, Kapitän Wildrake spuke hier? Wäre ja gelacht! Der wird sich hüten. Und wenn er ...«

Der Sprecher hielt inne. Er blickte ins Wasser.

»Was ist das?« Seine Hände umklammerten den Arm des Kameraden.

Eine Kiste – etwa hundert Meter vor ihnen – näherte sich dem Bug des Schiffes mit großer Geschwindigkeit. Noch ehe sie dem schwimmenden Körper ausweichen konnten, erreichte sie den Schiffsrumpf, prallte auf.

Ein kurzer, scharfer Knall – dann ein Schlag, als bräche ein Vulkan aus der Sohle des Flußbettes ...

Der Schrei der drei Offiziere verhallte im krachenden Donner der Explosion. Teile des Flußbettes wurden, mit ungeheuren Wassermassen vermischt, turmhoch in die Luft geschleudert. Dazwischen in tollen Wirbeln Trümmer der »Stella« und ihrer Begleitboote. –

Kaum daß die verderbenbringende Kiste von ihm zur Sprengung gekommen, war Barradas in rasendem Lauf vom Bergrand landeinwärts gestürmt. Schon traf der erste Donner an sein Ohr. Barradas wandte mechanisch den Kopf. Da wirbelte der Luftdruck ihn herum, schleuderte ihn zu Boden. Die Sinne drohten ihm zu schwinden.

Mit aller Kraft raffte er sich hoch, keuchte weiter. Doch kaum hatte er hundert Meter zurückgelegt, da begann die Erde unter ihm zu wanken. Er taumelte, fiel, versuchte vergeblich, sich aufzurichten.

»Gott sei meiner Seele gnädig!« stammelte er.

Da, hinter ihm, neues Grauen: ein Knirschen und Dröhnen, als stürze die Welt zusammen. Der Boden unter ihm geriet in Bewegung, schob sich zurück zu einem klaffenden Spalt, der den Erdboden zerbrach.

Was jetzt folgte: Sturz unendlicher Massen in den Fluß – Weltuntergang, dachte er noch. Und dann nichts mehr.

Der politische Seismograph verzeichnete die Ausläufer des erdbebenartigen Ereignisses auf dem Amazonas in den fernsten Teilen des Erdballs. Diese wichtigste Verkehrsstraße Brasiliens auf lange Zeit gesperrt! Eine vollständige politische und wirtschaftliche Umstellung des Landes unvermeidbar.

In der Regierungsstadt Brasilia Tag und Nacht ein ununterbrochenes Gehen und Kommen. Das Parlament in Permanenz, der Pressechef am Ende seiner Kräfte. Im ganzen Land nur ein Schrei: Wer war der Täter?

Fast immer die Antwort der brasilianischen Superlativredakteure: Robert Wildrake! Wildrake der Venezolaner!

Alle Zeitungen strotzend von wütenden Angriffen auf die Regierung Venezuelas. Eine allgemeine Hetze setzte ein gegen das unglückliche Nachbarland, das, im Kriege besiegt, nur mit Mühe den Frieden innerhalb der eigenen Grenzen aufrechterhalten konnte.

Die Regierung in Caracas machte die verzweifeltsten Anstrengungen, sich von dem Verdacht einer Verbindung mit Wildrake zu befreien. Man wollte ihr nicht glauben. Wenn die Unionsregierung noch zögerte, unter dem Druck der öffentlichen Meinung die Feindseligkeiten wiederaufzunehmen, so war besonders der Umstand daran schuld, daß irgendwelche greifbaren Beweise, Robert Wildrake habe die Explosion der »Stella« veranlaßt, nicht zu erbringen waren.

Da kam eine Funknachricht von dem französischen Dampfer »Hirondelle«, die das Dunkel, das über der Katastrophe im Amazonas lastete, aufhellte. Der französische Dampfer, auf der Fahrt von Hawaii nach Rio de Janeiro, empfing am sechzehnten, abends elf Uhr, folgendes Telegramm:

»Hier Kapitän Robert Wildrake. Ich erkläre auf mein Wort, daß ich an dem Angriff auf den Munitionsdampfer ›Stella‹ keinen Teil habe. Dieses kühne Stück ist von meinem Freund, dem früheren venezolanischen Oberleutnant Antonio Barradas, ganz allein in folgender Weise ausgeführt worden.«

Die Welt verhielt den Atem.

Barradas, durch Gewaltstreich im Besitz von Paß und Uniform eines brasilianischen Trainsoldaten – einen Kraftwagen weggenommen, mit gefälschtem Auftrag zu einem Depot gekommen – den Chauffeur eines Lastautos, der Lebensmittel zu einer Wachkompanie nach Obidos zu bringen hatte, heruntergeholt, geknebelt, der Uniform beraubt – dann zur Wachkaserne in Villa Bella gefahren, Motordefekt vorgetäuscht – die Nacht dort geblieben – zwei Patrouillengänger am Rande des Hanges niedergeschlagen – vor Passieren der »Stella« die mitgeführte Bombe auf der Mitte des Flusses verankert, dann elektrisch ausgelöst.

Die Bombe. Fünfzig Pfund brisantesten Sprengstoffs in einer Stahlhülle – Die Kugel von starken Pneumatikwülsten umhüllt – im Augenblick, als die »Stella« nahte, vom Land aus zur Explosion gebracht.

Der kühne Held auf der Flucht in das Unheil der stürzenden Erdmassen gerissen – nach tagelanger Bewußtlosigkeit in einem brasilianischen Militärlazarett wieder erwacht – in der folgenden Nacht trotz ernster Verletzungen entflohen. – Und nun in Sicherheit.

Das alles in Schlagzeilen zwischen dem ausführlichen Bericht, wie ihn die brasilianischen Zeitungen nach dem Telegramm der »Hirondelle« brachten. Die Schlußworte dieser Radiodepesche Wildrakes veröffentlichten nur die wenigsten Blätter:

»Ebenso wie ich meinen Freund Barradas zu dem von ihm allein ersonnenen, von ihm allein durchgeführten Heldenstück beglückwünsche, beneide ich ihn darum. Wenn ich den Hergang dieser Tat bekanntgebe, so tue ich es, um dem Ehre und Ruhm zu geben, der sie verdient!«

In das peinliche Schweigen der brasilianischen Presse schlug das Höllengelächter der Welt. Das eine war sicher: Der Name Barradas würde so bald nicht aus der Geschichte des Amazonas verschwinden, eine spätere Zeit würde das Urteil fällen.

Sachverständige schätzten die Zeit, um den Fluß wieder fahrbar zu machen, auf wenigstens sechs Monate. Und während noch die dunklen Rauchwolken der Explosion wie ein Fanal am Himmel standen, vollzogen sich die Ereignisse, die, schon längst erwartet, losbrechen mußten...

Die venezolanische Regierung gestürzt! Oberst Guerrero zum Diktator ernannt!

In der auf die Katastrophe folgenden Nacht war Oberst Guerrero im Flugzeug mit wenigen Getreuen nach Caracas gekommen, wo die Truppen sofort zu ihm übergingen. Die Regierungsmitglieder wurden verhaftet, sämtliche Amtsgebäude besetzt. Am nächsten Morgen verkündeten Maueranschläge den Bewohnern, daß Guerrero von der neuen Regierung zum Präsidenten mit unbeschränkten Vollmachten ernannt sei.

Das ganze Land, geführt von der Presse, begrüßte den Umschwung der Dinge mit Freuden. Überall in den großen Städten Volksmeetings, in denen man in begeisterten Resolutionen dafür eintrat, den Kampf gegen Brasilien mit allen Kräften fortzusetzen. Von überallher aus dem Lande liefen Petitionen ein, Wildrake und seine Kameraden unverzüglich zurückzurufen.

Die Antwort Guerreros war Kündigung des Waffenstillstandes mit vierundzwanzigstündiger Frist. Der Dank Wildrakes bestand in einem Überfall auf das vor Bahia liegende brasilianische Panzergeschwader, dem er durch Bewerfen mit riesigen Lufttorpedos schwersten Schaden zufügte.

In allen Teilen Brasiliens dasselbe Bild wie ein Jahr früher bei Kriegsausbruch: die während der Friedensverhandlungen in immer größerem Maße erfolgten Entlassungen der Reserven und Leichtverwundeten wurden rückgängig gemacht, alle Entlassenen aufs neue zu den Fahnen gerufen.

Doch diese zweite Einberufung vollzog sich nicht so reibungslos wie die erste. Die Mannschaften, nach den Schrecken des ersten Feldzuges froh, wieder im Kreis ihrer Angehörigen die Freuden des Friedens zu genießen, mußten teilweise mit Gewalt zu den Fahnen geholt werden. Beim Abgang von Transporten zur Grenze kam es zu Meutereien. Die scharfe Zensur verhinderte zwar, daß über all dies in der Presse berichtet wurde, doch konnte die Wahrheit auf die Dauer nicht verborgen bleiben. In- und ausländische Radiomeldungen sorgten dafür.

In Venezuela hatten die Brasilianer eine schwere Niederlage erlitten. Der General Garcia Cubas war in überraschendem Angriff weit über den Ventuarifluß vorgestoßen. Die schwachen brasilianischen Kräfte teilweise ins Gebirge gedrängt, teilweise auf Esmeralda zurückgewichen. Auf dem Rückzug mußte eine Menge Kriegsmaterial im Stich gelassen werden – für die ständig vordringenden venezolanischen Truppen ein unschätzbarer Vorteil: waren doch die Eisenbahnen von den Brasilianern gesprengt, so daß der Nachschub von Munition und Lebensmitteln stark erschwert war, besonders jedoch durch den unpassierbaren Amazonas.

In Esmeralda hatte die brasilianische Heeresleitung in aller Eile eine Auffangstellung vorbereitet, um die Bereitstellungen riesiger Vorräte an Kriegsmaterial und Lebensmitteln in der Sierra de Unturan zu schützen. Der Verlust dieser auf engem Raum konzentrierten Heeresvorräte mußte für die brasilianische Kriegführung verhängnisvoll werden. Alle verfügbaren Kräfte wurden deshalb in Esmeralda zusammengezogen.

Da machte eine einzige Nacht alle Pläne der Heeresleitung zuschanden;

ein Sturm fuhr heulend über die Bereitstellungen. Plötzlich Alarm: Feindliche Flugzeuge im Anflug. Angriff!

Die allgemeine Verwirrung wurde durch diesen plötzlichen Überfall aufs höchste gesteigert. Trotz allergrößter Anstrengungen gelang es nicht, Depots und Magazine zu retten. Als die riesigen Munitionsmengen und Öltanks, die hier lagerten, explodierten, entlud sich die Panik in einem wilden Chaos. Die Truppen entglitten der Hand ihrer Kommandeure und strömten in fluchtartigem Rückzug gen Süden. –

Um Esmeralda kämpften in erbittertem Ringen Brasilianer und Venezolaner. Die zahlenmäßig schwächeren Venezolaner rannten immer wieder vergeblich gegen die festen Stellungen der Feinde an. General Cubas wollte verzweifelt den Befehl zum Einhalten geben – da! Was war das? Von Süden her in weiter Entfernung Kanonendonner, als wäre da stärkster Kampf im Gange.

Derselbe Gedanke auch bei den Brasilianern. Unwillkürlich aller Augen südwärts gerichtet: Rasendes Geschützfeuer dort? Hinter uns? Der Feind schon in unserem Rücken? Wir abgeschnitten? Von Mund zu Mund pflanzten sich die ängstlichen Rufe fort. Der brasilianische Führer selbst schwankend. Keine Antwort, weder durch Draht noch durch Funk vom Oberkommando.

Ehe man den Irrtum erkannt – keine Schlacht, nur Explosionen von Kriegsmaterial –, waren kostbare Minuten verstrichen, währenddes die Befehlsausgabe stockte. Diese kurze Spanne wurde verhängnisvoll. Die Front begann abzubröckeln.

Zu spät der Versuch, durch energische Maßnahmen die Truppen wieder in die Hand zu bekommen. Noch ehe neuer Widerstand vorbereitet werden konnte, ließ General Cubas seine Truppen zum Angriff übergehen.

Die aufsteigende Sonne sah die brasilianischen Stellungen geräumt, Esmeralda im Besitz der Venezolaner. Auf dem blutig errungenen Boden lagen die ermatteten venezolanischen Truppen in tiefem Schlaf. Unmöglich für General Cubas, den fliehenden Feind weiterhin nach Süden zu verfolgen.

Da, ein Schrei der weit vorgeschobenen Posten! Übergreifend auf die Masse der müden Sieger, sie aus dem Schlaf reißend!

»Kapitän Wildrake! . . . Die ›Venezuela libre‹!«

Taumelnd sprangen sie auf, blickten zum Himmel. In den Strahlen der Morgensonne glitzerte der schimmernde Bau der »Venezuela libre«, die jetzt tiefer herabging, mitten zwischen den Stellungslinien aufsetzte.

Begeisterung brach los.

»Wildrake, der Helfer! Wildrake, der Retter!«

Ein Schrei aus tausend Kehlen.

Unmöglich für Wildrake und seine Genossen, das Flugzeug zu verlassen. Eine Mauer von Menschenleibern drängte gegen den Schiffsrumpf, versperrte den Ausgang.

Bis die hohe Gestalt des Kommandanten sich einen Weg durch die Mauer brach, den Eingang freimachte. Wildrake sprang die Stufen hinab, den tausend Armen, die sich nach ihm streckten, entgegen, die ihn emporhoben.

So betrat Robert Wildrake wieder venezolanischen Boden.

»Don Antonio!« Die Hand Marias strich Barradas, der im Schatten eines Baumes lag, über das Gesicht. Sah sie es nicht, so fühlte sie es doch, wie hager seine Wangen, wie tief seine Augen in den Höhlen lagen.

Trotz seiner Riesennatur hatte Barradas das furchtbare Ereignis am Amazonas nicht ohne schwere Folgen überstanden. Seine Flucht aus dem Lazarett... nur unter ungeheuersten Anstrengungen war es ihm gelungen, das Versteck, wo Alvarez mit dem Flugzeug ihn erwartete, zu erreichen. Kaum auf der Insel gelandet, war er in heftiges Fieber verfallen. Dank seiner kräftigen Konstitution hatte er das bald überstanden. Doch wurde er, sosehr er sich auch dagegen wehrte, von den Kameraden als halber Lazarettgast behandelt.

»Don Antonio!« Maria rief es mit lauter Stimme.

Barradas fuhr mit einem Ruck empor. »Santa Maria, was ist?«

Statt einer Antwort drückte ihm Maria einen Morsestreifen in die Hand. Hastig überflog Barradas die Worte.

»Sieg! Sieg!« Triumphierend schwang er den Streifen im Winde. »Sie fliehen, die Brasilianer, zur Grenze! Unser Captain wieder bei den Freunden.«

Auf Barradas' Rufen war Alvarez herbeigekommen. »Ein schöner Weckruf, Barradas!«

»Da kann es wohl nicht ausbleiben, daß wir die Insel bald verlassen und nach Venezuela zurückkehren?« rief Maria.

»Möglich wär's, Santa Maria«, antwortete Barradas. »Doch ich weiß nicht, ob Kapitän Wildrake ebenso denkt. Vergessen Sie nicht, daß wir hier unsere Station haben! Alles von hier fortbringen, drüben im Vaterland von neuem aufbauen – kostbare Tage würden darüber vergehen. Nun, Wildrake wird schon das Richtige treffen.«

»Und Droste?« warf Maria ein. »Wenn ihr's nicht sagt, so will ich's als Braut Wildrakes sagen. Was wären wir, wo blieben all die großen Erfolge, wäre nicht Droste unser Freund, der meinem Roberto erst die Waffen geschmiedet hat, mit denen er seine Taten verrichtet.«

Von der Station kam einer von der Mannschaft gelaufen. »Depesche aus Tabago, Señor Barradas! Truxtondampfer wartet auf die ›Susanna‹.«

»Gut, gut! Ich werde sofort den Kapitän des Dampfers anrufen.«

Barradas eilte zur Station.

»Ein Flieger, Barradas! Er nähert sich der Insel!« schrie Alvarez ihm von weitem zu. »Beende schnell das Gespräch – sonst peilt er uns vielleicht an!«

Barradas sprach hastig noch ein paar Worte, stellte den Apparat ab. »Wo ist er?«

Alvarez deutete nach Norden, wo hoch in den Lüften ein kleines Pünktchen sichtbar ward, das näher und näher kam.

»Du hast recht, Alvarez. Ein Flieger – er kommt von Norden. Wo will er hin? – Alle Mann zum Tarnen!« schrie Barradas über das offene Feld.

In kurzer Zeit waren die Bauten mit den Tarnplanen, die Droste vorsorglich bereitgestellt, überdeckt. Dann verbarg man sich in den Büschen.

Barradas war mit Alvarez und Maria in die alte Wellblechhütte geflüchtet. Durch eine Fensterspalte beobachtete er den Flieger.

»Wahrhaftig! Der Bursche scheint unsere Insel zum Ziel zu haben. Jetzt steht er über uns still, schraubt sich langsam herab.«

»Zum Teufel! Wer könnte das sein?« fragte Alvarez.

»Ist's kein Brasilianer, was Gott gebe, dann dürfte es vielleicht Jean Renard sein. Wundert mich nur, was der alte Freibeuter hier will, wo er doch weiß, daß sein Geschäft drüben im Westen zu blühen verspricht. Ich möchte ... Teufel!« Barradas fuhr zurück.

Alle hörten am Knattern der Motoren, daß der unbekannte Gast in kurzem Stoß zur Insel heruntergegangen war und dann blitzschnell zum Meer hin ausbog.

»Wir sind entdeckt, keine Frage!« rief Barradas. »Der Kerl hat Lunte gerochen, sonst wäre er gelandet. Kein anderer als Jean Renard kann es sein. Ich bin schuld, daß wir ihn damals entkommen ließen, als wir ihn auf frischer Tat ertappten. Der Captain muß sofort benachrichtigt werden!«

»Doch was wird mit dem Truxtondampfer?« warf Alvarez ein.

Barradas zog die Stirn kraus, warf einen Blick zu Maria. »Auch das noch – gerade jetzt!«

»Aber Sie müssen doch fahren, Don Antonio!« rief Maria. »Der Kampf geht weiter. Robert wird die neue Sendung aus England dringend nötig haben. Was für Bedenken haben Sie?«

»Bedenken, Santa Maria? Soll ich Sie allein hier auf der Insel zurücklassen?«

»Gewiß, Don Antonio! Ist das nicht schon oft geschehen?«

»Gewiß! Aber wie ist's, wenn dieser verdächtige Flieger wiederkommt und landet? Sie mit Pablo allein, Santa Maria? Ich könnte es dem Captain gegenüber nicht verantworten, Sie einer solchen Gefahr auszusetzen.«

»Unnötige Sorge, Don Antonio! Wir haben ja das Versteck im Mangrovenwald, wo kein Fremder uns so leicht aufspürt. Unmöglich dürfen wir den Truxtondampfer warten lassen. Sie müssen fahren, und zwar sofort!«

Barradas verhandelte im Flüsterton mit Alvarez, wandte sich dann wieder an Maria. »Ich füge mich, Santa Maria. Doch die Fahrt wird mir schwer werden. Wolle Gott, daß ich bald zurück bin und alles wohlbehalten antreffe.« –

Vier Tage schon war die »Susanna« fort.

Eben hatte Barradas mit Maria einen Funkspruch getauscht. Binnen kurzem würde er wieder sa sein. Die Insel war der Blinden im Laufe der Zeit so vertraut geworden, daß sie sich sicheren Fußes überallhin bewegte. Sie trat aus der alten Wellblechhütte, wo Pablo die Mahlzeit bereitete, ging zu dem neuen Haus, um sich für ein Weilchen auszuruhen.

Kaum hatte sie sich in einen Korbstuhl gesetzt, da horchte sie auf. Ihr feingeschärftes Ohr vernahm den Klang von Schritten, fühlte an dem leichten Luftzug, wie die Tür zu ihrem Gemach sich leise öffnete. Mechanisch wandte sie den Kopf zur Tür. Da, ein eisiger Schreck fuhr durch ihre Glieder. Sie wollte einen Schrei ausstoßen, doch nur ein verworrenes Stammeln kam von ihren Lippen. Hastig strichen ihre Hände über die Augen. Das Bild blieb!

... Eine Sinnestäuschung? Da stand eine Gestalt, die ihr Blick deutlich sah. Ein Mensch? Nein, nur ein überirdisches, geisterhaftes Wesen konnte es sein. Blieb doch alles um die Erscheinung herum in dunkle Nacht gehüllt. In Angst und Entsetzen drohten ihr die Sinne zu schwinden. Mit einer letzten Anstrengung raffte sie sich auf.

»Wer bist du, fremder Mann? Was willst du von mir?«

Kaum war das letzte Wort verklungen, verschwand die Gestalt, als habe sie sich versteckt. Dann war sie wieder da.

»Sprich, du Mensch, oder ...«

Die Gestalt schrak zusammen, blieb aber stumm wie zuvor.

»Denkst du, ich sehe dich nicht, weil ich blind bin? Ich sehe dich wohl! Du bist ein alter Mann. Klein – graues, wirres Haar um dein Haupt. Deine Züge sind verfallen. Du bist krank – der Todesbote ist dir begegnet!«

Ein Schauer schüttelte die Gestalt. Ungewollt stammelte der zitternde Mund: »Blendwerk und Trug! Keines Sterblichen Auge kann mich sehen! – Du, die Blinde? Unmöglich, daß das Schicksal so meiner spotten könnte! Meine Kunst, mit Gesundheit und Leben erkauft, den Gesichtssinn der Menschen zu blenden, zu täuschen – an den toten Augen einer Blinden sollte sie scheitern?«

»Du wehrst dich vergebens! Ich sehe dich – habe dich auch früher schon gesehen, oder Freunde, die dich kennen, beschrieben dich mir.«

Die Gestalt geriet ins Wanken. Wie in tiefster Erschütterung barg sie den Kopf in den Händen. Stand lange Zeit so.

»Warum scheust du dich vor mir?« klang Marias Stimme.

»Komm näher, reiche mir deine Hand! Ich weiß nicht, wer du bist. Nur das eine weiß ich: Ein Freund bist du uns!«

Unter dem bittenden Zwang der Worte trat der Fremde an Maria heran, nahm die dargebotene Hand.

Maria strich leise über seinen Arm, sein Gesicht. »Bist du ein göttliches Wesen? Nein! Du bist ein Mensch wie ich, wie Robert Wildrake!« Ihr Haupt sank mit wehem Seufzer zurück. »Ach, könnte ich nur einmal noch Robert sehen, so wie jetzt dich!«

Die Gestalt trat an die Blinde heran, flüsterte gütige, tröstende Worte. Ein Freudenschein glitt über Marias Züge.

Der Jubelschrei: »Die ›Venezuela libre‹ kommt!« weckte sie aus einem glücklichen Traum.

Pablo stürmte in das Gemach. »Gleich wird sie hier sein, Señorita! Und da hinten im Osten ist auch schon die ›Susanna‹ zu erkennen.«

Maria sprang hastig auf, wollte hinauseilen. Da blieb sie wie angewurzelt stehen, drehte sich suchend im Kreise. Eine Erinnerung tauchte in ihr auf.

»Pablo, bist du hier?«

Keine Antwort. Der junge Indio war schon zu der Mangrovenbucht geeilt, wo die »Venezuela libre« eben landete.

Maria blieb zögernd stehen. Tausend Gedanken durchstürmten ihr Hirn. Was war da alles gewesen? Wirklichkeit – oder nur Traum? Ihre blinden Augen hatten einen Menschen gesehen?

Unmöglich! Und doch: Als der Fremde fortgegangen, hatte sie gespürt, wie er ein Papier in ihre Hand gedrückt. Jetzt erinnerte sie sich genau. Ihre Linke tastete nach der Rechten, die fest zusammengeballt war. Vorsichtig öffnete sie die Finger. Fast hätte sie einen Schrei ausgestoßen. Das Papier! Ja, da war es!

Von draußen her Wildrakes Stimme. »Maria! Wo bist du?«

Hastig steckte sie den Zettel in die Tasche, eilte hinaus. Nach ein paar Schritten lag sie in Wildrakes Armen. –

Lange schon saßen sie in dem traulichen Gemach.

Da klang von draußen der Ruf: »Die ›Susanna‹ wird gleich vor Anker gehen.«

Alle drängten ins Freie. Auch Wildrake und Droste, die neben Maria gesessen, waren aufgestanden, doch die Blinde hielt sie zurück.

»Bleibt! Es ist etwas geschehen.« Stoßweise kamen die Worte aus ihrem Munde. »Ein Fremder war hier bei mir, hat mit mir gesprochen.«

Erschrocken schauten die beiden auf Maria, die sich offenbar in tiefster Erregung befand.

»Nein! Ich bin nicht krank. Es ist so! Ein fremder Mann – ich habe ihn gesehen ... gesehen!« Sie zwang sich ein Lachen ab. »Ja, Robert, meine Augen haben ihn gesehen! Alles umher war finstere Nacht. Aber den Mann, der hier bei mir war, den sah ich!«

Maria schob den Arm, den Wildrake um sie schlang, ungeduldig zur Seite. »Der Fremde hat auch mit mir gesprochen. Wer es war? Ja, wenn ich's wüßte! Und doch, er schien mir bekannt!«

In kurzen, abgerissenen Worten beschrieb sie das Bild des Fremden. Noch während sie sprach, wechselten Wildrake und Droste bedeutsame Blicke. Nur auf einen konnte die Schilderung passen: auf Dr. Arvelin. Doch wie sollte der hierhergekommen sein? Er saß ja in Winterloo.

Maria mußte geträumt haben. Im Traume war Arvelin ihr erschienen. So nur konnte es sein.

Wildrake wollte Maria sanft emporziehen. »Komm mit hinaus, Liebste! Es war nicht gut, daß du tagelang so einsam warst. Deine Nerven sind überreizt. Du hast einen schlimmen Traum gehabt.«

»Schlimmen Traum? Nein! War's ein Traum, dann war es ein schöner! Der Fremde sprach zu mir liebe, gute Worte. Ehe er mich verließ, strich er mir über die Augen, flüsterte in mein Ohr: Nicht lange, dann kommt der Tag, wo deine jetzt toten Augen wieder lebendig alle Schönheiten der Welt genießen ... Oh, käme der Tag doch bald!«

Als fühle sie, was die beiden Männer dachten, griff sie in die Tasche. »Ihr Ungläubigen! Können Geister Botschaften bringen? Hier!« Sie riß den Zettel hervor. »Dieses Stück Papier gab er mir in die Hand.«

In Hast nahm Wildrake es an sich. Und über seine Schulter starrte auch Droste auf das Blatt.

»Euer Aufenthalt auf der Insel ist verraten. Jean Renard hat eure Anwesenheit entdeckt. Er ist den Brasilianern in die Hände gefallen. In der Hoffnung, sein Leben zu retten, hat er Major Tejo das Geheimnis preisgegeben.«

Immer wieder lasen sie die Worte. Standen wie betäubt.

»Nun, ihr schweigt? Was schreibt der Fremde?«

Mit tonloser Stimme erklärte Wildrake ihr die wenigen Sätze.

»Ich wußte es ja!« Maria hob freudig die Arme. »Ein guter Freund, der uns warnen will. Und es ist ja auch wahr, was er von Jean Renard schreibt. Verzeih, Robert, in meiner Aufregung vergaß ich, dir zu erzählen, was vor ein paar Tagen hier geschah, kurz bevor Barradas mit der ›Susanna‹ nach Tabago fuhr.«

Eilig berichtete sie von dem Flieger, der zur Insel gekommen, dann nach Norden weitergeflogen sei.

Von draußen klangen Schritte. Barradas und Alvarez traten ein.

»Zur Stelle, Captain Wildrake! Die ›Susanna‹ glücklich wieder hier! Und Sie, Santa Maria, wie ist's Ihnen gegangen? Waren schwere Tage für mich – der Gedanke, daß Sie so allein hier ...«

Barradas hielt inne. Wildrake war auf ihn zugetreten, ergriff ihn am Arm, zog ihn hinaus. Als der Kapitän dann wieder zurückkam, hatte sich seine Erregung noch verstärkt.

»Es ist wahr, Droste: Renard war da, hat unseren Schlupfwinkel entdeckt! Daß er, von den Brasilianern gefangen, Tejo alles gestanden haben soll, wie hier auf dem Zettel steht – welch rätselhaftes Wesen hat das geschrieben? Und wie kam es auf unsere Insel? Pablo versicherte hochheilig, niemand sei hiergewesen.«

Wildrake wog den Zettel in der Hand, schaute zu Maria, zu Droste. »Welch Geheimnis, welch unergründliches Rätsel! Was sollen wir tun?«

»Du fragst noch, Roberto?« rief Maria. »Wir müssen fort! Alle! Heute noch. Es wäre vermessen, wollten wir den Rat des unbekannten Freundes mißachten.«

»Santa Maria hat recht!« warf Barradas ein. »Es kann keinem Zweifel unterliegen, daß Jean Renard uns ausspioniert hat. Dem Burschen zu trauen wäre leichtsinnig. Auf die Dauer würde uns die Abgeschiedenheit hier sowieso nur lästig werden. Jetzt, wo das Vaterland wieder in vollem Kampfe mit den Brasilios steht, ist unser Platz an der Seite unserer Kameraden dort. Errichten wir in Venezuela unsere Station, sparen wir also den weiten Weg!«

Als der folgende Morgen graute, war alles zur Abfahrt bereit. Die Ladung der »Susanna« war von der »Venezuela libre« übernommen. An ihrer Stelle hatte man die demontierte Tankstation im Bauch der »Susanna« verstaut. Nach kurzem Abschied ging das Motorschiff unter Barradas' Befehl nach Osten.

Es war Mittag geworden, als auch die »Venezuela libre« startfertig war und die Insel verlassen wollte. Da stellte man in letzter Minute noch einen Schaden fest, und die Abfahrt mußte um einige Stunden verschoben werden.

Zwei brasilianische Kreuzer, von Nordosten kommend, steuerten auf die Insel Santa Maria zu. Wohl zehn Seemeilen zurück ein großes Kriegsschiff, dem Aussehen nach ein Flugzeugmutterschiff.

Kapitän Vela vom Kreuzer »Carumba« stieg zur Brücke empor. »Der Teufel soll's holen! Noch immer nichts zu sehen von der geheimnisvollen Insel. Sollte der alte Schurke uns so an der Nase herumführen? Und fahren wir hier ins Endlose, ohne sie jemals zu finden?«

Der Erste Offizier schüttelte den Kopf! »Kann's nicht glauben, Commodore! Jean Renard weiß gut genug, daß es um seinen Hals geht. Er wird damals das Besteck schlecht genommen haben.«

»Lassen Sie Jean Renard heraufkommen!« rief Vela einem Maat zu. Kurz darauf wurde der alte Pirat zum Kommandanten auf die Brücke gebracht.

»Wir befinden uns in allernächster Nähe der von dir angegebenen Position. Hier ist unser Besteck. Und deine Insel? Wo ist sie?«

Renard schaute auf das Besteck, ließ den Blick nach Süden gehen.

»Nun?« schrie der Kommandant ihn an. »Willst du wohl antworten, du Schurke!«

»Das Besteck? Ich habe es richtig genommen«, murmelte Renard vor sich hin.

»Du willst doch nicht etwa behaupten, unser Besteck sei falsch?« rief der Erste Offizier. »Fehlt nur noch, daß du sagtest, ein Seebeben habe deine Insel verschlungen!«

Renard nahm zweifelnd den Sextanten, machte selbst eine Ortsaufnahme. Fuhr sich über die Augen. »Und sollt' ich auf der Stelle zur Hölle fahren, ich kann mich nicht geirrt haben! Mein ganzes Leben habe ich auf der See gelegen. Habe niemals noch an Sonne oder Sternen vorbeigeschossen.«

»Hier müßte die Insel sein!« meldete der Wachoffizier.

»Noch mit meinem letzten Atemzug wollte ich's beschwören: Hier lag ...«

Renards Worte verklangen in den Schreien, die von der Brücke – jetzt vom ganzen Schiff – jetzt auch vom Nachbarfahrzeug, der »Medusa«, gellten.

Ein Stoß – ein stampfendes, knirschendes Gleiten, als führe man über eine Untiefe. Nun ein Brechen und Dröhnen, als zersplittere ein ganzer Wald im Wirbelsturm.

Die Fahrt, wie von unsichtbarer Hand gebremst, wurde immer langsamer. Ein letzter Ruck – und die Schiffe saßen fest.

Wohin das Auge sah, dichter Urwald ringsumher ...

Die beiden Kreuzer in das sumpfige Mangrovendickicht hineingejagt, festgekeilt. Um die Schiffe herum zerbrochene Äste, gestürzte Baumriesen.

Jegliche Disziplin aufgelöst. Ein Toben, als rase eine Schar Wahnsinniger auf den Decks.

Alles übertönend, aus den Trümmern der zusammengestürzten Kommandobrücke hervor, der Schrei Jean Renards: »Die Insel! Ich hatte doch recht! Hier liegt sie!«

»Nun, hast du die wunde Seele der ›Venezuela libre‹ wieder zurechtgeflickt, Herr Dr. Droste?«

Der nickte mit vergnügtem Gesicht. »Das Schiff ist wieder seetüchtig. Waren ja nur kleine Schäden.«

»Bei Gott!« rief Wildrake, hielt Droste das Glas entgegen. »Ein Meisterwerk, die ›Venezuela libre‹! Trinken wir auf das Wohl unseres Freundes, ohne den all das, was wir erreicht, niemals möglich gewesen wäre!«

Alle leerten ihre Gläser. Da plötzlich! ... Der eine sah den anderen an:

So dunkel auf einmal um sie her? Droste zog die Uhr. Erst die sechste Nachmittagsstunde?

Die anderen schauten kopfschüttelnd um sich. Droste trat aus dem Schatten des Brotfruchtbaumes auf die Sandfläche, wo er einen besseren Überblick nach Osten hatte. Da sah er jetzt eine mächtige, tiefschwarze Wand, die wie ein dunkler Vorhang über der See hing, jede Sicht nach Norden versperrte.

»Ein Hurrikan im Anzug?«

Im Nu waren Wildrake und die anderen bei ihm. Auch sie schauten prüfend nach Norden.

»Kein Hurrikan, Droste!« sagte Wildrake. »Die scharfen Ränder der Wand widersprechen all meinen Erfahrungen.«

Das starre, drohende Gebilde stand unbeweglich im Äther.

Da – die unheimliche Stille ward jäh unterbrochen von einem ohrenbetäubenden Krachen und Brechen. Als seien Riesenherden von Elefanten in den Mangrovenwald eingebrochen – ein Stampfen, Brausen, in das sich das Geprassel der stürzenden Stämme mischte.

Unwillkürlich wandte jeder den Fuß zur Flucht. Doch plötzlich wie von Zauberhand hinweggewischt, war die schwarze Wand verschwunden. Der Äther im Norden glänzte wieder im Schein der sinkenden Sonne.

Noch verharrten alle im Bann des gespenstischen Geschehens, da drang ein Gewirr von schreienden Menschenstimmen an ihr Ohr.

»Brasilianische Kommandos!« rief Wildrake. »Ich habe sie deutlich gehört! Was auch ist – schnell hier das Wichtigste zusammengerafft und damit zur ›Venezuela libre‹. Calleja und Pablo mögen währenddessen den Versuch machen, in den Mangrovenwald einzudringen, um festzustellen, was da geschah!«

Am Ankerplatz der »Venezuela libre« als erster angekommen, stieß Droste einen lauten Ruf aus. »Rasch! Rasch! Die Brasilianer sind über uns.« Er deutete, auf der vorspringenden Landzunge stehend, nach Osten. »Ein Flugzeugmutterschiff da drüben, von dem ein paar Flieger auf die Insel zukommen!«

Im Augenblick waren alle an Bord der »Venezuela libre«, die flugbereit gemacht wurde. In drängender Ungeduld wartete man auf Callejas Rückkunft. Endlich! Da kam er mit Pablo in schnellem Lauf herbeigeeilt. Sie sprangen an Bord – wollten sprechen – da, ein mehrfacher Schrei!

Ein ganzes Geschwader von Flugzeugen stieß von dem Mutterschiff ab.

»Tauchen?« fragte Wildrake zweifelnd.

Droste schüttelte den Kopf. »Unmöglich! Sie haben uns schon gesehen. Nur in schnellem Flug durch die Luft können wir uns retten.«

Und schon ließ er die Motoren anspringen. In raschester Fahrt schoß die »Venezuela libre« über die Meeresoberfläche dahin, hob sich dabei in die Höhe, stieg schneller und immer schneller.

»Kurs Osten!« schrie Wildrake Droste zu, eilte mit Calleja zu den Heckgeschützen der »Venezuela libre«. »Munition her!«

Da prasselten schon die Maschinengewehrkugeln der brasilianischen Flieger. Gleichzeitig ein Blitzen aus den Rohren des Mutterschiffs.

Mit fiebernden Händen hatten Wildrake und Calleja ihre Geschütze geladen, wollten eben abziehen, da ...

Die Hände sanken tatlos zurück. Wie von Blindheit geschlagen, fuhren sie sich über die Augen. Was war das? ... Nacht! Tiefdunkle Nacht um sie her! Aus allen Teilen des Flugschiffs Lärm und Geschrei, das sich in Freudenrufe verwandelte, als plötzlich überall die elektrischen Lampen aufflammten.

Wildrake stürmte auf die Brücke zu Droste. »Was geht hier vor?«

Droste stand der Frage Wildrakes stumm gegenüber. Drückte dann sekundenlang wie überlegend die Hand vor die Augen. Mit ein paar Sprüngen war er an der Bordwand, riß das Fenster auf, schaute nach unten. Fuhr überrascht zurück.

»Das Meer! Ich sehe seinen Spiegel unter uns – doch so nachtgrau ...«

»Eine dunkle Wolke um uns, in die wir gestoßen sind?«

»Nein, das nicht!« Droste zog Wildrake zum Fenster.

»Ah! Die Dunkelheit weicht zurück! Die Farbe des Wassers wird immer heller! Sieh dort! Ein Sonnenstrahl, der sich in den Wellen spiegelt!«

Droste hielt inne. Es war, als würde eine undurchsichtige Glocke über ihren Köpfen weggezogen.

Die Helligkeit ward stärker. Jetzt! Beide taumelten zurück. »Die Sonne! Da ist sie wieder!«

Ihre Augen hingen an dem rotglühenden Ball, der eben ins Meer tauchen wollte.

Ein paar Rufe vom Heck der »Venezuela libre« ließen sie aufmerken. »Da sind sie wieder, die verfluchten Brasilianer!«

Wildrake und Droste wandten sich erschrocken um. Doch im Nu war alle Besorgnis geschwunden. Fern hinter ihnen glitten die brasilianischen Flugzeuge ratlos suchend durcheinander.

»Ah«, rief Wildrake lachend, »jetzt sehen sie uns, kommen hinter uns her! Das Vergnügen wird nicht lange dauern! In wenigen Minuten bringen unsere starken Maschinen uns aus ihrer Sicht. Dann in weitem Bogen Kurs nach Westen. Kurs auf Venezuela, die Heimat!«

Aller Sorgen ledig, besprachen sie untereinander die räteselhaften, geheimnisvollen Ereignisse. Naturvorgänge?

Droste verneinte. »Was auf der Insel, dann auf der Fahrt geschah, spottet jeder physikalischen Erklärung. Ein dunkler, für das menschliche Auge undurchdringlicher Mantel war um uns gebreitet ... wie eine Tarnkappe über uns geworfen, die dann wieder weggerissen wurde von einem Wesen, dem geheimnisvolle Kraft eigen – märchenhaft, wie König Laurin sie besaß. Ein Freund war's jedenfalls, der uns in einem tarnenden Mantel der feindlichen Sicht entrückte.«

Die Umstehenden senkten den Kopf.

Die Stimme Marias unterbrach die Stille. »War's eines Sterblichen Macht von Gott gegeben, so war's kein anderer als mein geheimnisvoller Gast, der alte, gute Mann, der, meinen blinden Augen sichtbar, zu mir kam, um uns zu warnen, uns beizustehen. Wer es auch sei, Gottes Segen über ihn! Hat er uns jetzt geholfen, wird er uns auch weiter helfen. Gott mit uns!«

Major Tejo hatte mit William Hogan in stundenlangem Gespräch gesessen. Er erhob sich jetzt, um sich zu verabschieden. Da trat ein Diener ein, brachte eine Karte.

»Ah, Señor Torno ist's. Gut, daß Sie noch da sind, Herr Major! Nehmen Sie bitte wieder Platz! Es wäre mir angenehm, wenn Sie bei meiner Unterhaltung mit dem Außenminister zugegen sind.«

Torno trat ein. Bei der Begrüßung Hogans warf er auf Tejo einen schrägen Blick, den Hogan verstand. Er sagte: »Ich möchte Sie, Señor Torno, bitten, Major Tejo zu gestatten, während unserer Unterredung hier zu bleiben.«

Torno nickte, begann sofort zu sprechen. »Der Zweck meines Besuches dürfte Ihnen wohl klar sein, Señor Hogan. Ich komme, um Sie um Ihre tatkräftige Unterstützung für die kommenden Tage zu bitten. Ich glaube, dazu berechtigt zu sein, haben Sie mir doch schon einmal bei der Frage, ob Krieg, ob Frieden, wohlwollend beigestanden. Der Ministerrat, unter Vorsitz des Präsidenten, ist zu keinem Entschluß gekommen. Anscheinend steht der Präsident auf meiner Seite. Aber die Opposition der Staatssekretäre von Heer und Marine ist sehr stark. Sie kennen ja deren Ansicht, den Krieg durchzuführen bis zum bitteren Ende.

Sie verschanzen sich in erster Linie dahinter, daß das Prestige Brasiliens leiden würde, wenn wir einen voreiligen Frieden schlössen. Vergeblich wies ich nochmals darauf hin, daß der Krieg nur unter schwersten Opfern nach langen Kämpfen von uns siegreich beendet werden könne.«

Hogan zuckte die Schultern. »Gewiß, Señor Torno, Sie haben durchaus meine Sympathien, doch ich muß es ablehnen, irgendwie handelnd in diesen Zwist einzugreifen. Vielleicht hat die Opposition doch recht!«

»Ich verstehe Sie nicht, Señor Hogan! Diese veränderte Auffassung Ihrerseits . . .«

»So lassen Sie mich kurz meine Gründe darlegen! Ich habe mit Major Tejo soeben in langem Gespräch besonders den Umstand erörtert, wie es möglich war und ist, daß dieser Wildrake mit seinem Riesenschiff in kurzer Zeit so ungeheure Strecken zurücklegen kann, ohne mehrere Stützpunkte zu haben, um seinen Treibstoff aufzufüllen. Seinen Standort, jene kleine Insel im Atlantik, hat er ja nun aufgeben müssen. Es erscheint demzufolge als ziemlich sicher, daß er jetzt in Venezuela selbst seine Anlagen hat.

Über den rätselhaften Unfall unserer Kreuzer ›Carumba‹ und ›Medusa‹ möchte ich jetzt nicht sprechen. Wollte man dem Bericht des Kommandanten Glauben schenken, so müßte man ja annehmen, es habe da eine Zaubergewalt gewirkt, um die Augen der Besatzung zu blenden. – Für Wildrakes unheimlich schnelle weite Fahrten aber gibt es wohl nur eine Erklärung: Er verfügt über einen Treibstoff von ungeahntem Energiegehalt.«

»Doch wie kam er in den Besitz dieses kostbaren Stoffes?«

»Nun, Sie wissen ja, Señor Torno, daß sich an Wildrakes Seite ein Mann namens Droste befindet. Nach den Feststellungen, die Major Tejo im Heimatort dieses Droste, einem Schlosse Winterloo im nördlichen Deutschland, gemacht hat, ist anzunehmen, daß die Erfindung dort von Droste – wahrscheinlich mit Hilfe zweier älterer Gelehrter, anscheinend Verwandter von ihm – erprobt wurde.

Doch zurück zu dem, was ich mit Major Tejo eben besprach. Señor Tejo wird sich sofort nach Venezuela begeben, um in Erfahrung zu bringen, wo Wildrake und dieser Droste die neue Station zur Herstellung des Treibstoffes errichtet haben. Er vermutet den Ort im nordwestlichen Teil des Landes, in dem alten Caraibengebiet. Sollte sich diese Annahme bestätigen, dann wäre unbedingt ein Handstreich gegen diese Station in die Wege zu leiten.«

Torno senkte den Kopf, sann lange. Sagte dann: »Und was versprechen Sie sich von einer glücklichen Durchführung Ihres Planes, Señor Hogan?«

»Nun, ich dächte, das wäre nicht schwer zu erraten. Es ist mit ziemlicher Sicherheit anzunehmen, daß dieser Droste sich ständig in der Station aufhält, um die Fabrikation zu überwachen. Sind wir im Besitz seiner Person und seines Geheimnisses, dann ist Wildrakes Arm gelähmt. Fällt indirekt Wildrake, ist Venezuela seiner stärksten Stütze beraubt. Denn ohne Wildrakes Eingreifen wäre der Friede, so wie wir ihn gewollt, schon längst erreicht.«

Torno erhob sich, stand einen Augenblick zögernd. »Ich habe keinen Grund, zu zweifeln, daß sich alles so verhält, wie Sie sagten, Señor Hogan. Ich kann daher meinen Widerspruch vorläufig nicht aufrechterhalten. Möchte sich bewahrheiten, was Sie gedacht!«

Nordwestlich von San Fernando, hoch oben in den Bergen, lag das kleine Dörfchen Tlacala. Der Furo, mehr ein reißender Wildbach als ein Fluß, führte fast das ganze Jahr hindurch starke Wassermassen. Die ungeheuren Waldbestände hatten Veranlassung gegeben, diese Wasser in einem Staubecken zu fassen und hier ein Kraftwerk für den Energiebedarf der Holzindustrie zu errichten. Jetzt aber standen die Sägewerke still. Das Kraftwerk mußte anderen Zwecken dienen: Drostes neue Tankstation war hier errichtet.

Aus dem Maschinenhaus trat Droste. Gleich darauf begann das Summen der großen Dynamos. Er eilte in die Ladestation, schaute auf die Tafeln mit den Meßinstrumenten, nickte befriedigt. Trat kein unvorhergesehenes Hindernis ein, würde er morgen den ersten fertigen Treibstoff in die Barrels abfüllen können. Er gab im Büro seinen Leuten noch ein paar kurze Anweisungen, ging dann zu einem Hang, wo eine Flugjacht bereitstand.

»Nach La Venta!«

Nach dem Verlassen ihrer Insel war Maria Anunziata in die kleine Hazienda La Venta zurückgebracht worden. Ein Funkspruch von ihr hatte Droste am Morgen angezeigt, daß Edna Wildrake plötzlich überraschend von England dort angekommen, sein Besuch daher sehr erwünscht sei.

Hatte er auch die Schwester Wildrakes nur einmal gesehen, so war in ihm doch ein tiefer Eindruck von ihr zurückgeblieben. Aber die stillen Hoffnungen, die zunächst in ihm aufgetaucht, waren im Laufe der Zeit mehr und mehr verflogen. Was Robert, ihr Bruder, in vertrautem Gespräch zwar nicht offen ausgesprochen, doch deutlich zu erkennen gegeben hatte: daß Edna eine offensichtliche Neigung zu Oswald Winterloo hege, hatte ihn alle wärmeren Gefühle für sie unterdrücken lassen. Und doch! Der Ruf Marias weckte frohen Widerhall in ihm. Würde Edna auch nie seine Geliebte sein, so vielleicht dereinst Herrin in Schloß Winterloo ...

Hier glitten seine Gedanken ab. Unerklärlich – dieses lange Schweigen Vater Arvelins! Wie viele Wochen war's nun schon her, daß er die letzte Nachricht von ihm empfangen! Ob er krank war? Das dunkle Geheimnis um das Testament des alten Freiherrn ...

Die Ereignisse der letzten Zeit hatten Droste nur wenig Zeit gelassen, über Winterloo, die Heimat, nachzudenken. Jetzt, in der Stille der Tengoberge, würde er Muße genug dazu finden. Vielleicht auch brachte Edna, die ja aus James Wildrakes Haus kam, Nachrichten aus Winterloo mit. Ging doch die Korrespondenz aus Deutschland stets über Truxton & Co. in London. –

Droste traf die beiden jungen Mädchen in freudigster Stimmung. Von Kindheit an zusammen aufgewachsen, verband sie schwesterliche Liebe. Mit Vergnügen lauschte er Ednas Geplauder. Sie wußte auf eine so drollige Art von den beiden Kompagnons Truxton und Wildrake zu erzählen, daß er und Maria häufig laut auflachen mußten.

Jeder Schlag Wildrakes erregte bei den beiden alten Freunden Jubelausbrüche. Der Lord besuchte an Tagen, an denen neue Streiche Wildrakes bekannt wurden, alle befreundeten Klubs und konnte sich nicht genugtun, die Erfolge in den Himmel zu heben. Mehr als einmal entschlüpfte ihm dabei der Ausdruck »wir«, als hätte er teil an Wildrakes Plänen.

An derartige unvorsichtige Äußerungen anknüpfend, fand Tejo den Faden, der zu den Konterbandefahrten zwischen Tobago und Santa Maria führte.

James Wildrake, etwas weniger sanguinisch als Truxton, war gewohnt, die Siege seines Neffen im Kreise der Familie mit Edna zu feiern. Als am Tage nach der Schlacht von Esmeralda die Nachricht einlief, Kapitän Wildrake sei wieder in die Heimat zurückgekehrt, hatte Edna den Oheim bestürmt, ihr Fahrgelegenheit nach Venezuela zu verschaffen. Und vor zwei Tagen war sie glücklich angelangt!

Während Maria sich ein wenig zur Ruhe legte, ging Edna mit Droste unter den schattigen Bäumen vor dem Hause spazieren. Jetzt mußte Droste eingehend erzählen. Zwar kannte Edna schon das meiste aus Marias Mund. Doch immer wieder wollte sie hören, wie die vielen, der Welt zum Teil noch immer rätselhaften Erfolge des Bruders erreicht wurden.

»So werden in nächster Zeit harte Kämpfe zu erwarten sein?« meinte sie. »Brasilien wird doch sicher die größten Anstrengungen machen, die vielen Scharten auszumerzen, die eure Klinge geschlagen hat.«

Droste nickte ernst. »Gewiß! Viel Schweres gibt es noch zu tun für Ihr Vaterland. Die Brasilianer ziehen wieder sämtliche Reserven ein.«

Mit einer unruhigen Bewegung wandte Edna den Kopf. »Die entlassenen Reserven? Allerdings – sie sind wieder unter der Fahne nötig ...«

»Viele werden nicht gerne dem Rufe folgen.« Drostes Blicke streiften das Mädchen, das im Geiste bei Hauptmann Winterloo weilte.

Auch Oswald würde wieder in das Heer eintreten müssen. Im ersten Teil des Krieges war ihm das Geschick günstig gewesen. Jetzt – tot oder verwundet ... Wer weiß, ob sie ihn je wiedersehen würde?

Droste erriet ihre Gedanken nur zu wohl. Um ihnen eine andere Richtung zu geben, sagte er: »Ich bin besorgt darüber, daß ich so lange nichts aus der Heimat höre. Fast muß ich annehmen, Vater Arvelin sei erkrankt.«

»Oh, das täte mir leid!« erwiderte Edna. »Bin ich ihm doch von ganzem Herzen zu Dank verpflichtet, dem guten, alten Mann! Wo weilt er in Deutschland?«

»Nun, wo soll er anders sein als in Schloß Winterloo, seinem langjährigen Heim? Wie sieht's überhaupt in Deutschland aus, Fräulein Edna? Kommt's mir doch vor wie eine Ewigkeit, daß ich eine deutsche Zeitung in Händen hielt.«

»Ah, das trifft sich gut! Ich fuhr bis Jamaika mit dem deutschen Dampfer »Thuringia«. Hatte Gelegenheit, ein paar deutsche Zeitungen mitzunehmen. Ich habe sie im Hause. Vielleicht entdecken Sie in den alten Blättern noch einiges, was Sie interessiert.«

Bei ihrer Rückkehr fanden sie Maria noch schlafend. Leise setzten sie sich ins Nebenzimmer, und Droste durchstöberte die Zeitungen.

Plötzlich fuhr er erschrocken hoch. »Diese Nachricht hier, gnädiges Fräulein! Fürchterlich für mich – und noch viel mehr für Vater Arvelin!«

Edna las die angegebene Stelle. »Was? Schloß Winterloo, das Erbe von ... Ihr altes Heim, zur öffentlichen Versteigerung angesetzt? In drei Tagen schon der Termin?«

Droste wollte antworten. Da ... klang es nicht wie Stöhnen hinter ihm? Er eilte zur Tür, die in Marias Zimmer führte, schaute hinein. Niemand darin außer der Blinden, die mit leichtgeröteten Wangen wie in einem glücklichen Traum fest schlummerte.

»Was war das eben?« flüsterte Edna. »Als wenn jemand hier wäre ... eine menschliche Stimme – ich hörte es deutlich!«

Mit unterdrücktem Aufschrei griff sie nach Drostes Arm. Die Tür, durch die sie vorhin gekommen und die sie hinter sich geschlossen hatte, ging knarrend auf.

Droste eilte dorthin. Niemand zu sehen! Einen Augenblick stand er nachdenklich, brach dann in ein Lachen aus. »Wären wir in meiner Heimat, würde ich sagen: Ein Spukhaus. Doch hier in La Venta.«

Edna, halb beruhigt, versuchte, in seine Heiterkeit einzustimmen. Ehe sie weitersprechen konnte, klang die Stimme der aufgewachten Maria. Erfrischt von dem Schlaf, führte sie die beiden lebhaft plaudernd vor das Haus, wo sie noch ein Stündchen beisammensaßen. Dann bestieg Droste seine Jacht, um nach Tlacala zurückzukehren.

Arvelin saß im Büro des Notars Hartwig. Morgen war der Termin der Versteigerung von Schloß Winterloo. Der Anwalt sah voll Teilnahme auf das Gesicht seines Besuchers. Wie stark hatte sich der im Laufe der letzten Monate verändert! Die Wangen eingefallen, die Augen tief in den Höhlen liegend, das faltige Gesicht grau, verfallen. Wie um ein Jahrzehnt gealtert, dachte der Notar. Gewiß, es mochte ihm schwerfallen, das Haus, das ihm jahrzehntelang Heim gewesen, auf immer verlieren zu müssen.

Um Arvelins Mund zuckte ein resigniertes Lächeln. Als ob er die Gedanken seines Gegenüber erraten hätte, sagte er mit müder Stimme: »Es geht nicht um mich, Herr Notar, daß ich so niedergeschlagen bin. Es ist nur die letzte Sorge um meinen alten Freund Winterloo. Sein letzter Wunsch war, daß ein Winterloo, ein Träger seines Namens, im Schloß wohnen sollte ... Und der war gefunden! Ich selbst holte ihn – hoffte, durch seine Gegenwart die Sterbestunde des Freundes zu erleichtern.« Der Doktor trat, wie von einer inneren Stimme getrieben, näher an Hartwig heran. »Glauben Sie, daß Winterloo in der Erwartung des ersehnten Erben sein Testament, das er vor meinen Augen geschrieben, vernichtet hätte?«

Der Notar legte Arvelin beruhigend die Hand auf die Schulter. »Ein unglückliches Spiel des Zufalls! Anders kann ich's nicht nennen. Da Sie doch selbst, lieber Herr Doktor, keinen Verdacht hegen, daß die Harrachs das Testament beseitigten. Der Verstorbene mag es versteckt haben – vielleicht aus Furcht vor den neugierigen Augen dieses Franz Harrach. Weiß der Himmel, wann es zum Vorschein kommt! Und dann?«

»So wird also morgen Schloß Winterloo in fremde Hände kommen!« unterbrach ihn Arvelin. »Oh, diese Unwürdigen! Wie konnten sie das tun?«

»Ich hörte, die Harrachs wollen sich in Polen ankaufen. Nun, wir verlieren nichts an ihnen!«

Franz und Adeline Harrach saßen an der Mittagstafel. Adeline schob mißmutig das Besteck zur Seite, schaute ärgerlich auf ihren Bruder, der den Speisen kaum zusprach, ein Glas des schweren Weines nach dem anderen hinunterstürzte.

»Ich hätte mir unser letztes Mahl im Schloß vergnügter vorgestellt, Franz. Du tust ja, als hocktest du in einer Trauergesellschaft. Ist dir der Gedanke, Winterloo zu verlassen, plötzlich wieder leid geworden?« Sie lachte höhnisch. »Ich wüßte nicht, daß du viele glückliche Tage in diesem verwunschenen Schloß, wie du es zu nennen beliebst, verbracht hättest! Doch ich weiß, du kommst nicht los von dem Gedanken an das Testament.«

»Der Teufel soll das Schloß holen samt dem Testament!« brummte Franz vor sich hin. Er sprang auf, schritt unruhig hin und her.

Auch Adeline war aufgestanden, trat an ihres Bruders Seite. »Es ist wahr, Franz. Der Teufel mag die ganze Erbschaft holen! Auch ich kann mich, offen gesagt, nicht von einer gewissen Angst freimachen. Aber nein!« Sie legte die Arme um Franzens Schultern. »Es ist ja unmöglich! Unsere Furcht ist grundlos. Was dieser Alte, was wir selbst in wochenlangem Suchen nicht gefunden haben ... Franz!« sie rüttelte ihn auf. »Seien wir stark! Werfen wir all die törichten Skrupel hinter uns! Das Testament wird niemand finden! Es existiert überhaupt nicht! Lüge alles, was der alte Mucker uns gesagt! Käufer sind genügend vorhanden. Wir werden für Schloß Winterloo einen guten Preis herausschlagen. Haben wir ihn in der Tasche und sind damit über die Grenze, dann soll's einer versuchen, uns das Geld wieder abzujagen!«

»Möchte der Blitz in das alte Nest schlagen, es bis auf die Steine verbrennen!« knurrte Franz. »Dann erst würde ich Ruhe haben. Das Testament – Adeline, du lügst! Es ist doch wahr, was der Alte gesagt hat! Es ist da! Befindet sich hier im Schloß!«

Adeline ließ die Hände sinken, sah schaudernd zur Seite. »Du fürchtest, unser Nachfolger könnte das Dokument finden?«

Ein starkes Klopfen an der Tür. Morawsky trat ein. »Die Steinmetzen werden ihre Arbeit im Mausoleum gleich beendet haben. Will der gnädige Herr nicht . . .?«

Ehe der Bruder eine Antwort fand, sprach Adeline: »Gehen wir in den Garten, zum Mausoleum! Die frische Luft wird uns guttun. Eigentlich ein eigenartiges Zusammentreffen: Just zur gleichen Zeit, da Winterloo in fremde Hände übergeht, schließt sich der Sarg des letzten Trägers des Namens für immer.«

»War übrigens gut, daß der Alte die Grabplatte noch selbst bestellt und bezahlt hat.«

»Gehen wir, Franz! Draußen werden die bösen Geister, die dir den Kopf verwirren, zum Schweigen kommen!«

»Was sagst du, Adeline? Böse Geister?« Er fuhr herum, das Weinglas, das er eben geleert, in zitternden Fingern. »Im Mausoleum böse Geister? Ja, du hast recht – sie treiben da ihr Wesen! – Bleiben wir hier! Man soll die Steinmetzen wegschicken, den Grabbau verschließen!«

»Franz! Schämst du dich nicht deiner Feigheit? Du kommst mit mir! Sofort!«

Energisch griff sie ihn am Arm, zog ihn aus dem Haus.

In der Nähe des Mausoleums begegnete ihnen der Steinmetzmeister. »Ah, da sind ja die Herrschaften! Ich bitte Sie, näher zu treten. Die Platte des Epitaphs ist gelegt.«

Franz wollte eine ausweichende Antwort geben, doch Adeline ließ ihm keine Zeit. Den Bruder mit sich führend, trat sie an der Seite des Handwerksmeisters in das Mausoleum ein.

Der Steinmetz wies auf die Platte. »Ich denke, sie ist nach Wunsch ausgefallen!« sagte er nicht ohne Stolz.

Adeline, die nur flüchtig hingeschaut, nickte zerstreut. »Schon recht, Meister! Lassen Sie sich im Schloß eine Erfrischung geben!«

Der Meister schritt zum Ausgang, wandte sich noch einmal um. »Die drei kleinen Deckplatten, die bisher auf dem Grabe lagen, habe ich einstweilen an die Wand stellen lassen.«

Adeline winkte ihm ungeduldig ab. »Lassen Sie die Tür offen! Es ist dann heller hier.«

Der Steinmetz verabschiedete sich. Auch Adeline wollte sich zum Gehen wenden. Doch inzwischen hatte es draußen heftig zu regnen begonnen. Ein Gewitter brach los. Sie mußten einstweilen noch bleiben.

Adeline trat von der Tür zurück. Ein jäher Blitz ließ sie zusammenzukken. Gleichzeitig jagte ein Windstoß heulend um das Gebäude. Die schwere Eisentür des Mausoleums schlug mit donnerähnlichem Krachen zu.

Durch die Erschütterung war eine der drei an die Wand gelehnten Deckplatten umgefallen. Es dauerte Sekunden, ehe Adelines Augen sich an die verringerte Helligkeit gewöhnt hatten. Neben sich hörte sie die ängstliche Stimme ihres Bruders.

»Fort, Adeline! Hier ist's unheimlich!«

Ja, fort von hier! dachte auch sie. Da fiel ihr Blick auf den umgestürzten Stein. Die Unterseite lag nach oben. Auf ihr, wie festgeklebt, etwas Weißes . . . Papier schien's zu sein.

Sie bückte sich, sah ein beschriebenes Kuvert – die Schrift so merkwürdig bekannt.

»Mein Testament!« las sie mit halblauter Stimme.

Von der Überraschung zurückgeschleudert, wich sie zur Wand. Dann, in lautem Freudenschrei, stürzte sie vorwärts, streckte in höchster Aufregung die Hände nach dem Umschlag aus, wollte ihn greifen – schon berührten ihre Finger das Papier – da . . .

Sie taumelte, preßte ein Ächzen hervor. In stierem Suchen glitten ihre Augen wie die einer Wahnsinnigen am Boden, an den Wänden entlang . . .

»Das Testament!« knirschte sie. »Hier war es! Doch jetzt ist's fort! Franz, komm her – wir müssen es wiederfinden!«

Sie schaute sich nach dem Bruder um. Der hob in angstvoller Abwehr die Hände, wandte sich fluchtartig zur Tür. Totenblaß stürmte er, wie von Furien verfolgt, hinaus – dem Schlosse zu.

Da verließ auch Adeline der Mut. Sie warf die Tür zu, hastete in wilder Eile dem Bruder nach.

Die Straße von Winterloo nach Neustadt lag im Halbdämmer. Die Weidenstümpfe am Grabenrand warfen gespenstische Schatten über die tiefen Wagenspuren. Eine kleine, graue Gestalt schob sich, müde die Füße setzend, langsam vorwärts.

Die Nacht brach herein, als die ersten Häuser des Städtchens auftauchten. Von der Kirchturmuhr schlug die siebente Stunde. Der Wanderer blieb stehen. Für den Weg – eine gute Stunde sonst – hatte er die dreifache Zeit gebraucht. An einen Weidenbaum gelehnt, schöpfte er ein paarmal tief Atem.

Sollte das Gift in ihm sich schon so stark auswirken? Wieviel blieb ihm noch zu tun!

Seine Gedanken flogen zurück. Der Jugend kaum entwachsen, hatte ihn die Idee beherrscht, in die Tiefen der physikalischen Erkenntnis einzudringen, die bisher jedem Sterblichen verschlossen geblieben. Was die Natur in ihrer Weisheit hilflosen Lebewesen zu ihrem Schutz gegeben: sie dem Auge des Feindes unsichtbar zu machen – war dem Menschen, dem höchstentwickelten Lebewesen, versagt. Sollte es nicht möglich sein, Mittel zu finden, die auch ihm solchen Schutz gewährten, die Augen seiner Feinde täuschten und blendeten?

Das Mittel, in einer Lebensarbeit gesucht – er hatte es gefunden! Auf völlig anderem Wege als die Natur war er zum Ziel gekommen. Einen Kranz in schnellsten Schwingungen vibrierender Ätherenergie – wie einen Mantel legte er ihn um sich. Abgelenkt, umgelenkt umfluteten die Lichtstrahlen die zauberische Hülle, setzten dahinter ihren Gang in der alten Richtung fort, als wären sie nie auf ein Hindernis getroffen. Unsichtbar mußte so die Hülle machen, ihren Träger jedem menschlichen Blick entrücken.

Schritt für Schritt hatte er darauf hingearbeitet, den Mantel, aus vibrierendem Äther gewoben, so zu formen, daß er die auftreffenden Strahlen in der gewünschten Weise weitersandte. Der erste Erfolg war schnell errungen.

Ein kleiner, bequem mitführbarer Apparat gestattete es ihm leicht, kreisende Schwingungen um sich zu werfen, die das auftreffende Licht um ihn herumlenkten, seine Gestalt für das Auge der Menschen zu einem fast unsichtbaren Schemen machten. Aber jahrelange Arbeit kostete es ihn, die schwingende Energie so zu differenzieren, daß jeder ihn treffende Strahl ihn ungebrochen, unverschoben verließ. Jetzt erst war die Täuschung vollkommen, da das menschliche Auge das hinter ihm Liegende, von seiner Gestalt sonst naturgemäß Verborgene, ungeschwächt und unverzerrt erblickte.

Da kam der Krieg. Medardus, durch das Geschenk des alten Freiherrn, das Treibmittel, am Ziel seiner Wünsche, seine Erfindung zu erproben, stürzte in den Krieg.

Mit Angst und Bangen hatte Arvelin Drostes Konterbandefahrten mit angesehen. Wähnte seines Schützlings Leben täglich, stündlich bedroht. Er mußte bei Medardus sein, ihm helfen, ihn behüten – ihn, den Sohn William Hogans und Vivian Dohertys. Mußte einen Teil der Schuld abtragen, die seit jener Nacht am Weyman-River auf ihm lastete.

Die Schuld – vergeblich hatte er sich in sophistischen Überlegungen davon freizumachen versucht. Doch immer wieder der Gedanke in ihm: Was wollte an jenem letzten Abend William Hogan von Vivian?

Er selbst war ja bei der Aussprache Hogans mit seinem Vater, Lord Roßmore, unsichtbar zugegen gewesen, hatte ihre Unterredung mit angehört. William hatte den Bitten seines Vaters anscheinend nachgegeben, Vivian verraten. Und doch! Konnte sich sein Sinn nicht zum Guten gewandelt haben, als er den Felshang zu Vivian hinaufstieg? Konnte er nicht, trotz allem, in reiner Liebe die Absicht hegen, Vivians Hand zu gewinnen, die Schmach von ihr abzuwenden?

Und als er, Arvelin, unsichtbar hinter Vivian getreten, plötzlich sich Hogans Augen offen bot, der erschrak, den Hang hinunterstürzte – war's auf seiner Seite nur Mitleid, selbstlose Liebe gewesen? Oder nicht vielmehr Haß, geboren aus blinder Leidenschaft zu Vivian?

Dann war es seine Schuld, daß Vivian starb. Seine Schuld, daß ihr verwaister Sohn als Findling in fremdem Hause aufwachsen mußte. Seine Tat an Medardus zu sühnen, war sein einziger Gedanke seitdem. Um ihn zu beschützen, mußte er seine Erfindung weiter ausbauen. Er mußte imstande sein, den bergenden Mantel auch über ihn, über andere zu werfen. Ungeheuerlich schien ihm selbst die Aufgabe. Was einer neuen Lebensarbeit bedurfte, mußte in kurzer Zeit errungen werden. Wohl sah er bald den Weg. Doch der zeigte sich versperrt durch eine Gefahr, die sein Leben bedrohen, vernichten konnte.

Die Energiemengen, die in seinem Zaubermantel schwangen, waren ja nur unendlich gering, und infolgedessen unschädlich. Eine winzige Stromquelle konnte den Mantel auf lange Zeit weben. Doch gefährlich wurde das Gewebe, wenn es zu weit geworfen werden mußte, wenn andere, größere Dinge zu tarnen waren. Dann bestand die Gefahr, daß der Träger der Stromquelle von verderblichen Rückschwingungen getroffen wurde, die, wie in früheren Jahrzehnten schon gewisse hochfrequente Schwingungen, schleichende organische Schädigungen hervorriefen.

Doch bald hatte er diese Schrecken überwunden. Sein Leben? Was galt's ihm, wenn er damit das teure Dasein von Medardus erkaufte? Ohne Furcht schritt er den Weg, die Augen nur zum Ziele gewandt, ohne Rücksicht auf die Gefahren, die ihn umlauerten, ihn packten, den Todeskeim in ihn senkten. Das verderbenbringende Gift im Mark, war er unter Anspannung aller Kräfte seines schon geschwächten Körpers immer bei Vivians Sohn gewesen, hatte ungesehen wie ein Schutzengel seinen Mantel um ihn gebreitet, wenn der Tod nahe schien.

Da ward er Zeuge des Gesprächs zwischen Medardus und Edna. Winterloo, ihre alte, teure Heimat, war von diesen Räubern, den Harrachs, zum Verkauf ausgeboten. Der letzte Wunsch seines alten Freundes, daß ein Winterloo Erbe, Besitzer des alten Stammschlosses sein sollte, hatte ihn hierhergetrieben – nach langem inneren Kampf zwischen den Pflichten, die beide ihm teuer und heilig.

Und nun: Seine Hand tastete zur Tasche. Ein Papier knisterte darin. Das Testament des Freundes! Endlich gefunden! Ein gütiges Schicksal lohnte seinen letzten Freundesdienst an dem Freiherrn, gab ihm das Dokument, das er im letzten Augenblick den gierigen Händen der Harrachs entriß. Und als hätte das bedeutungsvolle Schriftstück ihn gemahnt, raffte er sich auf, schritt weiter. –

Als Arvelin am nächsten Morgen das gastliche Haus des Notars verließ, schien er um Jahre verjüngt. Hartwigs zuversichtliche Erklärung, daß alle Pläne Harrachs an diesem Dokument scheitern müßten, daß er sofort einen gerichtlichen Beschluß erwirken werde, das Gut des alten Freiherrn für die rechtmäßigen Erben sicherzustellen, hatte ihm neue Lebenskraft gegeben.

Vergeblich bemühte sich Hartwig, ihn zu halten. Eine innere Unruhe trieb ihn zur sofortigen Abreise.

Im Hof des Schlosses herrschte lärmendes Treiben. Eine Menge von Käufern und Neugierigen hatte sich versammelt, um der Versteigerung beizuwohnen.

Franz und Adeline standen am Fenster. Das Zimmer, in dem sie weilten, schon geräumt. Alles in Kästen und Kisten verpackt. Franz rieb sich die Hände. Alle Anzeichen waren günstig.

Unwirsch sah Adeline auf die Uhr. »Es wird Zeit, mit der Versteigerung zu beginnen! Mir brennt der Boden unter den Füßen. Nicht eher finde ich Ruhe, bis wir den Verkauf hinter uns haben.«

»Haha, Adeline!« lachte Franz. »Jetzt hat dich die Ungeduld gepackt, den Staub Winterloos von den Füßen zu schütteln. Das Testament – haha! Du fürchtest, es könnte noch in letzter Minute auftauchen, unsere Pläne über den Haufen werfen, daß wir als Bettler nach Dobra zurückkehren? Haha! Wie oft hast du mich früher ausgelacht, mich Feigling geschimpft! Jetzt bist du es, die zittert und bangt! Warum wolltest du auch durchaus in das verwünschte Mausoleum, diesen unheimlichen Bau? Es mögen arge Sünder unter den begrabenen Winterloos sein, daß sie heute noch als Gespenster um die Gräber spuken!«

Adeline durchquerte nervös das Zimmer. »Gespenster, Franz? Lächerlich!

Glaubst du, ein Gespenst hätte mir das Testament aus der Hand gerissen? Gewiß, ich war stark erregt. Doch zu deutlich sah ich das Papier vor mir, erkannte ja auch die Schriftzüge des Oheims . . .«

»Nerven, meine liebe Adeline!«

Adeline wandte sich ab. »Sind wir mit dem Erlös über die Grenze, will ich's glauben, daß meine Furcht grundlos und alles nur Einbildung gewesen. Einstweilen aber bleibe ich dabei: Das Testament« – sie schrie das Wort laut heraus – »ist da! Ist . . .«

Sie hielt jäh inne, deutete mit der Hand zum Fenster. »Der Notar Hartwig kommt über den Hof. Was will der hier?«

Franz zuckte die Schultern. »Irgendein Käufer wird ihn als Beistand mitgebracht haben.«

Adeline schüttelte den Kopf. Von einer Ahnung getrieben, trat sie auf den Flur, wo der Anwalt eben mit einem anderen Mann auf sie zukam. Auch Franz war seiner Schwester nachgegangen und stand auf der Türschwelle, als der Notar bei Adeline anlangte.

Hartwig deutete auf den mitgekommenen Herrn. »Ein Vertreter des Gerichts in Neustadt. Er hat den Auftrag, die Versteigerung zu untersagen.«

»Warum?« Franz trat einen Schritt näher heran. »Was soll das?«

»Das Testament des Freiherrn von Winterloo, in dem er seinen Neffen Oswald zum Alleinerben einsetzt, ist gefunden und an Gerichtsstelle hinterlegt. Hier eine Abschrift davon!«

Franz wollte nach dem Papier greifen, als ein wilder Aufschrei Adelines ihn innehalten ließ. Sie drohte zu Boden zu stürzen, sank ohnmächtig in seine Arme.

Während Franz um die Schwester bemüht war, trat Hartwig auf den Hof, sprach zu den dort Versammelten. Wenige Minuten später lag der weite Raum verlassen.

Schloß Winterloo wartete auf den rechtmäßigen Herrn.

Droste hatte sich eben zum Schlafen hingelegt, als ein Monteur von draußen seinen Namen rief. Ärgerlich kleidete er sich an, trat zur Tür.

Die Empfangsstation arbeitete nicht? Was konnte das bedeuten? Vor ein paar Stunden noch hatte er mit Wildrake gefunkt.

Droste riß das Fenster auf, blickte hinaus in dunkle Nacht. Schwach nur drangen die Lichter des Stationsgebäudes durch die Finsternis. Er machte sich auf den Weg dahin. Da – plötzliche Tageshelle!

Überrascht schaute er empor: Zwei Flugzeuge, von Hubschraubern gehalten, über ihm, die mit starken Scheinwerfern die ganze Station in blendende Helligkeit tauchten. Und nun vom Gebäude her wirres Schreien und Rufen.

In raschem Lauf eilte Droste dorthin, riß die Tür auf, prallte erschrocken zurück: Der Raum gefüllt von brasilianischen Soldaten, die seine Leute überwältigten!

Schnell wollte er davonstürzen, da stieß er draußen auf einen Trupp Brasilianer, die, geführt von einem Offizier, ihn umringten und nach kurzer Gegenwehr gefangennahmen. Im Nu war er an Händen und Füßen gefesselt.

»Laßt ihn liegen!« rief der Offizier. »Wir müssen zu jenem Hause.« Er deutete auf den Bau, aus dem Droste gekommen. »Major Tejo ist schon dort. Der Leiter der Station soll da wohnen.«

Bei der Erwähnung von Tejos Namen war Droste, der halb besinnungslos gelegen, wieder zu sich gekommen. Er suchte seine Hände freizumachen. Die Fesseln an der einen Hand, nur lose geschlungen, gaben nach. Bald war er seiner Bande ledig. Doch vergebens spähten seine Augen nach einem Versteck. Die Scheinwerfer erschwerten das Entkommen. Doch ein Versuch mußte gewagt werden. Flink erhob er sich, stürmte in langen Sätzen dem Furo zu. Erreichte er das andere Ufer, den dichten Wald dort, so konnte er den Verfolgern vielleicht entrinnen.

Schon war er bis auf wenige Schritte an das Flußufer herangekommen, da krachte ein Schuß. Eine Kugel streifte seinen Kopf. Betäubt fiel er den steilen Abhang hinunter.

Ein paar Augenblicke später stand Tejo neben ihm, in unverhohlener Freude über den glücklichen Fang. »Bringt ihn zu meinem Flugzeug, doch fesselt ihn gut! Die Beute ist kostbar.«

Während ein paar Soldaten Droste wegschleppten, ging der Major zum Stationsgebäude.

Ein Offizier trat ihm entgegen, hielt ihm ein Papier vor. »Wir haben den Montageplan nach der stehenden Anlage aufgenommen. Wenn wir alles mitnehmen, wird es nicht schwierig sein, sie zu Hause genauso aufzubauen.«

»Dann vorwärts mit dem Demontieren!« befahl Tejo. »Zwar haben wir keine Zeit zu verlieren, aber trotzdem muß die Arbeit so sorgfältig wie möglich gemacht werden!«

Ein paar große Transportflugzeuge senkten sich von oben in den Kegel der Scheinwerfer, setzten neben dem Stationsgebäude auf.

Eine Stunde danach waren alle wichtigen Teile der Drosteschen Anlage in den Lastschiffen verstaut. Boten aus Tlacala, die nach San Fernando eilten und dort Alarm schlugen, kamen viel zu spät.

In San Fernando war trotz vorgeschrittener Nacht alles in heftigster Erregung. Nachrichten vom Osten hatten gemeldet, die Brasilianer hätten mit einer riesigen Luftflotte im Hinterland von Porto Cabello starke Kräfte abgesetzt, vom Lande her in Besitz genommen und dann im Rücken der Stadt nach Westen hin starke Befestigungsanlagen errichtet. »Eine brasilianische Kriegsflotte im Anmarsch auf die Küste!« lautete die letzte Hiobsbotschaft. Seitdem war man ohne Nachrichten. –

Was war geschehen?

Bei der Bearbeitung des Tejoschen Planes, einen Überfall auf die Station am Furo zu machen, hatte der brasilianische Generalstab beschlossen, Truppen in Nordvenezuela zu landen und dort den Minengürtel an der Küste durch Bombenabwurf zu zerreißen. Hatte man erst einmal festen Fuß gefaßt, dann sollten große Verstärkungen, schon bereitgestellt, in überraschendem Vormarsch den Norden abriegeln.

Diese Erwägungen gingen davon aus, daß unbedingt ein offensichtlicher Erfolg erzielt werden müsse, um das geschwächte Prestige Brasiliens zu stärken. Die Versorgung der brasilianischen Truppen konnte leicht über See her erfolgen.

Zur selben Zeit, da Tejo Drostes Station überrumpelte, erschienen vor dem kleinen Atlantikhafen starke brasilianische Luftstreitkräfte. In geschicktem Manöver verteilten sie sich in einer Linie, die dem Verlauf der Minensperre entsprach. Auf ein gegebenes Zeichen ließen die Flugzeuge mit Sprengstoff gefüllte Bojen ins Meer fallen, die sich innerhalb der venezolanischen Minenfelder verankerten. Diese Bojen waren mit Radiozündern versehen.

Als das geschehen, gab ein brasilianisches Schiff mit starker Sendeanlage eine Sprengdepesche nach unten, die sämtliche Bojen zur Entzündung brachte. Die explodierenden Bojen wiederum ließen gleichzeitig sämtliche Minen der Sperre über eine große Strecke hin hochgehen.

Unter Führung von ein paar Minensuchbooten steuerte jetzt ein brasilianisches Geschwader auf den Hafen Porto Cabello zu. Es brachte Verstärkungen für die aus den Transportflugzeugen gelandeten Kräfte, die ihren Brükkenkopf nur mit harter Mühe gegen die angreifenden Venezolaner hielten. Unter dem Schutz der Schiffsgeschütze gingen große Transportschiffe vor Anker, die im Laufe der nächsten achtundvierzig Stunden neue Truppen und beträchtliche Mengen Kriegsmaterial an Land setzten. Noch ehe die Venezolaner Nachschub heranführen konnten, hatten die Brasilianer den Vormarsch nach Süden angetreten. Die starke brasilianische Luftflotte deckte die rechte Flanke. Und es konnte nur noch eine Frage von Tagen sein, daß die Invasionstruppen die Grenze zwischen Venezuela und Kolumbien erreichten.

Eine Flut von Rundfunkmeldungen ergoß sich aus den brasilianischen Sendern über den ganzen Erdball. Schon glaubte man das Ende des Krieges nahe.

Über den Zweck des Überfalls auf die Station am Furo bei Tlacala und die näheren Umstände dabei verlautete jedoch so gut wie nichts. War es doch Hogans Wunsch, über das Drostesche Treibmittel so wenig wie möglich in die Öffentlichkeit gelangen zu lassen. Auch über den ruhmvollen Anteil, den Tejo an den Ereignissen in Nordvenezuela hatte, war kaum etwas bekannt geworden. Lediglich seine Beförderung zum Oberst gab den wenigen Eingeweihten zu erkennen, daß man an höherer Stelle seine Leistungen gebührend würdigte. –

Hogan saß mit Tejo zusammen in Brasilia und hatte ihm eben zu seiner Beförderung gratuliert.

»Ich hoffe, mein lieber Oberst, wir sind dem Frieden jetzt ein gutes Stück näher. Sollten Sie später vielleicht den bunten Rock für immer ausziehen wollen, so brauchen Sie mir nur ein Wort zu sagen! Leute wie Sie kann ich jederzeit gebrauchen. Doch nun zum Zweck unserer Zusammenkunft! Wie ich Ihrem Bericht entnehme, sind alle wichtigen Teile der erbeuteten Station in den militärischen Werken Campinas aufgebaut, und das Fehlende ist ergänzt?«

Tejo nickte.

»Es handelt sich also darum, die Apparate in Tätigkeit zu setzen, den Drosteschen Treibstoff bei uns selbst herzustellen. Sie werden sich am besten an das Laboratorio Nationale wenden, das Ihnen ein paar tüchtige Fachleute zur Verfügung stellen kann.«

Tejo wiegte zweifelnd den Kopf. »Mag sein, Señor Hogan. Doch werden wir auch ohne solche Hilfe zu Rande kommen.« Tejo achtete nicht darauf, daß Hogan ärgerlich das Gesicht verzog. »Ich halte die Sache für ziemlich einfach. Der Punkt, um den sich die ganze Fabrikation dreht, ist ein Zusatzmittel, von dem wir ansehnliche Mengen in der Station am Furo fanden. Unklar allerdings ist mir einstweilen noch die Art der Zusammensetzung dieses Zusatzmittels. Und das zu ergründen, könnten Proben davon an eine Anzahl Laboratorien geschickt werden, mit dem Auftrag, sie genau zu analysieren. Doch das wird eine gewisse Zeit dauern. Ich will daher vorläufig mit den vorhandenen Vorräten den Betrieb aufnehmen und soviel wie möglich von dem Treibstoff fertigstellen. Unsere Flieger werden staunen!«

»Alle Schwierigkeiten wären behoben«, fiel Hogan ein, »wenn der deutsche Starrkopf bereit wäre, uns sein Geheimnis zu offenbaren. Es wurden ihm die bündigsten Versicherungen gegeben, daß ihm das Leben geschenkt, er nach Friedensschluß unbehelligt in die Heimat zurückkehren würde. Doch der eigensinnige Mensch scheint lieber sterben zu wollen, als die Erfindung preiszugeben.«

»Nun, es geht auch ohne ihn! Über die Fabrikation bin ich mir völlig im klaren. Die Hauptsache bei dem Verfahren ist eben das Zusatzmittel. Wird eine gewisse Menge davon unserem gewöhnlichen Treibstoff zugefügt, so gewinnt die Mischung eine geradezu wunderbare Speicherfähigkeit. Es wird dann möglich, mit Hilfe einfacher Metallelektroden elektrische Energie in einer fast unglaublichen Quantität in die Flüssigkeit zu laden.«

»Nun gut! Wenn Sie's gern allein durchführen wollen – besten Erfolg! Doch was sagen Sie zu den letzten Nachrichten aus Nordvenezuela?«

Eine gleichgültige Handbewegung. »Ich messe den kleinen Fehlschlägen keine Bedeutung bei. Damit muß man ja immer rechnen. Daß größere venezolanische Truppenmassen in Aktion getreten sind, halte ich für ausgeschlossen. Ehe die da oben ankommen können, haben wir unsere Front derart verstärkt, daß sie sich die Köpfe blutig rennen werden.«

»Sind Sie dessen so sicher?«

»Unbedingt, Señor Hogan!«

Ein Morseschreiber begann zu arbeiten. Hogan riß den Streifen ab, gab ihn seinem Besucher.

»Nun?« fragte er kurz, als auch Tejo gelesen hatte.

»Allerdings – diese Nachricht klingt recht betrüblich. Es droht anscheinend die Gefahr, daß unsere quer über Venezuela gespannte Front durchbrochen wird. Ich muß sagen, ich stehe da vor einem Rätsel. Hoffe jedoch bestimmt . . .«

»Rätsel, mein lieber Oberst?« Hogans Stimme hatte einen ironischen Ton. »Rätsel haben wir leider in diesem Krieg genug raten müssen. Auch ich hoffe, daß es unserer Heeresleitung gelingt, das Schlimmste abzuwenden. Denn ein Rückschlag müßte die Kriegsmüdigkeit bedenklich steigern«

Die Nachrichten vom Kriegsschauplatz in den nächsten vierundzwanzig Stunden waren wenig tröstlich. Zwar suchte die brasilianische Heeresleitung die

Größe der Niederlage zu verschleiern, doch schien jedem Einsichtigen klar, daß der Durchbruch so gut wie vollendet war, daß alle Versuche der Armee, die Front wieder zu schließen, an dem hartnäckigen Widerstand der venezolanischen Truppen scheiterten.

Hogans Stimmung verschlechterte sich mit dem Fortschreiten des Tages immer mehr. Er wollte sich eben zur Abendmahlzeit niedersetzen, da wurde ihm eine Depesche gebracht.

»Schwere Explosion in Campinas. Versuchslaboratorium dreiundzwanzig in die Luft geflogen. Die darin befindlichen Menschen tot ...«

Mit wütenden Flüchen schleuderte er das Papier zu Boden — Flüche über Tejo — kein Wort des Bedauerns, des Mitleids mit dessen plötzlichem Ende.

»Die Analysen!« schrie er laut. »Hätte ich wenigstens die! Doch Tejo wollte ja die Proben des Zusatzmittels erst in der nächsten Woche abschicken. Gerechte Strafe nur für seinen übertriebenen Ehrgeiz! Was mußte er sich mit solchen Dingen abgeben? Umsonst das ganze Unternehmen da unten! Der ganze Erfolg zunichte durch den Aberwitz dieses Toren!«

Sein Blick richtete sich wieder auf das Telegramm. Er hob es auf, las es abermals, schlug sich mit der Hand vor die Stirn. »Ist es denkbar?«

Er warf sich in den Stuhl, schloß die Augen. Seine Herrschaft über die mächtigsten Ölvorkommen der Welt schien durch diese höllische Erfindung aufs stärkste bedroht. Hundertfache Leistung mußte das Teufelszeug entwickeln — das bedingte eine um ebensoviel verringerte Nachfrage nach Öl. Seine Macht war dahin!

Ein Diener brachte die Abendzeitungen, legte sie vor Hogan auf den Schreibtisch. Mit einer Gebärde des Unmuts wollte er sie zur Seite schieben. Da fiel sein Auge auf ein paar dicke Schlagzeilen.

»Der Deutsche Medardus Droste, Genosse des Verbrechers Wildrake, ist vom Kriegsgericht zum Tode verurteilt worden. Die Hinrichtung wird morgen stattfinden.«

Hogan zuckte die Achseln.

Noch einmal überflog er die Depesche von vorhin, saß lange in angestrengtem Nachdenken.

»Noch ein letzter Versuch!«

Er drückte auf einen Knopf, befahl dem Diener: »Meinen Wagen, sofort!«

Das erst kürzlich vollendete Gefängnis in Florianopolis, wohin man Medardus Droste gebracht hatte, war mit den besten neuzeitlichen Sicherheitsvorrichtungen versehen. »Eher ein Entweichen aus der Hölle als aus Florianopolis!« hatte der Baumeister lachend sich gerühmt, als es fertig stand. Auf Tejos Veranlassung waren die schier unüberwindlichen Sicherungen, mit denen Drostes Zelle versehen war, noch verstärkt worden.

Die zweite Morgenstunde brach an. Ein Kraftwagen hielt vor dem Tor. Der Posten wollte den Besucher brüsk zurückweisen. Doch der übergab ihm einen Brief, der sofort dem Gefängnisleiter zu bringen war.

Nach geraumer Weile erschien der persönlich, von ein paar Wachleuten begleitet. »Ah, Señor Ho ...«

Ein Wink ließ ihn verstummen. »Sind Sie bereit, mich zu dem Gefangenen zu führen?«

»Gewiß, Sir! Es ist zwar grundsätzlich verboten, nachts einem Fremden das Tor von Florianopolis zu öffnen. Doch der Brief entbindet mich ja von meiner Instruktion.«

»Es liegt mir daran, den Gefangenen allein zu sprechen.«

»Kann geschehen! Er ist so stark gefesselt, daß keinerlei Gefahr für Ihre Person besteht.«

Vor der Zelle reichte der Gefängnisleiter Hogan eine starke Lampe, ließ ihn eintreten, schloß die Tür hinter ihm zu.

Der Gefangene lag auf einer Pritsche, Hände und Füße in schweren Ketten. Im Schein der Lampe studierte Hogan die Züge des Mannes. Sie waren von Leid und Qual gezeichnet. Blutlose, eingefallene Wangen, tief in den Höhlen liegende Augen, wirr das Haar, die linke Kopfseite mit Pflastern und Binden verklebt.

»Sie sind Medardus Droste, Freund und Helfer Kapitän Wildrakes?«

Mit leiser Kopfbewegung bejahte der Gefesselte.

»Sie sind im Besitz des Geheimnisses, einen Treibstoff von außergewöhnlich großem Energiegehalt herstellen zu können?«

Der Gefangene nickte wieder.

»Auch das Tauchflugboot Wildrakes ist Ihr Werk?«

Nochmals ein Nicken.

»Wie kamen Sie dazu, sich diesem Wildrake zur Verfügung zu stellen, ihm seine Schandtaten zu ermöglichen – statt Ihre Erfindungen der Menschheit zu schenken – zu friedlichen Zwecken?«

Lange wartete Hogan auf die Antwort. Droste warf den Kopf unruhig hin und her. Mit leiser Stimme begann er schließlich zu sprechen.

»Der Platz des Gerechten, Starken soll an der Seite des Schwachen, Unterdrückten sein, hat man mich stets gelehrt. Euer Kampf gegen Wildrakes Vaterland – was ist er anderes als ein Krieg der Habgier, eine übermütige Vergewaltigung der Schwachen? Die Menschheit ...« Ein verächtliches Lächeln spielte um die Lippen des Gefangenen.

»Ah! Sie wollen doch nicht sagen, daß Sie Ihr Geheimnis niemals bekanntgeben wollen? Das wäre ja ... Doch ich verstehe Sie. Sie wollen den Preis recht hochtreiben – haben Pläne, Beherrscher der Energiequellen der Welt zu werden ...«

Hogan sah nicht den grimmigen Blick, den Droste ihm zuwarf. Mit einem häßlichen Lachen fuhr er fort: »Nun, diese himmelstürmenden Ideen haben Sie wohl begraben. Morgen früh wird Ihnen das Urteil des Kriegsgerichts verkündet werden. Es lautet auf Tod durch den Strang.«

Hogan starrte auf das Gesicht des Gefangenen. Keine Miene verzog sich darin, kein Muskel zuckte.

»Nur ein Mittel gäb's für Sie, der Hinrichtung zu entgehen. Offenbaren Sie uns das Geheimnis Ihres Teibstoffs!«

Der Gefangene schwieg. Zornig trat Hogan näher an ihn heran, wiederholte noch einmal die Worte.

»Niemals werdet ihr's erfahren, und müßte ich tausendfachen Tod erleiden!« Droste hatte, soweit die Fesseln es ihm gestatteten, das Haupt erhoben, sah Hogan durchdringend an.

Hogan vermochte diesen Blick nicht auszuhalten. Ärgerlich wandte er sich ab. Er sah ein, jedes Wort hier war vergebens.

»So stirb denn, du Narr!« zischte er wütend, wollte zur Tür.

Da – der Klang einer Stimme im Raum ... einer Stimme, die ganz anders war als die des Gefangenen. Eine Stimme, die dicht neben ihm zu ihm sprach.

»Der ›Narr‹, der morgen stirbt, William Hogan, ist dein Sohn! Heute vor dreißig Jahren gebar ihn Vivian Doherty in der Hütte des alten Fischerweibes ... an seiner Hand der andere Ring, den du seiner Mutter gabst, der Siegelring mit dem Roßmore-Wappen ...«

Beim Klang der Stimme war Hogan wie erstarrt stehengeblieben, die Augen voll Entsetzen.

Niemand war hier. Er allein mit dem da drüben. War's ein Geist? War's eine innere Stimme in ihm selbst?

Der andere Ring, den er Vivian geschenkt? Mit raschem Sprung stand er an Drostes Seite. Faßte dessen Rechte, drehte sie dem Licht zu. Am Ringfinger ein glänzender Goldreif. So fest saß er an der Hand, daß ihn die Häscher nicht hatten lösen können.

Das springende Pferd im Roßmore-Wappen! Hogan riß die Lampe hoch, hielt sie dicht über das Gesicht des Gefangenen, starrte in leuchtend blaue Augen ...

»Vivians Augen!« wollte er schreien. »Medardus – mein Sohn?«

Die Lampe entglitt seinen Händen. Schwer schlug Hogan zu Boden. –

Ungeduldig wartete der Leiter des Gefängnisses. Immer wieder zog er die Uhr. Endlich konnte er sein Befremden nicht länger meistern. Er schloß die Tür auf, die knarrend zurückglitt. Doch an der Schwelle stockte sein Fuß: Die Zelle war dunkel! Dunkel?

In wilder Hast stürzte er zu einem der Wärter, entriß ihm die Lampe, eilte zurück. Da vor ihm, auf dem Boden, lag Hogan!

»Alles herbei!« rief er zur Tür hinaus. »Ein Unglück!«

Im Nu war die Zelle von Wärtern gefüllt. »Hebt den Mann hier auf! Er ist ohnmächtig geworden.«

Da fiel sein Blick auf die Pritsche. »Der Gefangene! Wo ist er? Entflohen?«

Das Lager war leer! Ein einziger Schrei aus allen Kehlen.

Binnen weniger Minuten waren sämtliche Wachen alarmiert. Unmöglich konnte der Befreite das Gebäude bereits verlassen haben. – Bis zum Morgengrauen dauerte die Suche. Doch ein Ergebnis brachte sie nicht. Wie von Geisterhand entführt, blieb der zum Tode Verurteilte verschwunden.

Mit zitternder Stimme meldete der Leiter von Florianopolis, daß der Gefangene Droste aus seiner Zelle entwichen sei. Die Meldung lief auf höhere Anordnung alsbald an alle Behörden weiter, mit der Aufforderung, nach dem Flüchtling zu fahnden, ihn dingfest zu machen.

Beim Publikum wurde die Nachricht wenig beachtet. Die Heeresberichte der venezolanischen Armee nahmen die Aufmerksamkeit voll in Anspruch.

Danach war die Invasion gescheitert. Ein Teil der Brasilianer hatte die Waffen gestreckt.

Die Niederlage, jetzt in ihrer vollen Bedeutung erkannt, wirkte niederschmetternd. Ein paar kleinere Erfolge konnten nichts daran ändern. Die Riesenverluste an Menschen und Kriegsmaterial im ganzen fachten den Funken der Friedenssehnsucht zu immer stärkerer Glut an.

Der Kriegsminister war plötzlich zurückgetreten. Sein Nachfolger, General Suco, galt als Tornos Freund.

Torno – die ganze Last der verfahrenen Situation ruhte auf seinen Schultern. In einer Konferenz im zentralen Regierungspalast unter Vorsitz des Präsidenten hatte er in klaren Worten vorgeschlagen, den Krieg so schnell wie möglich zu beenden. Noch einmal waren die Meinungen heftig aufeinandergeplatzt. Die Gegenpartei unter Führung des Marineministers wollte nur unter Vorbehalt zustimmen. Ein Vertreter der Opposition deutete an, daß wohl William Hogan als wichtiger Exponent der brasilianischen Interessen nicht übergangen werden dürfe.

Vergeblich aber hatte Torno im Anschluß an die Konferenz versucht, mit Hogan Rücksprache zu nehmen. War er auch seiner Sache sich selbst sicher, so interessierte es ihn doch, wie Hogan, der mehrfach schon seine Stellungnahme geändert, jetzt nach diesen schweren Schlägen über die Zukunft nachdachte. Eine Mitteilung aus Hogans Hause von dessen Arzt ließ jedoch ein persönliches Zusammentreffen unmöglich erscheinen.

Ganz Venezuela stand unter dem Eindruck des großen Sieges bei Valencia. Hier war in tagelangem, erbittertem Ringen der Durchbruch durch die brasilianische Front gelungen. Die weiteren Erfolge erhöhten noch den Freudentaumel. Der Einzug der venezolanischen Truppen in Porto Cabello – kein Feind mehr im Norden des Landes. Auch in der venezolanischen Armee waren schwere Verluste zu beklagen. Die Lazarette überfüllt – Freund und Feind durcheinander. Das verhältnismäßig kleine ärztliche Personal arbeitete bis zum Umsinken.

Auch in San Fernando waren Massen von Verwundeten in behelfsmäßigen Lazaretten untergebracht. Gleich nach der Schlacht war auch Edna Wildrake nach San Fernando geeilt, um als Pflegerin zu helfen. Und in Anbetracht ihrer Übung in der praktischen Krankenfürsorge nahm man ihre Dienste weit über ihre Kräfte in Anspruch.

Übermüdet von langen Nachtwachen, hatte sie sich eines Tages eben zu kurzem Schlummer niedergelegt, da hörte sie draußen auf dem Flur lautes Weinen und Flehen einer Frauenstimme. Wie einem Zwange folgend, stand Edna auf und schritt hinaus.

Eine ältere Frau, Angehörige der besseren Stände, wie es schien, sprach mit dem Lazarettverwalter. Es war zu erkennen, daß sie eine Bitte vorgebracht, die er ihr mit rauhen Worten immer wieder abschlug.

Edna trat näher an die beiden heran. »Kann ich Ihnen helfen?« fragte sie.

Beim Klang von Ednas Stimme hatte die Frau aufgehorcht, trat schnell zu ihr. Die Hände flehend erhoben, überschüttete sie das junge Mädchen mit einer Flut von Bitten, Klagen, wirrem Stammeln.

Edna sah den Verwalter fragend an.

»Sie will zu einem Brasilianer, der verwundet hier eingeliefert wurde. Er ist jedoch als Spion erkannt, den man vor einiger Zeit auf frischer Tat verhaftet und der dann kurz vor der Hinrichtung plötzlich entfloh.«

Die alte Frau brach von neuem in Schluchzen aus. »Nein – er ist unschuldig! Niemals hat er daran gedacht, Spionage zu treiben! Ich selbst bin schuld an allem! Oswald wollte zu mir kommen, mich besuchen. Der Waffenstillstand war ja längst geschlossen . . .«

Bei dem Worte »Oswald« war Edna zusammengezuckt. Der Name, hier in Nordvenezuela bei ihren Landsleuten kaum bekannt, ließ sie aufmerken.

Hastig trat sie an die Frau heran. »Oswald nannten Sie Ihren Sohn? Wie heißt er weiter? Wie heißen Sie?«

»Winterloo«, kam es von den zitternden Lippen der alten Dame.

»Winterloo!« Wie ein Schrei kam das Wort aus Ednas Mund. »Oswald Winterloo? Er ist hier? Verwundet, gefangen?« Sie rüttelte den Lazarettverwalter am Arm. »Wo ist dieser Offizier? Schnell! Führen Sie mich zu ihm!«

Der Beamte zuckte die Schultern. Edna stampfte wütend auf. »Wissen Sie nicht, wer ich bin?« sagte sie in hochfahrendem Ton. »Ich heiße Edna Wildrake. Als einem Venezolaner sollte Ihnen der Name nicht unbekannt sein!«

Der Verwalter trat verlegen von einem Fuß auf den anderen. »Es ist unmöglich, Señorita! Strengster Befehl, niemand zu dem Inhaftierten zu lassen. Schon einmal ist er uns entwischt!«

Sporengeklirr vom Ende des Ganges. Oberst Ceralbo, Kommandant von San Fernando, kam in Begleitung seines Adjutanten daher. Als er die ihm wohlbekannte Schwester Robert Wildrakes erblickte, beugte er sich in ritterlicher Ehrerbietung über ihre Hand.

In hastigen Worten erzählte sie ihm, was hier vorging. Bei dem Namen »Winterloo« verdüsterten sich seine Mienen.

»Sie verschwenden Ihre Güte an einen Unwürdigen, Señorita! Ich bin leider genötigt, Ihnen diese Bitte abzuschlagen.«

Fassungslos taumelte Edna zurück. »Einen Unschuldigen wollen Sie morden?« schrie sie, unfähig, sich zu beherrschen.

Der Adjutant versuchte sie zu beruhigen. Doch sie wies ihn unwillig ab. »So gewähren Sie wenigstens Aufschub, Herr Oberst, bis ich mich an den Diktator Guerrero persönlich gewendet habe.«

»Gern Doña Edna! Das kann ich ohne weiteres verantworten. Es wird also dem Hauptmann Winterloo nichts geschehen, bevor Guerrero selber entschieden hat!«

Edna ergriff die Hand des Obersten mit festem Druck. Eilte dann zu Oswalds Mutter, die ihr, vor Glück und Freude weinend, um den Hals fiel!

Edna zitterten die Knie. Unschuldig verurteilt, der Geliebte! Konnte, durfte sie ihn in den Tod gehen lassen? Niemals!

Langsam wurde sie ihrer Schwäche Herr. »Wir wollen zu ihm! Wer sollte es wagen, Robert Wildrakes Schwester zu verwehren, eine Mutter zu ihrem todgeweihten Sohn zu führen? Geleiten Sie uns zu dem Gefangenen!« herrschte sie den Aufseher an.

Der schritt ihnen voran zu dem Untergeschoß des Gebäudes. Im Hintergrund eines langen Ganges schloß der Aufseher eine Tür auf.

Der Raum war von meterdicken Mauern umschlossen. Nur ein kleines Fenster in der Decke ließ spärliches Licht herein. Beim Öffnen der Tür hatte sich der Gefangene von seinem Lager aufgerichtet. Den linken Arm in der Binde, den Kopf mit blutigen Tüchern umhüllt, schaute er zum Eingang.

Oswalds Mutter trat ein.

»Mutter!«

Der Gefangene war aufgesprungen. Ein lauter Schrei aus dem Munde der Mutter – dann schlossen sich ihre Arme umeinander. Lange standen sie so. Dann machte sich Oswald frei, drückte sein Gesicht an das der Mutter, küßte ihre tränenüberströmten Wangen, sprach zu ihr.

Und nun klang langsam, stockend auch die Stimme der Mutter. Jetzt machte sie ihre Rechte frei, deutete zur Tür, rief: »Oh, kommen Sie doch zu uns, daß wir Ihnen danken!«

Eine Weile noch zögerte Edna. Erst als auch Oswald nach der unbekannten, gütevollen Helferin rief, überschritt sie die Schwelle. Trat, die eine Hand vor die Augen gepreßt, vor ihn hin – fühlte wie im Traum, daß eine Männerhand die ihre ergriff und innig drückte.

Da, unfähig, ihre Beherrschung länger zu bewahren, ließ sie die andere Hand sinken ...

Nur das eine Wort »Edna« hörte sie noch. Dann lag sie in seinen Armen.

Von Juan Avilla, dem alten Administrator, begleitet, kehrte Maria Anunziata von einem Ritt durch die Felder nach La Venta zurück.

»Kommen Sie mit mir, Señor Avilla! Vielleicht, daß das Radio uns neue Nachrichten gebracht hat. Schon tagelang keine Mitteilung von Edna – von Robert ganz zu schweigen!«

Am Arm des Verwalters betrat sie das Stationszimmer. Ihr Begleiter schüttelte traurig den Kopf. »Keine Radionachricht – auch kein Brief, Doña Maria! ... Man hat uns wohl völlig vergessen hier!«

Maria ging in ihr Zimmer. Mißmutig warf sie sich auf ein Sofa. Vergessen? ... Ja! Sie, die Blinde, und der alte Villa waren unnütz! Nirgends zu gebrauchen.

Laut aufschluchzend schlug sie die Hände vors Gesicht – und die Tränen erleichterten ihr Herz.

Ihre Lider schlossen sich. Und ihre Sinne suchten die Bilder ihrer Lieben vor ihr geistiges Auge zu bannen. Robert – Edna – Mit ganzer Seele umfing sie die Gestalten, wie die Erinnerung sie ihr vorspiegelte. Die anderen Vertrauten – nie hatte ihr sehendes Auge sie erblickt –: Droste, Barradas, Calleja und die übrigen Freunde.

Doch nein! Den einen hatten ihre Augen gesehen: den alten grauen Mann, der damals auf der Insel zu ihr gekommen war. Kaum eine Stunde seit jenem Tage, wo sie nicht an dieses Erlebnis sich erinnerte.

Was war damals mit ihr, mit ihren Augen geschehen? Jene unverständlichen Worte des Alten: »Tote Augen einer Blinden sehen, was allen Sterblichen verhüllt«, wollten ihr nicht aus dem Kopf. Und erst recht nicht die anderen: »Der Tag wird kommen, wo deine jetzt toten Augen wieder lebendig alle Schönheit der Welt genießen!«

Inbrünstig hatte sie sich an diese Verheißung geklammert. Hatte jeden Morgen, den Gott werden ließ, in bangem Erwachen begrüßt. Aber jede neue Sonne brachte neue Enttäuschung.

Sie rang verzweifelt die Hände. »Wüßte ich nicht, daß du doch unser Freund, so möchte ich dich verwünschen, du alter grauer Mann. Wie an eine göttliche Botschaft glaubte ich an deine Verkündung. Aber niemals wohl werde ich das Augenlicht wiedergewinnen!«

Tränen liefern über ihr Gesicht. Da zuckte sie zusammen: Eine Stimme klang an ihr Ohr. Sie schlug die Augen auf. Der Freudenruf, den sie ausstoßen wollte, erstarb ...

»Der alte graue Mann – ja, er ist hier! Du siehst recht, Maria! Doch die Zeit ist nahe, wo du auch anders sehen wirst – sehen mit lebendigen Augen! Denn deine Augen sind nicht tot. Leid und Kummer nur verdunkelten ihren Spiegel. Freude und Glück deiner Zukunft werden sie wieder erhellen!«

Marias Hände umklammerten die des Fremden. Ein Strom von Kraft und Zuversicht überflutete sie. Sie sank zurück, schlummerte ein.

Ein Kraftwagen aus San Fernando hielt vor dem Tor von La Venta. Wildrake stieg aus, eilte ins Haus. Riß die Tür zu Marias Zimmer auf, rief jubelnd in den halbdunklen Raum: »Der Sieg ist unser, Maria! Der Feind bietet Waffenstillstand an!«

Die Worte des Geliebten trafen Maria, aus tiefem Schlaf aufgeschreckt, so unvermittelt, daß sie einen bangen Schrei ausstieß. Ihr Körper bebte.

Mit einem Ausruf der Angst beugte sich Wildrake über sie. Unter seinem liebevollen Zuspruch wurde Maria wieder ruhiger. In einem Strom von Freudentränen befreite sich ihre Seele. Sie trocknete die Tränen, schlug die Augen auf – schloß sie wieder – schlug sie von neuem auf.

Ihre Lippen gerieten in zitternde Bewegung.

»Roberto – Geliebter! Komm näher zu mir, daß ich dir besser ins Auge schauen kann – deine Züge, die lieben, wiedererkenne, so wie ich sie vor so langer Zeit gesehen!«

Wildrake setzte sich dicht neben sie, blickte sie unsicher lächelnd an.

Maria legte ihm die Hand auf den Mund. »Nicht sprechen, Roberto! Wer weiß, wie lange der Traum noch dauert? Diese köstlichen Augenblicke will ich nutzen – dein Gesicht, deine Gestalt mit vollem Auge umfangen!« Sie strich ihm durch das Haar. »Ach, Roberto! Dein schönes dunkles Haar! Hier schimmert's grau, du. Ja, die vielen Sorgen ...«

Wildrake zuckte zusammen. War Maria krank? Sie wollte die grauen Streifen an seinen Schläfen sehen?

»... und dein Gesicht – so schmal und hager ist's geworden!«

Roberto wollte ihr zärtlich über die Stirn streichen, doch sie ergriff seine Hand, drückte sie an ihre Lippen. »Mein Ring, Robert! Du trägst ihn immer noch an dem Finger, über den ich ihn damals streifte – in jener Stunde des Glücks, da du um mich geworben hast! – Glücklich jene Stunde – glücklicher diese, wo ich dich wiedersehe! Ja, Roberto! Ich sehe dich wieder!

Du schüttelst den Kopf, blickst angstvoll besorgt? Glaubst, ich wäre ... Nein! Ich bin völlig gesund! Meine Augen sind nicht mehr tot. Sie sind lebendig – sehen dich, sehen alles um mich her: das Zimmer, die Strahlen der Sonne, die durch die Läden hindurch sich am Boden spiegeln. Doch warum ist's nicht heller hier? Öffne die Läden!«

Wildrake stand taumelnd auf, schritt zu dem Fenster, wollte es öffnen, blieb stockend stehen.

Was Maria da sprach – war's denn möglich? Täuschung nur, Ausbruch ihrer kranken Phantasie – oder doch Wahrheit? Dann – die Hand, die den Laden öffnen wollte, fuhr zurück – dann wäre das helle Sonnenlicht Gift für die kaum Genesene. Er wandte sich um, eilte wieder zu Maria. Die streckte ihm die Arme entgegen, schaute ihn mit frohen Augen an.

»Maria!« stieß er heiser hervor. »Ich muß Gewißheit haben!«

Er riß ein Papier aus der Tasche, hielt es vor ihre Augen. »Kannst du lesen, was hier steht, Maria?«

»Ein Brief – an Herrn Admiral Robert Wildrake –!« Mit einem Jubelruf zog sie den Geliebten an ihre Brust. »Du bist Admiral geworden?«

Da löste sich die lähmende Spannung des Mannes. Der Schrei höchsten Glücks erstickte in dem Kuß, in dem sich ihre Lippen fanden.

Eine Flugjacht eilt in großer Höhe über Brasilien nach Norden der Amazonasmündung zu.

Im Pilotenstand ein kleiner alter Mann. Er läßt das Schiff tiefer gehen, stellt die automatische Steuerung auf Kurs Nord zu Nordwest, prüft noch einmal alle Teile der Einrichtung. Dann wendet er sich, geht in die Passagierkabine.

Auf einem Wandbett ein Fluggast in tiefem Schlaf. Der Alte umfaßt mit einem langen Blick die Züge des Schlummernden, dann legt er ihm sanft seine Hand auf die Schulter.

Der Schläfer scheint zu erwachen. Er schlägt die Augen auf, schließt sie wieder, deckt sie mit den Händen zu.

Der Traum, der schöne Traum, der ihn umfängt, soll nicht verschwinden vor der furchtbaren Wirklichkeit! Er ist ja im Gefängnis, in Ketten geschlossen! Morgen soll er hingerichtet werden ...

Doch weiter ging der Traum: Arvelin, Vater Arvelin war bei ihm. In seinen Armen wurde er den Kerkermauern entrückt – hinaus in die goldene Freiheit ... Und was hatte er in der Zelle zu jenem Fremden gesprochen? »Der Narr, der morgen stirbt, William Hogan, ist dein Sohn!« Das andere, von einer Vivian – das hatte er nicht verstanden ...

Der Liegende beginnt aufzuhorchen. Ein Rauschen unter ihm, so vertraut der Klang – wie wenn die Meereswogen unter ihm brausten. Langsam hebt er den Kopf, dann den Oberkörper. Wo ist er? Keine Kerkerwände? Die Hände frei? An ihren Gelenken die Striemen der Fesseln.

Ein Flugzeug, das ihn trägt? Das Rauschen unter ihm ist stärker geworden. Er springt auf, geht zum Fenster, schaut hinaus.

Das Meer? Kein Land zu sehen. Er stürzt zum Pilotenstand, reißt die Tür auf – prallt zurück.

Leer der Raum! Wo ist der Pilot?

Seine Augen suchen in allen Winkeln der Jacht. Niemand da außer ihm! Er stürzt zum Steuer. Die automatische Steuerung ist eingestellt. Und die Route auf dem Kartentisch, rot eingezeichnet, führt von Florianopolis nach Nordvenezuela. »San Fernando« liest Droste bei scharfem Hinsehen.

Er nimmt das Besteck, stellt den Stand der Jacht fest. Ist das nicht alles Täuschung, Trugbild verstörter Phantasie, so muß er in Kürze die Gestade von Carupano sehen. Er greift zu einem Glas, blickt angestrengt nach Süden. Dort jetzt ein grauer Strich, der größer und größer wird! Fast hätte er aufgeschrien, denn es sind die ihm wohlbekannten Umrisse der Küste, die da vor ihm auftauchen!

Noch ein Blick auf die Steuerung, dann wankt er in die Kabine, sinkt auf das Bett. Nicht länger tragen ihn die zitternden Knie. Sein Auge fällt auf eine Flasche. Er schenkt sich ein, trinkt. Der feurige Wein belebt ihn.

Kein Traum mehr jetzt alles: Er ist frei! Das Übermaß der Freude läßt ihn halb bewußtlos zurücksinken.

Als er wieder zu sich kommt, ist die Sonne ein gutes Stück nach Westen weitergegangen. Er eilt in den Führerstand, schaut nach unten.

Die Kämme der Küstengebirge von Venezuela liegen hinter ihm. Er reißt das Glas vor die Augen: Dort grüßen die Türme von San Fernando!

Ein kurzes Überlegen – dann stellt er das Steuer um in Richtung auf La Venta. Sieht wenige Minuten darauf dessen weiße Mauern aus dem dunklen Grün der Bäume leuchten.

Doch je näher das Ziel, desto größer die Schwäche in ihm. Mit zitternden Händen bedient er die Apparate – sieht nicht mehr, wie beim Nahen der Flugjacht Menschen aus dem Hause kommen, ihm erwartungsvoll entgegenwinken.

Er fühlt noch eben, wie die Jacht aufsetzt. Die Tür wird von außen aufgerissen. Wildrakes Stimme schreit ihm in höchster Überraschung entgegen: »Medardus Droste, wo kommst du her?«

Da schwindet der Rest seiner Besinnung . . .

Seit Tagen kam außer dem Arzt niemand mit William Hogan in Berührung. Aus Florianopolis nach Hause gebracht, war er in ein Fieber verfallen.

Der Arzt wußte sich keinen Rat. Eine seelische Erschütterung schwerster Art mußte Hogan getroffen haben. Sein Zustand war schwankend: Stunden tiefster Lethargie wechselten mit wilden Fieberdelirien. In unzusammenhängenden, unverständlichen Worten schrie er nach seinem »Sohn«. Nannte ihn bald Medardus Roßmore, bald Medardus Hogan. Man solle ihn zu ihm bringen!

Der Arzt hatte mit José, Hogans langjährigem Diener, gesprochen. Der schüttelte den Kopf. Sein Herr hatte nie einen Sohn gehabt. Die Ehe mit Maria Potter war kinderlos.

Dann wieder, als übermanne ihn die Ungeduld, wollte der Kranke aus dem Bett springen, wollte selbst zu Medardus, seinem Sohn, eilen. Wurde er dann mit Gewalt wieder aufs Lager gebracht, so fing er an zu jammern und zu klagen.

»... Medardus ist krank – gefangen! Er muß sterben, wenn ich ihn nicht befreie – rette –!«

Schauerlich klang's, wenn er immer wieder schrie: »Ich bin dein Mörder, Vivian! Doch du wurdest gerächt! Freudlos, glücklos mein Leben an der Seite Maria Potters – ihr Schoß unfruchtbar – keinen Erben konnte sie mir schenken. Der, den du, Vivian, mir gabst – wo ist er? – Komm zu mir, Medardus, daß ich dich umarme! All meinen Reichtum will ich dir... Nein! Meine Liebe – nicht den Reichtum – denn nur Unglück brachte er mir!

Die einzigen glücklichen Stunden in meinem Leben waren die mit Vivian Doherty. Doch die Erinnerungen daran vergiftete das Bewußtsein meiner Schuld, die mich nie zur Ruhe kommen ließ.

Als einziger Trost, mein Unrecht zu sühnen, bliebe, daß ich Vivians Sohn vor aller Welt als William Hogans Erben anerkenne. Wenn der die Arme um mich schlänge, mich ›Vater‹ nennte – vielleicht könnte ich dann den Rest meiner Tage weniger freudlos, weniger kummervoll verbringen. Medardus, mein Sohn! Komm zu deinem Vater!«

Flehend stammelten seine Lippen es immer wieder. »Medardus! Wer taufte dich so? Wer wußte von meiner Liebe zu Vivian Doherty? Wer weiß, daß Medardus mein Sohn ist?

Die Stimme, die im Gefängnis zu mir redete – war's die eines Menschen?«

Der Ring am Finger des Gefangenen – der Wappenring der Roßmore? – Kein Sterblicher hat von jener Stunde gewußt, da Vivian in seinen Armen gelegen, sein geworden war – und er ihr den Ring als Unterpfand der Treue gegeben –

Der Ring – wie kam er an die Hand des zum Tode Verurteilten?

Hogan sank erschöpft in die Kissen. –

Unmöglich, mein Herr! Señor Hogan ist krank, kann keinen Besuch empfangen.«

Der Diener José sprach's zu einem alten, unscheinbaren Mann, der in der Halle des Hauses vor ihm stand.

»José, wenn Ihnen das Wohl Ihres Herrn am Herzen liegt, so lassen Sie mich zu ihm!«

Der Diener schüttelte bekümmert den Kopf. »Unmöglich, mein Herr!«

Der Alte zögerte, nahm dann einen Ring aus der Tasche, gab ihn dem Diener. »Bringen Sie diesen Ring zu Ihrem Herrn! Der Überbringer warte seiner Bitte, ihn zu sehen.«

Erstaunt trat der Diener einen Schritt zurück. Die Worte des Alten – wie sonderbar klangen sie! Sein Herr sollte bitten, daß dieser unscheinbare, kümmerliche Besucher zu ihm käme?

Wie unter einem Zwang nahm er den Ring, schritt nach oben. –

»Er soll zu mir kommen! Sofort!« gellte die Stimme Hogans. »Wo ist der Mann, der den Ring brachte? Warum kommt er nicht?«

Der Kranke war aus kurzem Schlummer erwacht. Der Ring, an den er eben noch gedacht, lag nun plötzlich in seiner Hand! Er sah das Roßmore-Wappen wieder vor seinen Augen!

Verschwunden alle Schwäche. Unfähig, seine Geduld zu meistern, schrie er immer wieder: »Er soll zu mir kommen!«

José rannte die Treppe nach unten.

»Kommen Sie, mein Herr! Rasch – rasch, sonst stirbt Señor Hogan!... Was ist's? Was bedeutet der Ring? – Kommen Sie schnell!«

Er lief dem Besucher voraus. Hogan hatte sich in den Kissen aufgerichtet, blickte zur Tür.

»Der Herr, der den Ring brachte – hier ist er, Señor Hogan!«

José deutete auf den alten Mann, der jetzt langsam ins Zimmer trat und sich an Hogans Bett niedersetzte.

Der Diener ging hinaus, schloß die Tür... Blieb stehen – bereit, sie jeden Augenblick wieder aufzureißen, um seinem Herrn zu Hilfe zu kommen.

Doch aus dem Zimmer drang nur die Stimme des seltsamen Gastes, der in ruhigem gemessenem Tone sprach und immer weitersprach...

Jetzt endlich auch Hogans Stimme. Doch wie ganz anders klang sie! Klang, wie José sie noch nie gehört zu haben glaubte. Klang so weich, so glücklich – wie von erlösendem Weinen unterbrochen.

Ja! William Hogan weinte.

Leise klinkte José die Tür auf, sah in frohem Staunen auf die beiden. Der Herr bedurfte seiner nicht! Unhörbar, wie er eingetreten, glitt er wieder zurück.

Hörte noch, während die Tür sich schloß, den Ausspruch des Alten: »Nicht mehr lange, dann wirst du Vivians Sohn in deine Arme schließen!«

La Venta lag im Schein der Morgensonne. Unter einem schattigen Baum des Gartens ruhte Droste in einem Liegestuhl. Maria breitete zum Schutze gegen die Morgenkühle sorgsam eine Decke um den Freund.

Ein paar sorgenvolle Tage lagen hinter ihnen. Droste war, kaum von Wildrakes Armen aus dem Flugzeug in das Haus gebracht, in eine Nervenkrise verfallen. Zu groß der plötzliche Umschwung seines Geschickes, als daß nicht auch seine starke Natur schwer erschüttert worden wäre. Die liebevolle Pflege Marias und Wildrakes ließ ihn den Anfall glücklich überstehen. Seit gestern hatte sich sein Befinden so gebessert, daß er heute zum erstenmal ins Freie gebracht werden konnte.

»Versuche jetzt ein Stündchen zu schlafen, Medardus! Dann werden wir wiederkommen, dich erfrischt und wohl finden!« sagte Wildrake.

Mit freundlichem Winken ließen sie Droste allein. Der schloß die Augen, versuchte zu schlafen...

Unmöglich! Die Stürme, die in den letzten Tagen über ihn hinweggebraust, waren noch nicht verebbt. Immer wieder hafteten seine Gedanken an den Worten, die in der Zelle an sein Ohr gedrungen.

»Der Narr, der morgen stirbt, William Hogan, ist dein Sohn!«

... William Hogan sein Vater? Seine Erinnerungen gingen zurück nach Winterloo. Er wußte, daß der Name »Droste« ihm von seinen Pflegeeltern gegeben worden. Wie er wirklich hieß, ahnte ja niemand. Als Kind war er, einziger Überlebender eines untergegangenen Schiffes, in einem unbemannten Boot von den Wogen ans Land geworfen worden. Das einzige Zeichen, das eine Erkennung möglich machte, blieb ein Wappenring, den ihm, als er erwachsen war, Vater Arvelin als sein Eigentum gab. Wo war der geblieben? Hatte man ihm bei seiner Einlieferung ins Gefängnis den Ring weggenommen? Seine Augen starrten sinnend über die grüne Rasenfläche.

Da kam ein Mann auf ihn zugegangen, eine hohe, kräftige Gestalt, die Schultern wie vom Alter leicht gebeugt. Eine dunke Erinnerung stieg in Droste auf. Dieses Gesicht, diese Augen — hatte er sie nicht schon einmal gesehen? Fragend schaute er den Fremden an, der vor ihm stehengeblieben war und ihn unverwandt betrachtete.

Unwillig wollte Droste ihn anrufen, doch er unterließ es, als er die Veränderung sah, die sich auf dem Gesicht des Fremden vollzog. Tränen rollten langsam über dessen Wangen. Der Mund zuckte. Die Hände, bisher krampfhaft ineinandergeschlungen, lösten sich, streckten sich Droste entgegen. Wankend trat der Fremde neben ihn, kniete nieder an seiner Seite.

»Medardus, mein Sohn! Ist's möglich, daß mir solch Glück noch blüht, die Arme um meines Sohnes Schultern zu schlingen?«

Droste machte eine scheue Bewegung. Wieder klang jener rätselhafte Ruf in der Zelle an sein Ohr. Eine Stimme in seinem Innern ließ ihn erschauern. Und schweigend duldete er, daß der Fremde seine Arme um ihn legte und in zitternder Rührung zu ihm zu sprechen begann.

Die ersten Worte ihm kaum verständlich. Eine Mischung von Selbstanklagen und von Vorwürfen gegen einen anderen. Dazwischen wieder und wieder der Name »Vivian Doherty.«

Droste erfaßte nicht den Sinn des Gestammelten. Nur dieser eine Name, der immer wieder zu ihm drang, klang in seiner Seele weiter.

»Vivian . . . Mutter!« kam es flüsternd von seinen Lippen.

»Ja! Vivian ist deine Mutter! Ich . . . bin dein Vater! Wir hatten einander Treue geschworen. Ich liebte sie, wie ich in meinem Leben nie wieder einen Menschen geliebt habe. Und doch hielt ich ihr nicht die Treue um schnöden Geldes willen!«

Von seiner Erregung übermannt, hielt der Fremde einen Augenblick inne. Fuhr dann mit kaum hörbarer Stimme fort: »Den Ring hier« — er zog den Goldreif mit dem Roßmore-Wappen von seinem Finger — »gab ich einst deiner Mutter als Unterpfand meiner Treue, die ich brach. Ein Wesen, von Gott gesandt, brachte ihn mir wieder als Beweis für seine Worte, daß mir Vivian Doherty einen Sohn geboren, den man Medardus taufte. Es hatte ihn von Vivians Hand genommen, die sterbend mir verzieh, um ihn dereinst ihrem Sohn zu geben, wenn er ein Mann geworden. Du trugst den Ring viele Jahre bis zu der Nacht vor dem Morgen, an dem du . . .«

Die Stimme versagte ihm. Sein Kopf lag an Drostes Schulter. Der hielt sich, überwältigt von dem, was da auf ihn eindrang, kaum noch aufrecht. Der Fremde hier neben ihm sein Vater? William Hogan, der ihnen allen schlimmster Feind gewesen? Konnte das Schicksal das wollen? Den Mann, den er stets gehaßt, sollte er Vater rufen?

Vater! Wie ganz anders klang dies Wort, wenn er an Arvelin dachte! Seine Gedanken flogen zu ihm . . . Doch war es nicht, als stünde der gütig lächelnd an seiner Seite und redete ihm vertrauensvoll zu?

»Ja, es ist wahr, Medardus: William Hogan ist dein Vater. Wird er dich auch nicht mehr lieben können als ich, so laß seine Liebe deshalb nicht unerwidert! Gib ihm, was dein Herz zu geben vermag! Laß die Stimme des Blutes, das dich mit ihm verbindet, nicht ungehört verhallen, wenn sie zu dir spricht!«

Ich Blut von William Hogans Blut? Droste erbebte, wandte sich scheu seinem ... Vater zu. Und sah zwei Augen, die ihn bittend in ängstlicher Erwartung anschauten. Unwillkürlich hob Droste die Rechte – und William Hogan ergriff sie mit einem unbeschreiblichen Ausdruck von Rührung und Freude.

Erstaunt blickten Maria und Wildrake, als sie zurückkamen, auf den Fremden neben ihrem Gefährten. Wildrake wollte fragen – da erhob sich der Unbekannte.

»Ich bin William Hogan – und dieser hier ist mein Sohn, der fortan Medardus Hogan heißen wird!«

Im ganzen Lande klangen die Friedensglocken. Der Boden Venezuelas wieder frei!

Eine Flugjacht stieg in La Venta auf, nahm Kurs nach Norden. Die drei Insassen schauten mit wehmütiger Freude auf das glückliche Land, das allmählich hinter ihnen am Horizont versank.

»Sie werden vergeblich nach dem ›Freunde Wildrakes‹ rufen«, sagte Oswald Winterloo und drückte Medardus die Hand.

Der machte eine stumme Bewegung der Abwehr, schritt zum Maschinenraum, prüfte den Tourenzeiger. Nicht schnell genug konnten ihn die Propeller vorwärtstragen.

In das Friedensfest war über den Ozean aus Schloß Winterloo eine Nachricht vom alten Friedrich gekommen: »Dr. Arvelin schwer erkrankt!«

Die Worte hatten sie jäh aus aller Festfreude gerissen. Hin zu ihm, dem alten, gütigen, väterlichen Freund!

Edna nahm Winterloos Hand, deutete gen Westen, wo die Küste des Kontinents wie ein Nebelstreif noch einmal kurz sichbar ward.

»Nehmen wir Abschied von der alten Heimat, Oswald! In der neuen drüben wird uns, so Gott will, ein besseres Glück blühen! Hoffen wir nur, daß wir Dr. Arvelin noch lebend finden! Der alte Getreue – er hat es wohl verdient, daß wir ihm noch einmal unsere Dankbarkeit aussprechen für das, was er an dir, an uns allen getan!«

Sie standen am Sterbelager Arvelins. Der schlug noch einmal die Augen auf. Mit einem langen Blick voller Liebe umfing er die drei, die sein Lager umstanden. Dann schlossen sich seine Augen für immer. –

Viele Jahre später noch, wenn das Leben die Freunde zusammenführte, sprachen sie, wenn sie des Krieges gedachten, von den rätselhaften Vorgängen jener Zeit. Keiner, der eine Erklärung zu geben vermochte. Unbewußt jedoch klang in ihrem tiefsten Innern dabei ganz leise der Name »Arvelin«.